Várias décadas atrás, o feminismo redefiniu o significado de feminilidade. Hoje, a maior parte das mulheres rejeitaria o rótulo de "feministas", no entanto absorveram suas ideias. Como um medicamento intravenoso percorrendo as veias de um paciente inconsciente, o pensamento feminista permeou nossa cultura. Neste livro relevante, perspicaz e cativante, Carolyn McCulley nos encoraja a despertarmos e nos tornamos radicais — a vivermos no mundo moderno como mulheres que conhecem a Bíblia. É uma leitura excelente e um desafio inspirador!

Mary A. Kassian

Professora de Estudos Femininos no *The Southern Baptist Theological Seminary*

Autora de *The Feminist Mistake*

Poucas vozes estão dizendo a verdade contida nestas páginas — mas muitas pessoas precisam ouvi-la. Em meio à confusão radical de nossa cultura acerca da feminilidade, Carolyn ensina a verdade radical do plano sábio e gracioso de Deus para as mulheres. E, como amigos de Carolyn por muitos anos, podemos atestar que seu exemplo pessoal apoia completamente o que ela ensina aqui. Seu livro — e sua vida — refletem perspectiva cuidadosa, honestidade humilde e sabedoria centrada no evangelho. Mulheres jovens ou mais experientes, casadas ou solteiras serão instruídas e inspiradas por este livro.

C. J. e Carolyn Mahaney

Sovereign Grace Ministries

Autores de *The Cross-Centered Life* e *Feminine Appeal*

Enquanto jovem, Carolyn McCulley abraçou com avidez muitos dos princípios de nosso "mundo feminista". Um encontro pessoal com Cristo mudou radicalmente sua vida e a levou a pesquisar o que é viver como uma mulher redimida. Este livro é o fruto de sua jornada. Suas observações aguçadas e análise profunda explicam a mudança sísmica ocorrida em nossa cultura pela revolução feminista. Sua perspectiva bíblica faz deste um material valioso para mulheres que querem cumprir sua missão inerente e viver as implicações radicais do evangelho num mundo caído.

Nancy Leigh DeMoss

Autora de *Mentiras em que as Mulheres Acreditam*

Apresentadora do programa de rádio *Revive Our Hearts*

Aqui está um livro útil, bíblico, direto, interessante e convincente que apresenta uma visão bíblica para a feminilidade. Sou muito grato por minha amiga Carolyn McCulley tê-lo escrito. Ela representa os grupos de mulheres piedosas, jovens e cristãs que estão conscientemente rejeitando a noção mundana da "nova mulher" e que estão, ao invés disso, alegremente abraçando o ensino da Escritura da "verdadeira mulher". Carolyn foi, certa vez, profundamente influenciada pelo pensamento feminista, mas por fim percebeu a falência daquela visão. Ela deseja que você entenda por que muito do que as mulheres aprendem sobre o que significa ser uma mulher na cultura de hoje (independente de ser ensinado na faculdade, lido ou ouvido através da mídia ou suposto pela sociedade) leva a um beco sem saída. Mais importante, ela deseja que você conheça por que a visão da Bíblia acerca da feminilidade inspira alegria e paz.

Ligon Duncan

Diretor administrativo do *Council on Biblical Manhood and Womanhood*

Professor adjunto do *Reformed Theological Seminary*

Feminilidade Radical é uma mensagem subversiva sobre uma opção melhor para as mulheres. Com coragem, clareza, história e narrativas que impactam, Carolyn delicadamente desfaz o santuário do feminismo com as glórias da feminilidade bíblica. Mulheres, peguem uma xícara de café, acomodem-se e ouçam Carolyn falar sobre como a Palavra de Deus transforma as mulheres.

Dave Harvey

Sovereign Grace Ministries

Autor de *Quando Pecadores Dizem Sim*

Que maravilhoso quando a clareza e a convicção bíblicas expõem e substituem a confusão e a decepção mundanas. *Feminilidade Radical* faz exatamente isso com o impacto profundo do feminismo dentro de nossa cultura e particularmente sobre a igreja. Carolyn McCulley combina pesquisa sólida com testemunho pessoal envolvente (dela mesma e de outros) para oferecer uma imagem clara da influência feminista ao longo dos dois últimos séculos. Carolyn traça a primeira, a segunda e a terceira onda da ideologia feminista e discute como essas ideias têm influenciado todos nós mais do que poderíamos jamais imaginar. O fundamento dessa discussão é a Palavra de Deus, e Carolyn regularmente demonstra como a verdade eterna de Deus é a resposta às questões e à confusão feministas. Nós recomendamos muito este livro para discernir a verdade duradoura de Deus na maneira como ela se relaciona com um dos mais poderosos enganos de nossa época.

Bruce e Jodi Ware
The Southern Baptist Theological Seminary

Neste livro cuidadosamente pesquisado e claramente escrito, Carolyn McCulley expõe as raízes históricas e os amargos frutos contemporâneos do movimento feminista. Ela mostra que, ao contrário, o modo verdadeiramente radical de afirmar a feminilidade é adotar a perspectiva bíblica sobre o tema. Este é um livro que precisa ser lido por todas as mulheres — e por homens também!

Iain Duguid
Professor de Antigo Testamento na *Grove City College*

Carolyn **McCulley**

FEMINILIDADE RADICAL

FÉ FEMININA EM UM MUNDO FEMINISTA

Todas as citações bíblicas foram retiradas da versão de João Ferreira de Almeida, Revista e Atualizada, salvo outra indicação.

M478f McCulley, Carolyn, 1963-
Feminilidade radical : fé feminina em um mundo feminista / Carolyn McCulley. – São José dos Campos, SP : Fiel, 2017.

362 p.
Tradução de: Radical womanhood: feminine faith in a feminist world.
Inclui referências bibliográficas.
ISBN 9788581323909

1. Mulheres – Aspectos religiosos – Cristianismo. 2. Feminismo – Aspectos religiosos – Cristianismo. 3. Mulheres cristãs – Vida religiosa. I. Título.

CDD: 270.082

Catalogação na publicação: Mariana C. de Melo Pedrosa – CRB07/6477

Feminilidade Radical: Fé Feminina em um Mundo Feminista
Traduzido do original em inglês
Radical Womanhood: Feminine Faith in a Feminist World

■

Publicado por Moody Publishers,
820 N. LaSalle Blvd.,
Chicago, IL 60610, USA.

Primeira Edição em Português: 2017

■

Diretor: Tiago J. Santos Filho
Editor-chefe: Vinicius Musselman
Editora: Renata do Espírito Santo T. Cavalcanti
Coordenação Editorial: Gisele Lemes
Tradução: D&D Traduções
Revisão: D&D Traduções,
Renata do Espírito Santo T. Cavalcanti
Diagramação: Larissa Nunes Ferreira
Capa: Larissa Nunes Ferreira
ISBN impresso: 978-85-8132-390-9
ISBN e-book: 978-85-8132-395-4

Caixa Postal, 1601
CEP 12230-971
São José dos Campos-SP
PABX.: (12) 3919-9999
www.editorafiel.com.br

Com amor, à minha família

James e Rosalind McCulley,
Fred e Alice Barber,
E Andrew e Beth Oman.

Com agradecimentos especiais por sua paciência durante meus anos de feminismo e seu amável apoio durante a elaboração deste livro.

Sou profundamente grata a todos vocês!

Sumário

Introdução

"Por que ninguém nos contou isso antes?" Essa foi a pergunta da audiência formada por mulheres cristãs em idade universitária feita à Carolyn McCulley, e essa é a razão por que ela escreveu este livro marcante. Carolyn explica sua transição de uma feminista secular de 30 anos de idade, grandemente influenciada pelas expectativas da cultura moderna sobre a mulher, para uma jovem cristã buscando entender a Bíblia em seus ensinamentos sobre feminilidade, sexualidade, matrimônio, família e filhos.

Carolyn reconhece que hoje uma geração mais jovem de mulheres cristãs anseia por ouvir os grandes ensinamentos da Bíblia sobre o igual valor entre homens e mulheres, e sobre a beleza de nossas diferenças tais quais planejadas e criadas por Deus.

Carolyn reúne alguns ótimos ingredientes neste livro: (1) um profundo e sábio conhecimento dos ensinamentos da Bíblia sobre homens e mulheres; (2) narrativas históricas fascinantes sobre a vida de líderes feministas dos últimos dois séculos; (3) histórias maravilhosamente encorajadoras de pessoas que fizeram a transição do feminismo radical, ou da prostituição, ou de históricos de abuso, ou da infidelidade matrimonial, para servir a Jesus Cristo com profundo comprometimento e alegria; e (4) um grande estilo de escrita que prende a atenção de quem lê desde a primeira página até a última. Este é um livro excelente!

Eu tenho ensinado e escrito extensivamente sobre o tema da masculinidade e da feminilidade bíblicas pelos últimos 23 anos, e o escrito de Carolyn é certamente coerente com esses escritos. Mas Carolyn também pediu para que eu mencionasse como a masculinidade e a feminilidade bíblicas têm se desenrolado em meu próprio matrimônio.

Margaret e eu nos casamos em 6 de junho de 1969, o que significa que estamos casados há 39 anos. Houve altos e baixos, como em qualquer casamento, mas, olhando agora para esses 39 anos, nós tivemos mais alegres e maravilhosas memórias do que podemos contar. E hoje nós amamos estar juntos, passar tempo com os amigos, ou em nossa igreja, ou viajando juntos, ou apenas tendo um "encontro" de meia hora fazendo compras no supermercado. Eu entro num corredor para buscar algum produto, então procuro por Margaret e meu coração se alegra em vê-la de novo! Que grandes bênçãos Deus concede àqueles que seguem a sua Palavra!

No início deste mês, voltamos a Libertyville, Illinois, e tivemos algum tempo livre, então passamos por todas as quatro casas que tivemos durante os vinte anos em que moramos lá, de 1981 a 2001. Em cada bairro e rua, recordamos lembranças felizes da criação de nossos três filhos em Libertyville, quando os levávamos para os treinos de futebol ou basquete, jogávamos futebol americano com eles, ou quando os víamos obterem o primeiro emprego e, assim, tornando-se capazes de pagar pelo seguro do carro, ou quando conhecíamos os amigos deles na escola fundamental ou no ensino médio, ou apenas quando passeávamos juntos com o cachorro — as coisas comuns da vida! Por que houve bênção tal de Deus ao longo desses 20 anos? Eu penso que foi porque Deus ajudou Margaret e a mim a moldarmos nosso casamento de acordo com os ensinos da Bíblia, os mesmos ensinos que Carolyn tão claramente expressa neste livro.

Amanhã encontraremos nossos três filhos, duas noras e uma linda e jovem neta nas férias em família. Observamos a vida deles com alegria, porque eles também estão buscando seguir os padrões da Bíblia para esposos, esposas e filhos. "Bem-aventurado aquele que teme ao SENHOR e anda nos seus caminhos!" (Sl 128.1).

Em nosso próprio casamento, eu busco tomar decisões sábias em meu papel como o "cabeça" (ver Ef 5.24), e busco amar Margaret "como Cristo amou a Igreja" (Ef 5.25). E Margaret busca "submeter-se" à minha liderança como a Bíblia diz (ver Ef 5.22). Mas não se passa um dia em que ela não me ofereça sábios conselhos, opiniões e encorajamento, para que eu seja fiel ao Senhor. E eu escuto! Escrevi mais de cem páginas de artigos acadêmicos sobre o significado da palavra grega para "cabeça" neste versículo: "porque o marido é o cabeça da mulher, como também Cristo é o cabeça da igreja, sendo este mesmo o salvador do corpo" (Ef 5.23), mas um dia me dei conta de que uma cabeça que funciona bem tem dois ouvidos! Eles têm o propósito de ouvir a sua esposa! Liderança que ouve em amor funciona em todas as pequenas decisões familiares e, às vezes, nas grandes também, como quando decidimos nos mudar para o Arizona em 2001.

Alguns anos antes disso, quando ainda estávamos morando em Illinois, Margaret começou a sentir dores crônicas resultantes de um acidente de carro. Não pensamos que houvesse qualquer solução médica, mas então alguns amigos nos convidaram para ficar em sua segunda casa em Mesa, Arizona (um subúrbio de Phoenix). Passamos alguns dias no clima quente e seco, e Margaret se sentiu melhor! Alguns meses mais tarde, nós retornamos para uma segunda visita, e ela se sentiu melhor novamente. Ocorre que sua dor era agravada pelo frio e pela umidade — e a área de

Chicago em que morávamos era fria no inverno e úmida no verão! Mas o Arizona era seco e quente.

Eu disse a Margaret: "eu ficaria feliz em me mudar para cá, mas não acho que haveria um jeito de conseguir um emprego aqui. Eu sou treinado para fazer apenas uma coisa — ser um professor num seminário teológico. E não há quaisquer seminários na região de Phoenix".

No dia seguinte, apenas por curiosidade, Margaret estava lendo as páginas amarelas na categoria "Instituições Educacionais" e disse: "Wayne, há algo aqui chamado *Phoenix Seminary*". Então lembrei-me de que tinha ouvido algo sobre um novo e pequeno seminário na região de Phoenix. Nós buscamos mais informações, e uma coisa levou a outra, e, no fim, telefonei e perguntei se havia a possibilidade de eles terem um trabalho para mim. Eles disseram que sim!

Mas isso significou uma grande mudança na minha carreira. Àquela época (2001), eu era professor na *Trinity Evangelical Divinity School*, em Deerfield, Illinois, por vinte anos. Eu tinha o cargo de professor titular (o mais alto cargo), tinha estabilidade (o que basicamente garantia emprego para toda a vida) e chefe no Departamento de Teologia Bíblica e Sistemática (um departamento com 8 membros). *Trinity* tinha mais de 1.500 estudantes, um forte programa de doutorado, no qual eu podia lecionar, e a reputação de ser uma das melhores instituições acadêmicas no mundo evangélico.

Em contraste, o *Phoenix Seminary* era recente e pequeno, com cerca de 200 estudantes e 8 docentes no total. Deveria eu concordar em fazer essa mudança? Quando chegou o dia que eu havia separado para considerar isso diante do Senhor, abri minha Bíblia na passagem a qual eu chegaria na minha leitura regular das Escrituras, e meus olhos pousaram sobre Efésios 5.28: "Assim também os maridos devem amar a sua mulher como ao próprio corpo. Quem ama a esposa a si mesmo se ama". Eu pensei: "se meu corpo estivesse sentido a dor que Margaret sente, decidiria eu mudar para Phoenix?". Eu pensei: "sim, eu mudaria por causa do meu próprio corpo. Então não deveria também mudar por causa do corpo de Margaret?" Assim, dispus-me a mudar por causa de Margaret.

Mas então descobri que ela queria ficar em Illinois por causa do ministério que Deus havia me dado em *Trinity*. Nós estávamos ambos preocupados com o bem-estar um do outro — eu penso que é assim que o matrimônio deve funcionar. Àquela altura, o *Phoenix Seminary* me telefonou e disse que eles queriam fazer de mim um "professor-pesquisador", com horas reduzidas em sala de aula e mais tempo para escrever, e, com isso, Margaret concordou que seria uma bênção para nós dois nos mudarmos.

Qual deveria ser a decisão final? Nós oramos, e conversamos, e saímos para caminhadas, e conversamos ainda mais. Finalmente, Margaret disse: "resolvi o que fazer quanto a essa decisão". Eu disse: "E o que você resolveu?".

Ela disse: "Decidi que você deve tomar a decisão!". Eu sorri, mas também senti o peso da responsabilidade. Parece-me que é assim que o matrimônio deve funcionar — oração, amor e conversa, e cada um se importando com o outro, mas, então e finalmente, o esposo como cabeça do lar tem a responsabilidade de tomar a decisão. Minha decisão foi que deveríamos nos mudar em nome da saúde de Margaret.

Nos sete anos que temos morado no Arizona, Deus mais uma vez trouxe bênção abundante. O seminário cresceu, comprou um belo prédio, adquiriu uma boa biblioteca e obteve completo reconhecimento. Tenho visto significante bênção em meu ministério como professor e escritor. Deus nos concedeu uma igreja maravilhosa, amigos especiais e muitas oportunidades de ministério. Margaret encontrou abundante oportunidade de ministrar para as mulheres mais jovens de nossa igreja, para esposas de seminaristas e também para muitos outros. Deus tem nos concedido grande alegria em nosso casamento. E Margaret se sente muito melhor! Não estou dizendo que não há dificuldades — Margaret fez uma intervenção cirúrgica no joelho ano passado e ainda não está completamente curada; logo, há alguns desafios. Mas nós temos a grande alegria de trilhar os caminhos de Deus cada dia, e estamos ansiosos por talvez outros 20 ou 30 anos de casamento! "Bem-aventurado é o povo cujo Deus é o Senhor!"

Wayne Grudem

31 de julho de 2008

Prefácio

Este é o livro que eu gostaria que alguém tivesse me dado em meu aniversário de trinta anos.

Eu tinha acabado de retornar de um feriado na África do Sul onde, muito inesperadamente, eu me vi ouvindo um pregador explicar por que Jesus Cristo viveu e morreu. Quando me dei conta, já estava indo à igreja todo domingo. Eu sabia que algo profundo tinha acontecido comigo naquela viagem, mas se tornar cristã era a última coisa que esta garota festeira esperava que acontecesse.

Então lá estava eu, perdida na terra das moças de igreja — mulheres usando estampas de flores e longas saias, segurando um bebê em cada lado do quadril e parecendo ser felizes donas de casa. Tenho certeza de que eu tinha a expressão de espanto de um turista num zoológico. Tenho certeza de que elas também estavam espantadas, pois eu era claramente uma novata. Eu era a mulher impertinente, solteira e profissional, muito mais familiarizada com a última edição da revista *Cosmopolitan* e com o cenário da música alternativa do que com a Bíblia ou qualquer dos hinos e corinhos de louvor.

Como me lembro bem daqueles primeiros meses de choque cultural naquela igreja. Como nova cristã, eu tinha uma cosmovisão completamente nova para processar e avaliar: as pessoas estavam realmente lendo a Bíblia! E *crendo* nela! Elas falavam sobre relacionamentos e papéis de uma maneira tão diferente de qualquer coisa que eu tinha ouvido antes. Parte de mim queria fugir, mas a outra parte estava grandemente intrigada.

Nunca me esqueci de como foi aquela experiência. É por isso que escrevi este livro. Eu o escrevi para o meu eu de 30 anos de idade, a mulher que precisava entender por que muito do que ela tinha sido ensinada na universidade e muito do que ela leu na mídia resultaram num beco sem saída, e por que a Bíblia inspirava alegria e paz. Espero que estas páginas também poupem muitas leitoras de alguns anos se questionando "Por quê?" e de aprender a lição da maneira mais difícil, como aconteceu comigo.

Mais importante ainda, escrevi este livro às moças a quem me dirigi muitos anos depois numa conferência regional para estudantes universitárias. Tentando aferir a compreensão delas acerca dos vários itens aos quais eu estava me referindo em minha mensagem, eu pedi que elas respondessem, levantando as mãos, a algumas perguntas.

"Quantas de vocês já ouviram falar do movimento sufragista?" Algumas mãos foram levantadas. "E quanto a Betty Friedan? Gloria Steinem?" Novamente, apenas algumas mãos levantadas. "Simone de Beauvoir ou Jean-Paul Sartre?" Talvez uma mão — lá no fundo do auditório.

"E sobre a mulher de Provérbios 31?" Para a minha surpresa, novamente, apenas algumas mãos foram erguidas nessa conferência cristã.

"Certo, então. Bem, quantas de vocês são filhas de um casamento terminado em divórcio?" Mais da metade das mulheres no salão levantaram suas mãos.

A essa altura, eu percebi que estava falando a uma geração que convivia com a poeira radioativa de uma mudança cultural sísmica, *mas elas não sabiam o que tinha acontecido!* (Elas também não sabiam o que estava na Bíblia — um pensamento alarmante para um evento cristão, embora não totalmente inesperado para tantas novas crentes.) Vendo a necessidade delas, coloquei de lado minhas anotações para a palestra e comecei a me dirigir a elas com paixão. Eu lhes expliquei o que as gerações anteriores fizeram para mudar a definição do que é ser uma mulher. Eu lhes falei sobre tudo o que elas tinham herdado — tanto os benefícios quanto os prejuízos. Eu lhes falei sobre o que a Bíblia tinha a dizer sobre aqueles temas. E então eu as desafiei a serem diferentes, a viverem como mulheres conhecedoras da Bíblia no mundo moderno.

Quando o evento acabou, muitas delas vieram a mim dizer que essa informação era nova para elas. "Por que ninguém nos contou isso antes?", elas perguntavam.

Eu espero que, algum dia, algumas delas encontrem este livro, para que possam conhecer mais do que eu poderia explicar em somente uma hora. Eu quero que elas entendam o que é *verdadeiramente* radical quanto a ser uma mulher à imagem de Deus.

Enquanto isso, você é quem está segurando este livro. Estou grata por isso e espero que você encontre informações reveladoras e conselho sábio nestas páginas. Em cada um dos capítulos seguintes, você lerá um pouco de história, um comentário das Escrituras e a história de uma mulher que descobriu que Deus é fiel à sua Palavra. Conheço todas essas mulheres, mas em nome da privacidade delas, eu mudei seus nomes e alguns detalhes de sua identidade. Elas vivem em diferentes cidades e congregam em diferentes igrejas, mas elas compartilham comigo um testemunho comum sobre o nosso Deus fiel.

Capítulo 1:

UMA FEMINILIDADE DISTORCIDA

A primeira vez que você ouve um garoto dizer isto, pode ser muito ruim.

"Você joga a bola como uma *menina*!"

"Ele gritou exatamente como uma menina!"

"Eca... Isso é nojento. É rosa. Isso é coisa de menina."

O conteúdo desses insultos geralmente não carrega um motivo sério, mas a implicação é clara: meninas são diferentes. Diferentes no sentido de piores. Inferiores. Se um menino não tem certa habilidade, força ou velocidade, ele não é melhor que... uma *menina*.

Do fundo do coração feminino, um protesto importante surge: *Isso não é justo!*

Não sei quando me dei conta disso, mas deve ter sido durante os primeiros anos de escola. Tenho lembranças de competir em corridas e de garantir que os times das meninas se saíssem bem contra os times dos meninos. A certa altura, os garotos tinham algumas liberdades durante o recreio que não eram dadas às meninas — talvez de jogar algum esporte com contato físico. Então nós, meninas, rodeávamos a professora durante o recreio e, de maneira sarcástica, brincávamos os jogos de crianças bem pequenas, como forma de demonstrar nosso argumento.

No ensino médio, a divisão entre os gêneros se tornou mais ameaçadora — e, de maneira bizarra, mais sedutora. Todas as meninas queriam a atenção tradicionalmente dada às líderes de torcida e às rainhas dos bailes, mas havia sempre o risco das fofocas de vestiário. Meninas no ensino médio não eram mais acusadas de ter piolhos ou apenas de serem "nojentas". Nessa fase, os insultos masculinos tinham um viés ameaçador e desrespeitoso, frequentemente combinados a difamações sexuais. Mesmo assim, alguns meninos eram bonitos. Nós queríamos a atenção e o tempo deles. Nós apenas não sabíamos se podíamos confiar neles. E, algumas vezes, nós não podíamos.

Grosso modo, isso resume meu entendimento sobre a "política sexual" até o tempo de faculdade — nada traumático tampouco minimamente dramático. Minha família era intacta e estável. Meu pai era amável e presente em minha vida, assim como minha mãe. Eu me envolvi em várias atividades escolares. Meus pais compareceram a todos os concertos e apresentações da banda marcial, às peças teatrais e às reuniões de pais e mestres. Eu circulava bem perto do grupo popular — não fazia parte do seleto grupo de líderes de torcida e dos jogadores de futebol americano, mas era próxima o suficiente para ser convidada para as festas eventuais.

Nada disso realmente explica por que eu acabei entrando naquele primeiro módulo de Estudos Femininos na faculdade. Provavelmente, pensei que seria uma matéria eletiva mais fácil que Ciências Políticas ou Economia. Mas a razão por que eu me matriculei no segundo módulo foi bem mais intencional: através do feminismo, eu recebi uma visão de mundo que tratava do sexismo dissimulado do qual suspeitei todos aqueles anos. As coisas começaram a fazer sentido. O problema eram... *os homens*! O "patriarcalismo" e sua opressão contra as mulheres eram os verdadeiros culpados. (Ou melhor, *womyn*[1].) Como estudante de Jornalismo, eu precisava de algum tema no qual eu me especializasse, uma causa para advogar. Encontrei a minha no feminismo. Fiz minha missão de vida espalhar a causa do feminismo nas revistas e rádios em que trabalhei.

Houve alguns contratempos pelo caminho. Certa

1 N. da T.: neologismo da língua inglesa utilizado por algumas feministas em lugar de "woman" [mulher] e "women" [mulheres], a fim de que a nomenclatura não fique dependente de "man" [homem] e "men" [homens]. Não há correspondente em português, visto que "mulher" e "homem" são palavras de estruturas diferentes.

vez durante a faculdade, segundo me lembro, meu feminismo crescente arruinou o Dia de Ação de Graças. No jantar, meu tio, um homem pragmático formado na Academia Naval, fez algum comentário — agora já esquecido e provavelmente mais benigno do que eu percebi ser — que me ofendeu muito. Comecei um longo discurso sobre estupro, patriarcalismo, a opressão das "*womyn*" e os papéis sufocantes de esposas e mães. (Nenhum dos quais, exceto o patriarcalismo, eu havia experimentado pessoalmente.) Qualquer refutação das minhas vastas conclusões era respondida com crescentes volume e paixão da minha parte. Eu havia vivido apenas duas décadas, mas, em minha opinião, possuía a sabedoria de muitos anos.

Também houve o tempo em que choquei meu pai com o anúncio de que, se um dia me cassasse, não mudaria meu sobrenome. Naquela época, eu pensava que essa era uma tradição opressiva e desnecessária e não via qualquer motivo para mudar minha identidade apenas porque havia obtido um esposo. Eu honestamente pensei que meu pai concordaria comigo, porque ele era pai de três filhas, e, se todas nós mudássemos nosso sobrenome, o nome da família morreria com ele. Mas ele não pareceu muito feliz, o que genuinamente me surpreendeu. Em retrospectiva, eu sinceramente não sei se foi a informação ou o meu comportamento que provocou essa reação dele.

Aprendi muito da teoria nas aulas de Estudos Femininos, mas, surpreendentemente, não aprendi muito sobre a história real. Nós aprendemos sobre o movimento de libertação feminina das décadas de 1960 e 1970, mas nada anterior a isso. Eu não me lembro de estudar coisa alguma escrita antes do influente livro de Betty Friedan, da década de 1960, *A Mística Feminina*, ou seja, nada anterior ao meu próprio nascimento. Levaria anos até que aprendesse sobre o movimento sufragista que precedeu o feminismo moderno, os diferentes impactos da Reforma Protestante e do Iluminismo sobre os papéis de cada gênero, e, finalmente, a respeito do que a Bíblia diz sobre homens e mulheres.

O feminismo me ensinou que os homens eram o problema, mas, no fim das contas, a política feminista me deixou entediada. Embora eu não tivesse problemas em concordar que os homens eram o problema, eu não tinha nada contra algum homem em específico, e alguns pareciam agradáveis e, até mesmo, atraentes para mim. Depois de um tempo, a vitimização estridente do feminismo perdeu seu apelo. Embora uma das minhas colegas tenha ido trabalhar para grupos feministas de ação política — a *National Organization for Women* [Organização Nacional pelas Mulheres] e depois a *Feminist Majority* [Maioria Feminista] —, eu peguei meu diploma em Jornalismo e meu certificado em Estudos Femininos e busquei uma carreira na mídia.

Não demorou muito para que a minha definição e prática do feminismo se tornassem tão genéricas quanto as de uma mulher carregando a revista *Cosmopolitan*. Construções sociais e teorias de gênero eram agora lembranças distantes. Restaram-me um senso de moda andrógeno do tipo "vista-se objetivando o sucesso", uma percepção exagerada de abuso sexual e discriminação no ambiente de trabalho e uma caricatura da sexualidade masculina como o modelo de liberdade para ambos os sexos. Agressão no trabalho e em encontros românticos foi o legado da minha educação.

Quando eu tinha vinte e nove anos, examinei minha vida e percebi um vazio. Um insistente foco em mim mesma não havia gerado muita felicidade.

A Psique Feminina Fragmentada

Durante esse tempo, uma amiga me emprestou um livro, dizendo o quão útil ele havia sido para "reaver uma psique feminina completa". A premissa do livro era de que as mulheres poderiam ser restauradas pelo estudo das fraquezas e forças das deusas da mitologia grega e pela busca por reconciliação desses arquétipos numa mulher completa.

Eu fiz o teste do livro e descobri que meu resultado era muito próximo ao de Atenas, a deusa-guerreira que surgiu completamente formada da cabeça de Zeus. Este é um trecho da descrição que anotei em meu diário àquele tempo:

> É fácil identificar Atenas no mundo moderno. Ela está lá fora, em todos os sentidos da palavra. Editando revistas, dirigindo departamentos de Estudos Femininos em faculdades, apresentando programas de entrevistas, fazendo turismo edu-

cacional na Nicarágua, produzindo filmes, desafiando o parlamento local.

A mulher "Atenas" é muito visível porque ela é extrovertida, prática e inteligente. Os homens geralmente são um pouco intimidados por ela no início, porque ela não responde às táticas sexuais comuns, e ela os colocará contra a parede em qualquer discussão intelectual. Quando eles ganham o respeito dela, ela se torna a mais leal das companheiras, uma amiga para toda a vida e uma fonte generosa de inspiração [...].

Apesar de sua força, genialidade e independência, há um paradoxo na imagem tradicional de uma dama de armadura. Parece-nos que quanto mais energia a mulher "Atenas" coloca em desenvolver seu eu de sucesso, secular e bem armado, tanto mais ela esconde sua vulnerabilidade feminina. Assim, com sua androgenia, Atenas esconde um conflito, uma tensão não resolvida entre seu eu exterior inflexível e seu eu oculto, não expressado, que pode ser uma fonte de grande insegurança no tocante a encontrar uma identidade feminina integral. Nós chamamos isso de "a ferida de Atenas" [...].

Ela disputará [com seu companheiro], competirá com ele e frequentemente o desprezará por não ser tão firme quanto ela.[2]

2 Roger Woolger and Jennifer Barker Woolger, The GoddessWithin: A Guide to the Eternal Myths That ShapeWomen's Lives (Ballantine, 1989), 44, 47.

Esse era um retrato bastante exato da minha vida naquela época. Eu realmente não sabia o que fazer com a minha identidade feminina, mas certamente sabia como discutir com homens. Agora, ao citar aquele livro, não o estou endossando de forma alguma. Mas eu olho para trás e me maravilho com o quão criativo Deus é quando ele começa a trabalhar em nossos corações. Já que eu não estava nem um pouco perto de uma Bíblia naquele tempo, Deus usou aquele livro e sua premissa teológica defeituosa para despertar a minha mente. Aquela citação foi a última coisa que escrevi em meu diário antes de embarcar no voo para a África do Sul. Eu saí para aquelas férias pensando que precisava fazer alguma coisa em relação à minha psique feminina fragmentada. Eu vi o problema — ou pelo menos parte dele —, mas não tinha certeza sobre como resolvê-lo.

Foi durante minhas viagens na África do Sul que Deus revelou para mim mais sobre esse dilema e ofereceu sua solução preciosa. Eu estava indo visitar minha irmã e meu cunhado, que estavam morando lá temporariamente para estudar em um Instituto Bíblico. Meu plano era desfrutar de umas férias exóticas, nada mais. Mas no domingo de Páscoa, numa igreja lutando pela reconciliação racial em uma nação ferida pelo *apartheid*, eu escutei a maior mensagem de redenção e perdão que já alcançou os ouvidos humanos.

Lá, sentada entre pessoas que certa vez se desprezavam por causa da cor de suas peles, eu aprendi que a esperança da mudança se encontrava na vida e na morte de Jesus Cristo. Depois de explicar a evidência histórica para a veracidade da vida de Jesus, o pastor nos falou sobre a importância de sua morte. Ele começou com o problema do pecado — nossa rebelião contra as leis de Deus e os padrões santos. Num lugar como a África do Sul, marcada pelo preconceito e pelo derramamento de sangue, o pecado é claramente evidente. Mas mesmo se nunca tivéssemos discriminado nem assassinado alguém, nós não seríamos inocentes. Desde o momento em que gritamos "não!" enquanto bebês, passando pelo tempo em que traímos, mentimos e roubamos quando adultos, até as inúmeras horas que gastamos consumidos pela nossa autoimagem e avaliação própria às custas dos outros, nós acumulamos um peso de culpa e pecado que nos esmaga diante de um Deus santo.

O pastor nos explicou que a Bíblia diz que a morte é a consequência do pecado. Cada um de nós enfrenta a morte por causa de nossos pecados individuais, mas também vivemos num mundo caído por causa de nossa pecaminosidade coletiva. Mas Deus nos oferece uma solução chocante. Para quebrar o ciclo de pecado e morte, ele enviou seu Filho, Jesus Cristo, para ser nosso substituto — para viver a vida perfeita que não podemos viver a fim de pagar pela punição de nossos pecados que não podemos pagar. *Jesus morreu na cruz para que pudéssemos viver*. Sua ressurreição, três dias depois, era prova de que seu sacrifício foi suficiente para quebrar o ciclo da maldição do pecado e da morte. Deus não ignora o pecado nem tolera a injustiça. Ele derramou toda a justa ira por nossos pecados sobre seu Filho para que pudéssemos receber perdão. O pecado não ficou impune, mas na cruz de Cristo a misericórdia triunfa sobre o juízo. Esse é o evangelho — ou as boas-novas — da vida, da morte e da ressurreição de Jesus Cristo.

Naquele domingo de Páscoa, eu finalmente ouvi e entendi a gravidade dessa mensagem. Eu vi a raiva, o duro julgamento de outros e o egoísmo na minha vida, tais quais eles eram: pecado contra Deus e contra os outros. E eu caí em lágrimas à medida que as boas-novas do sacrifício salvador de Jesus foram reveladas e oferecidas a mim.

Pela primeira vez, eu tinha esperança real por mudança. Mas a mudança era um processo. Eu ainda era hesitante em algumas áreas, cínica quanto à subcultura evangélica, aos escândalos dos pregadores da TV, aos milagres falsificados e à divisão denominacional. Ao longo daquela viagem, fiz várias perguntas difíceis à minha irmã e ao meu cunhado. Eles responderam graciosamente com as palavras da Escritura, mas não tentaram me forçar a aceitar a visão deles. Eu me maravilhei com a moderação deles e ponderei sobre suas palavras à medida que as estradas empoeiradas da África do Sul passavam sob as rodas do carro.

No terceiro domingo na África do Sul, visitamos uma igreja na Cidade do Cabo para ouvir o antigo pastor do meu cunhado. Um americano chamado C. J. Mahaney pregou uma mensagem sobre a honestidade e a variedade das emoções humanas registradas no livro de Salmos. C. J. aliviou minhas preocupações quanto a pôr um sorriso falso no rosto por causa de Jesus. A Bíblia não se evadiu da realidade de nossos sentimentos instáveis. Ela também não nos deixou chafurdando neles. Nossas emoções foram planejadas por Deus para nos impelir em direção à verdade e à fé — uma progressão modelada para nós em quase todos os salmos.

Submissão Impossível

Quando voltei para casa, eu sabia que Deus tinha feito algo em minha vida. Uma fé real estava brotando em minha vida, mas não sabia o que isso significava para mim. Eu estava diferente — mas ainda precisava de acompanhamento pessoal e instrução. Eu sabia que precisava abandonar alguns hábitos pecaminosos óbvios, ir à igreja e ler minha Bíblia, mas não estava convencida de que muitas outras coisas precisavam mudar. Mal sabia eu que o Espírito Santo estava no processo de me virar de cabeça para baixo, abalando todas as minhas crenças e ideias anteriores, uma por uma.

Ponto a ponto, o Espírito Santo usou a Bíblia e a igreja para renovar a minha mente. Eu aceitei quase todas essas mudanças, até chegar a uma passagem de Efésios: "As mulheres sejam submissas ao seu próprio marido, como ao Senhor; porque o marido é o cabeça da mulher, como também Cristo é o cabeça da igreja, sendo este mesmo o salvador do corpo. Como, porém, a igreja está sujeita a Cristo, assim também as mulheres sejam em tudo submissas ao seu marido" (5.22-24).

Submissão?! Certamente esse era um conceito antigo, que ninguém praticava mais! De forma nenhuma, neste mundo de Deus, eu aceitaria que as mulheres são inferiores e que devem viver como cidadãos de segunda classe em relação aos homens. Essa passagem estava simplesmente errada, errada, *errada*. Todas as minhas ofensivas feministas se ergueram em objeção.

Mas eu continuei indo para a igreja.

Foi quando comecei a ouvir meu pastor e outras pessoas falando de outro conceito estranho: liderança-servil. A expressão esquisita desse conceito precisava de uma explicação. Mais uma vez, fui apontada para Efésios, capítulo 5. Dessa vez, eu li o restante da passagem ofensiva. Embora a primeira parte fosse para esposas, os versos que se seguiam para os esposos eram muito mais desafiadores e ofereciam uma definição de liderança que não era para a sua própria glória, mas para o benefício do outro.

> Maridos, amai vossa mulher, como também Cristo amou a igreja e a si mesmo se entregou por ela, para que a santificasse, tendo-a purificado por meio da lavagem de água pela palavra, para a apresentar a si mesmo igreja gloriosa, sem mácula, nem ruga, nem coisa semelhante, porém

> santa e sem defeito. Assim também os maridos devem amar a sua mulher como ao próprio corpo. Quem ama a esposa a si mesmo se ama. Porque ninguém jamais odiou a própria carne; antes, a alimenta e dela cuida, como também Cristo o faz com a igreja; porque somos membros do seu corpo. Eis por que deixará o homem a seu pai e a sua mãe e se unirá à sua mulher, e se tornarão os dois uma só carne. (5.25-31)

Essa não era uma liderança autocrática e para a sua própria glória. Essa era uma liderança para servir os propósitos de Deus em benefício dos outros.

Submissão. Liderança-servil. Até aquela altura de minha vida, esses conceitos me eram desconhecidos. Mas antes daquele domingo de Páscoa na África do Sul, também me era desconhecido um terceiro conceito: o pecado. Embora eu estivesse familiarizada com a palavra, eu a aplicava a *outras* pessoas. Até o momento em que ouvi o evangelho, não via o pecado claramente em mim mesma. Eu via fraquezas, faltas ou falhas em mim; eu era boa em culpar os outros por elas ou em minimizá-las em mim. Eu estava cega para os pecados da inveja, da raiva, da justiça própria, do julgamento, da ganância e do orgulho que percorriam minhas ações diárias.

A palavra que eu *sabia* como aplicar a mim mesma era "eu". Tudo era sobre mim e sobre maximizar o meu próprio conforto, minhas oportunidades e meu prazer.

A Sabedoria de Deus para as Mulheres

Devagar, fui percebendo que a Bíblia não estava apenas apresentando um novo conjunto de regras para relacionamentos de sucessos ou para uma vida de paz. Ela estava apresentando um *jogo* totalmente novo — com objetivos radicalmente diferentes para alcançar a vitória. Vencer significava viver uma vida que glorificasse a Deus. Vencer era crescer em humildade. Vencer era confiar em Deus e servir os outros. Vencer era cultivar o fruto do Espírito: amor, alegria, paz, longanimidade, benignidade, bondade, fidelidade, mansidão e domínio próprio (Gl 5.22-23). Vencer era crescer à semelhança de Cristo.

Todas as minhas antigas filosofias feministas resultaram apenas em socos ao vento, esperando que isso gerasse mudança. Mas a Escritura diz que é pela luz de Deus que vemos a luz (Sl 36.9). *A luz da Palavra de Deus me mostrou a verdade*. O que eu pensava que era certo e verdadeiro não se susteve diante da Escritura. A observação e a psicologia humanas podiam somente apontar para o problema — mulheres orgulhosas discutem com homens que elas consideram ser mais fracos e indignos de seu respeito —, mas não ofereciam solução confiável para a tensão entre os sexos.

Eu não precisava reconciliar o panteão de minhas deusas interiores. Eu precisava me arrepender dos meus pecados.

Assim como os homens também precisam.

Acontece que o feminismo está parcialmente certo. Os homens pecam. Eles podem diminuir as realizações das mulheres e limitar a liberdade delas por razões egoístas. Alguns homens abusam sexualmente de mulheres. Alguns homens abusam de suas esposas e de seus filhos. Muitos homens degradam as mulheres através da pornografia. O feminismo não surgiu por causa de ofensas fabricadas. Como disse certo teólogo, é compreensível, humanamente falando, por que esse movimentou emergiu:

> Quando você se dá conta de que homens têm subjugado mulheres por milhares de anos, você pode apenas se perguntar por que levou tanto tempo para que o movimento feminista se formasse. É infelizmente raro encontrar um casamento em que o esposo reconhece que ele carrega a responsabilidade da liderança e a exerce em humildade e amor, ao invés de em força e autoritarismo. Embora eu também seja contra muito do que o movimento feminista advoga, eu entendo por que ele surgiu. Eu acredito que se os homens cristãos fossem os líderes-servos do lar, ao invés de machistas presunçosos, o movimento feminista teria acabado em morte rápida e indolor. Se os homens tivessem buscado maneiras de ter os dons e talentos de suas esposas desenvolvidos e utilizados, ao invés de tomar uma bela pessoa e a tornar em pouco mais que uma escrava pessoal, se os homens não tivessem distorcido essa doutrina de liderança, nós não teríamos os

> problemas atuais entre homens e mulheres em nossa sociedade [...]. Estou cansado de ouvir que as feministas são responsáveis pela decadência da família. Temos que colocar a responsabilidade onde ela é devida — nos cabeças dos lares.[3]

Eu concordo, mas visto que este livro é para mulheres e não para homens, eu deixarei que os homens lidem uns com os outros. Minha preocupação é o que nós absorvemos de nossa cultura sobre o que é ser mulher. O feminismo (assim como a maioria dos "ismos") aponta o dedo para os outros pelos problemas da vida. Mas eu aprendi que a Escritura nos diz que as outras pessoas não são o verdadeiro problema. Nossa natureza pecaminosa (Tg 4.1-3), as forças do mal (Ef 6.12) e a sedução do mundo presente (1Jo 2.15-17) são nossos verdadeiros problemas. Mas, para mim — e muitas mulheres nesta era presente —, a definição, as práticas e os contornos da feminilidade são onde as batalhas se inflamam. O que significa ser uma mulher e não um homem? Qual é a importância da nossa habilidade de dar à luz filhos? Como devemos lidar com a nossa sexualidade? Devemos estruturar nossas carreiras da mesma forma que fazem os homens? Qual é o propósito de ser uma esposa?

Há respostas concorrentes por aí. Mais de quarenta anos após o início da "liberação das mulheres", entendidos dizem que nós hoje vivemos numa era pós-feminista. O fe-

---

3 Richard L. Ganz, 20 Controversies That Almost Killed a Church (Phillipsburg, NJ: P & R Publishing, 2003), 155.

minismo é o padrão. Nós o respiramos, pensamos nele, assistimos a ele, o lemos. Quando um conceito permeia tão amplamente uma cultura, é difícil dar um passo atrás e vê-lo operando. O feminismo alterou profundamente o conceito em nossa cultura do que significa ser uma mulher. Precisamos entender como esse movimento surgiu e quais têm sido seus objetivos, porque esses são agora as premissas de nossa cultura. Também precisamos reconhecer que algum bem adveio dele. Havia algumas sérias desigualdades que foram mudadas pelo movimento feminista. Sou grata pelos ganhos a curto-prazo, mas as consequências de longo-prazo são profundas e precisam ser examinadas à luz da visão de mundo do feminismo.

Minha história pessoal é, sem dúvida, diferente da sua. Talvez você não se identifique como uma feminista ou ex-feminista. Talvez você não se identifique como cristã — ou, pelo contrário, você tenha crescido na igreja. Mas é provável que haja aspectos da sua feminilidade que foram negativamente impactados pelo feminismo, não importa como você se identifique hoje. É por isso que creio que é importante examinar a história do feminismo, como ele afetou nossa cultura e nossas igrejas, e como suas afirmações se apresentam quando confrontadas com o ensino da Escritura.

Este é o livro que eu gostaria de ter tido quando era recém-convertida. Ao longo dos anos, tentei reter as impressões e memórias que tive enquanto neófita com relação à igreja, a Deus, à Bíblia, à masculinidade e à feminilidade, para o caso de eu ter a oportunidade de escrever este livro. Quando me deparei pela primeira vez com esses conceitos, como nova convertida, quis que alguém me explicasse como o feminismo surgiu, como ele influenciou meu pensamento, e por que a feminilidade como definida pela Bíblia não era um retorno a uma era horrível. Ninguém à minha volta na igreja *parecia* infeliz, reprimido ou oprimido pelos papéis de gênero descritos na Bíblia. De fato, eles pareciam surpreendentemente felizes. Os homens me tratavam com respeito. As mulheres sorriam e gargalhavam. As crianças eram amigáveis e, em geral, obedientes. Ninguém parecia ter passado por uma lobotomia, e nunca soube de encontros secretos de seitas. Então, depois de um tempo, eu aceitei que esse era um comportamento genuíno e não uma conspiração para me fazer uma lavagem cerebral que resultasse em uma forma de pensar arcaica. Isso me deixou livre para examinar as afirmações da Escritura sem suspeitas.

Quinze anos depois, sou profundamente grata pela oportunidade de escrever o livro pelo qual procurei enquanto recém-convertida — um livro que examina a história do movimento feminista e suas principais filosofias e dá uma explicação do que a Bíblia ensina acerca das mulheres, nosso valor e nossos papéis. Se você é recém-convertida, ou mesmo se não for cristã, oro para que, quando terminar este livro, você tenha um melhor entendimento de por que Deus fez homens e mulheres à sua imagem — dois sexos, iguais em valor e dignidade — e por que ele nos designa papéis diferentes a fim de realizar seus propósitos em seu reino.

Se você é cristã de longa data, oro para que você seja renovada em seu compromisso com esses princípios bíblicos. A feminilidade bíblica não é um molde de tamanho único. Não tem a ver com certo modo de se vestir, filmes da Jane Austen, chás, vozes quietas e estampas floridas... ou qualquer estereótipo que você esteja imaginando agora. Viver de acordo com os princípios bíblicos hoje requer que as mulheres sejam ousadas o suficiente para permanecer firmes contra filosofias e fortalezas que buscam destruir a Palavra de Deus e sua autoridade.

Você já leu parte da minha história. Nos próximos capítulos, você encontrará outras mulheres de igrejas, história e etnias diferentes — em outras palavras, este livro não é apenas resultante de minha experiência. Conheço todas essas mulheres, algumas das quais por mais de uma década. Essas são mulheres reais que confiaram em Deus na alegria e na dor. Elas se unem a mim celebrando a fé feminina em um mundo feminista.

Capítulo 2:

OS HOMENS NÃO SÃO O PROBLEMA

No prefácio, mencionei uma palestra a um grupo de mulheres em idade universitária numa conferência. Essencialmente, eu estava dando uma visão geral deste livro. Isso é uma quantidade enorme de informação para uma só hora! Foi difícil não acabar disparando datas e nomes rapidamente àquelas mulheres. Eu me sinto da mesma forma inclusive com este livro — há muita informação para examinar e apresentar. É por isso que escolhi desenvolver este material em tópicos. Cada capítulo deste livro aborda diferentes aspectos da vida das mulheres e como definições concorrentes de feminilidade moldaram essas áreas.

Neste capítulo, introduzo algo da história básica do feminismo através da vida de três mulheres influentes: Elizabeth Cady Stanton, Simone de Beauvoir e Betty Friedan. Se você for jovem, muito disso deve ser novo para você. Continue firme ao longo da lição de história, porque é importante saber como chegamos onde estamos hoje. Algumas de vocês, como eu mesma, viveram parte dessa história, mas não com a claridade que uma visão em retrospectiva traz. Confio que essa visão geral ajudará você a entender como o que aconteceu no século XIX se tornou o impulso para a turbulência do século XX. O que se segue é uma introdução de como o feminismo veio a identificar os homens como o principal problema das mulheres — e como essas questões são tratadas pela Bíblia.

Há uma diferença entre restaurar os direitos dados por Deus às mulheres e colocá-las acima tanto dos homens quanto de Deus. A história do movimento feminista mostra que uma coisa levou a outra — e isso antes da década de 1960. A fim de entender a confusão acerca dos gêneros do século XXI, você tem que voltar ao movimento *Girl-Power* da década de 1990, ao movimento de libertação das mulheres da década de 1970, à domesticidade suburbana da década de 1950, à era de Rosie, a Rebitadeira, durante a Segunda Guerra Mundial, à sexualidade desavergonhada da era do *jazz* e mesmo ao pontapé inicial do século XIX pelo direito feminino ao voto, de volta à fundação de nosso país[1].

Durante esse tempo inebriante, à medida que conceitos políticos de democracia e emancipação estavam tomando forma na nova república, as mulheres tinham grandes expectativas de que receberiam *status* legal igual ao dos homens como cidadãs dos Estados Unidos da América. Quando Abigail Adams contemplou toda a retórica política ardente de 1776, ela implorou a seu marido que não se esquecesse das mulheres. Numa carta a John Adams, em 31 de março, ela fez este apelo:

> Espero ouvir que declaraste independência. E, por falar nisso, no novo código de leis que suponho ser necessário que faças, eu desejo que ti lembres das mulheres e sejas mais generoso e favorável a elas do que o foram teus ancestrais. Não coloques poder tal ilimitado nas mãos dos maridos. Lembra, todos os homens seriam tiranos se pudessem. Se cuidado e atenção particulares não forem pagos às mulheres, estamos determinadas a fomentar uma rebelião e não nos prenderemos a quaisquer leis nas quais não temos voz ou representação.
>
> Que teu sexo é naturalmente tirano, é uma verdade tão amplamente estabelecida que não admite qualquer disputa; mas que de ti seja o abdicar, feliz e voluntário, do duro título de mestre, em nome daquele mais tenro e cativante — o de ami-

1 N. da T.: a autora se refere aos Estados Unidos.

> go. Por que, então, não tirar o poder dos viciosos e bárbaros de nos usar com crueldade e indignidade impunemente? Homens de bom-senso, em todas as eras, abominam esses costumes que nos tratam somente como vasos do teu sexo; considera-nos, então, como tendo sido colocadas pela Providência sob tua proteção e, em imitação do Ser Supremo, faz uso daquele poder somente para nossa felicidade.

Infelizmente, seus apelos não foram ouvidos. Pois, embora eles tivessem um casamento próximo e amoroso, John Adams simplesmente escreveu esta provocação em 14 de abril: "Quanto ao teu extraordinário código de leis, posso somente rir." [2] Por mais radicais que suas ideias tenham parecido ao seu esposo, Abigail não estava sugerindo que as mulheres abandonassem todos os aspectos da existência feminina, jogando fora os papéis de esposas e mães. Ela simplesmente queria que as leis reconhecessem as mulheres como entidades adultas e completamente legais dessa nova nação. Ela estava ligando a causa das mulheres — e, em outros tempos, a causa da abolição — à causa da Revolução. Embora seu marido não a tenha levado a sério nesse ponto, ela permaneceu fiel à sua família, amando John e os filhos ao longo de cinquenta e quatro anos de casamento. Como notou um biógrafo: "Aos olhos dela, um *status* legal e social

2 Charles Francis Adams, Familiar Letters of John Adams and His Wife Abigail Adams, During the Revolution (New York: Hurd & Houghton, 1875), 149-150.

melhor para as mulheres não era algo inconsistente com o papel essencialmente doméstico delas".[3]

Embora Abigail Adams não seja considerada uma feminista, ela corretamente previu a rebelião feminista do porvir. Em seu justo apelo, também articulou o que seria a premissa feminista básica: *"Lembra, todos os homens seriam tiranos se pudessem"*.

Sempre que as mulheres analisaram nossa história de desigualdade, a conclusão tem sido consistentemente que os homens são o problema. Neste capítulo, exploraremos como o feminismo se desenvolveu em torno dessa ideia e como a Bíblia trata dessa tensão entre os sexos. Essa é parte da história sobre as mulheres e o feminismo que aprendi muito bem em meu curso de Estudos Femininos — uma história que se mostrou reveladora.

Em Busca de Direitos

O preâmbulo da Declaração de Independência estadunidense traz uma das frases mais memoráveis de sua história: "Defendemos que estas verdades são evidentes, que todos os homens foram criados iguais, que eles foram dotados pelo seu Criador com certos direitos inalienáveis, que entre esses estão a Vida, a Liberdade e a busca pela Felicidade." Mas, em 1776, "todos os homens" não signifi-

3 Lynne Withey, Dearest Friend: A Life of Abigail Adams (New York: Touchstone Books, 1981), 82.

cavam realmente todos os homens. A expressão excluía alguns homens — mais notadamente, os escravos — e todas as mulheres.

A porta para a mudança, no entanto, foi aberta. Sucessivas gerações de mulheres continuaram de onde Abigail Adams parou. Em 1848, a Convenção de Direitos das Mulheres se reuniu em Seneca Falls, Nova Iorque. A convenção foi realizada por cinco mulheres, incluindo as ativistas Elizabeth Cady Stanton e Lucretia Mott. As participantes emitiram uma Declaração dos Sentimentos, moldada segundo a Declaração de Independência, que reclamava por igual tratamento para as mulheres, sob a lei.

Os historiadores geralmente apontam essa convenção do século XIX como a semente para o movimento feminista. Ela é considerada o ponto de partida da primeira onda do feminismo, também conhecida como movimento sufragista ou a campanha para obter o direito ao voto das mulheres. Aquela campanha levou algum tempo também — finalmente, foi concedido o direito de votar às mulheres através da ratificação da Décima Nona Emenda à Constituição em 1920. É mais ou menos isso que a maioria das pessoas conhece sobre a primeira onda do feminismo, se é que elas estão cientes de que há várias ondas. Não aprendi isso nem no curso de Estudos Femininos, por isso não espero que seja de conhecimento comum.

Por mais importante que tenha sido o fato de essas primeiras feministas terem obtido o direito de votar, duas questões adicionais foram igualmente significativas: a cobertura e a reforma do cristianismo. A cobertura era o conceito legal que subordinava os direitos de propriedade de uma mulher no casamento. Naquele tempo, antes do matrimônio, a mulher poderia livremente executar um testamento, assinar contrato, processar ou ser processada em nome próprio, e vender ou doar suas posses ou propriedades pessoais conforme desejasse. Com o matrimônio, porém, sua existência e identidade legal como indivíduo eram suspensas. Isso estava entre as queixas que as organizadoras de Seneca Falls trataram na Declaração dos Sentimentos, o que elas denominaram de "uma história de repetidas ofensas e usurpações da parte do homem para com a mulher".

- O homem nunca permitiu que a mulher exercesse seu direito inalienável ao voto.
- O homem obrigou a mulher a se submeter a leis em cuja formação ela não teve voz.
- O homem negou à mulher direitos que são dados aos homens mais ignorantes e degradantes — tanto nativos quanto estrangeiros.
- O homem tornou a mulher, se casada, civilmente morta aos olhos da lei.
- O homem tomou da mulher todo o direito sobre propriedade, até mesmo em relação aos salários que ela ganha.

- Após despojá-la de todos os direitos como uma mulher casada, se solteira e proprietária, o homem taxou a mulher para que sustentasse um governo que somente a reconhece quando, da sua propriedade, pode ser retirado lucro.

- O homem monopolizou quase todas as profissões lucrativas, e, daquelas que lhe são permitidas exercer, ela recebe apenas uma escassa remuneração.

- O homem negou à mulher as instituições para se obter uma educação ampla — todas as faculdades lhe são fechadas.[4]

As organizadoras de Seneca Falls também trataram da igreja, o que pode parecer surpreendente em nossa época, e emitiram uma resolução por mudança:

> O homem permite à mulher, na igreja assim como na sociedade, apenas uma posição subordinada, afirmando autoridade apostólica para sua exclusão do ministério, e, com algumas exceções, de qualquer participação pública nas questões da igreja [...]. Resolve-se que, por muito tempo, a mulher permaneceu satisfeita nos limites circunscritos que costumes corrompidos e uma aplicação pervertida das Escrituras estabeleceram para ela, e que é hora para que ela se mova

4 "The Declaration of Sentiments", tal como consta no arquivo histórico do National Park Service, http://www.nps.gov/wori/historyculture/declaration-ofsentiments.htm.

> em direção à esfera abrangente que o grande Criador lhe designou.[5]

Mesmo para essas ativistas com toda sua indignação, era uma manobra ousada assinar o documento:

> Uma multidão de cerca de trezentas pessoas, incluindo quarenta homens, veio de um raio de cinco milhas. Nenhuma mulher se sentiu capaz de presidir; a tarefa foi aceita pelo esposo de Lucretia, James Mott. Todas as resoluções foram aprovadas unanimemente, exceto o sufrágio feminino, uma ideia estranha e dificilmente um conceito que atraísse a audiência composta predominantemente por *quakers*, cujo contingente masculino recusou votar. O eloquente Frederick Douglass, um ex-escravo e agora editor do *Rochester North Star*, no entanto, levou o ajuntamento a aceitar a resolução. Na sessão de enceramento, Lucretia Mott conseguiu a aprovação de uma resolução final "pela derrubada do monopólio do púlpito, e pela garantia às mulheres de participação igual a dos homens nos vários negócios, profissões e comércios". Cem mulheres e homens assinaram a Declaração de Seneca Falls — embora a crítica posterior tenha levado alguns a remover seus nomes.[6]

---

5 A partir dos materiais de apoio no website da PBS para o documentário de Ken Burns sobre Elizabeth Cady Stanton e Susan B. Anthony, Not for Ourselves Alone, http://www.pbs.org/stantonanthony/resources/index.html?body=dec_sentiments.html.

6 National Portrait Gallery da Instituição The Smithsonian, materiais online para educação em http://www.npg.si.edu/col/seneca/senfalls1.htm.

O desafio de rever a história é entender o sentido da época, e então ser capaz de, objetivamente, separar certos eventos para examinar seu impacto futuro. No caso da Declaração dos Sentimentos, nós que estamos vivas hoje temos muito o que agradecer. Essas queixas levaram a reformas necessárias para as mulheres na educação, no matrimônio, no sufrágio e no trabalho. Mas misturado àquelas reformas sociais necessárias estava um desafio para o cristianismo — o governo da igreja, o ensinamento bíblico e o culto público. Como veremos no capítulo 8, a igreja em geral precisava de um entendimento melhor sobre uma comunidade espiritual baseada no Novo Testamento. No entanto, o desafio à igreja que foi levantado nesse documento levou, por fim, à destruição de conceitos biblicamente definidos de Deus, pecado, diferenças de gênero, matrimônio e outros.

Para entender como isso aconteceu, cada capítulo deste livro discursará sobre diferentes aspectos da influência do feminismo, incluindo o matrimônio, a maternidade e a sexualidade feminina. Neste capítulo, eu apresento um perfil de três líderes feministas — Elizabeth Cady Stanton, Simone de Beauvoir e Betty Friedan — para focar em suas atitudes para com os homens e em como essas ideias contribuíram para o surgimento do feminismo.

"Em Silêncio e Sujeição"

De muitas formas, Elizabeth Cady Stanton foi a personificação do feminismo da primeira onda. A Convenção de Seneca Falls foi o início da causa que defendeu durante toda a vida. Embora Stanton fosse casada por quase cinquenta anos e mãe de sete filhos, ela tinha uma visão obscura do matrimônio: "É vão buscar a elevação da mulher enquanto ela é rebaixada no matrimônio [...]. Sinto que toda essa questão do direito da mulher se transforma na relação do matrimônio".[7] Para ser justa, sua visão de matrimônio pode ter sido feita amarga pela falta de consideração de seu próprio marido, Henry Stanton. Ela frequentemente confidenciava suas dores à sua amiga íntima e colega ativista, uma mulher solteira de nome Susan B. Anthony. Numa carta, ela escreve: "Eu caminho de um lado a outro nestas minhas duas câmaras como um leão enjaulado, desejando pôr um fim aos cuidados de criação de filhos e tarefas domésticas. Tenho outro trabalho a fazer." E novamente: "Oh, quanto anseio por algumas horas de lazer todo dia. Quão rebelde me faz sentir ver Henry andar por aí quando e como quer. Ele pode caminhar à vontade pelo mundo inteiro ou recolher-se sozinho, se ele quiser, dentro de quatro paredes. Conforme contrasto sua liberdade com a minha escravidão e sinto que, por causa da falsa posição das mulheres, eu fui obrigada a suspender todas as minhas mais nobres

7 Marilyn Yalom, A History of the Wife (New York: Perennial Publishing, 2002), 190.

aspirações a fim de ser uma esposa, mãe, babá, cozinheira e escrava doméstica, a chama se acende dentro de mim de novo e anseio derramar, de minha própria experiência, toda a longa história dos erros das mulheres."[8]

Seu ativismo começou com a reforma do casamento e do sufrágio e então migrou para a religião. Stanton desenvolveu suas crenças ateístas enquanto ainda jovem, como uma reação às reuniões de avivamento do evangelista Charles Finney. Depois de ouvir Finney pregar, Stanton ficou aterrorizada com a condenação: "Temores do juízo apoderaram-se de minha alma. Visões dos perdidos assombraram meus sonhos. Angústia mental abateu minha saúde. Perda da razão foi percebida pelos meus amigos [...]. Retornando à noite, eu frequentemente levantava meu pai de seu sono para que orasse por mim, para que eu não fosse lançada ao abismo sem fim antes da manhã."[9]

Mas essa convicção não durou muito. Sua família a convenceu a ignorar a pregação de Finney e a levou para um passeio nas Cataratas do Niágara, para limpar sua mente. Depois desse passeio, ela escreveu:

> Assim, depois de muitos meses da peregrinação esgotante no labirinto intelectual de "A Queda do Homem", "Pecado Original", "Depravação Total", "Ira de Deus", "Triunfo de Satanás", "A

---

8 Glenna Matthews, "Just a Housewife": The Rise and Fall of Domesticity in America (New York: Oxford Univ., 1987), 138.

9 Elizabeth Cady Stanton, Eighty Years and More (Humanity Books, 2002), 43.

> Crucificação", "A Expiação" e "Salvação pela Fé", eu encontrei a saída da escuridão para a luz da Verdade. Minhas superstições religiosas deram lugar a ideias racionais baseadas em fatos científicos, e, proporcionalmente, à medida que olhava para todas as coisas de um novo ponto de vista, tornei-me mais e mais feliz, dia após dia [...]. Vejo como um dos maiores crimes obscurecer a mente dos jovens com essas superstições tenebrosas; e, com temores do desconhecido e daquilo que não pode ser conhecido, envenenar toda a sua alegria na vida.[10]

Seu preconceito contra o cristianismo se tornou mais forte com o tempo. Próximo ao fim de sua vida, Stanton publicou *The Woman's Bible*, uma reformulação feminista das Escrituras. Na introdução, ela escreveu:

> A Bíblia ensina que a mulher trouxe pecado e morte ao mundo, que ela iniciou a queda da raça, que ela foi acusada diante do trono de julgamento dos Céus, processada, condenada e sentenciada. O matrimônio para ela deveria ser uma condição de escravidão; a maternidade, um período de sofrimento e angústia; e, em silêncio e sujeição, ela deveria fazer o papel de uma dependente da generosidade do homem para todas as suas necessidades materiais e, para toda informação que ela pudesse desejar quanto a questões vitais, ela

10 Ibid., 44.

> foi ordenada a perguntar ao seu marido em casa. Aqui está a posição da Bíblia quanto à mulher, brevemente resumida.[11]

A ironia das afirmações de Stanton é que, quando a Bíblia é realmente ensinada da forma correta, a história mostra que a condição feminina melhora. A Reforma Protestante, séculos antes, tinha afetado *positivamente* a condição das esposas, colocando o matrimônio sob o clamor de *sola Scriptura* (do latim, "pela Escritura somente"). Mesmo historiadores seculares admitem que poucas pessoas moldaram a instituição do casamento mais que Martinho Lutero. Sua oposição ao celibato obrigatório de sacerdotes levou às suas bem articuladas posições sobre o matrimônio e, em última análise, ao seu próprio casamento em 1525. Aos quarenta e dois anos de idade, esse ex-monge se casou com uma ex-freira de vinte e cinco anos de idade, e juntos se tornaram pais de seis filhos. Quando Lutero e outros protestantes examinaram as Escrituras, eles exaltaram o "casamento de companheirismo" acima e contra os tradicionais ganhos financeiros e alianças políticas que se buscava por meio do casamento.

Em seu livro, A History of the Wife [Uma história da Esposa], Marilyn Yalom oferece este resumo do legado protestante:

11 Elizabeth Cady Stanton, TheWoman's Bible, 1898, como consta no website Sacred Texts em http://www.sacred-texts.com/wmn/wb/wb02.htm.

> Voltando às palavras de Gênesis, protestantes ingleses levaram bastante a sério a declaração de Deus "não é bom que o homem esteja só" e que a esposa deveria ser "uma auxiliadora ao lado dele". Lado a lado, duas almas cristãs eram encorajadas a compartilhar os prazeres e deveres desta terra à medida que eles simultaneamente percorrem cada um seu caminho, passo a passo, para a vida eterna. E, entre os prazeres que os protestantes reconheceram e permitiram, estavam os prazeres do sexo marital. Os puritanos, em particular, contrariamente à atual visão popular de que eles eram hipócritas inibidos, viam a relação sexual habitual como necessária para um casamento duradouro [...].[12]
>
> Ao olharmos para esse período da posição vantajosa do ano 2000, pode-se argumentar que os protestantes dos séculos XVI e XVII prepararam o terreno para o casamento moderno. O historiador estadunidense Edmund Morgan nos lembra do alto valor dado ao amor mútuo no casamento puritano: "Se o esposo e a esposa falham em amar um ao outro acima de todo o mundo, eles não somente ofenderam um ao outro, mas também desobedeceram a Deus".[13]

Então, como você pode ver, embora as conquistas triunfantes da primeira onda do movimento feminista te-

12 Yalom, History of the Wife, 121-122.

13 Ibid., 145.

nham sido as reformas legais na cobertura e no sufrágio, os escritos de Stanton revelam que o contínuo alvo era a autoridade da Escritura. Isso ainda é verdade hoje.

Depois da ratificação da Décima Nona Emenda em 1920, o feminismo enquanto movimento ativista nos Estados Unidos pareceu se enfraquecer. Em minha opinião, isso se deu mais por causa das distrações da Primeira e da Segunda Guerras, e da Grande Depressão. Mas, na Europa, onde o feminismo estava mais diretamente ligado ao movimento socialista, ele continuou a infiltrar-se — especialmente na "cultura das cafeterias" de Paris, o lugar onde a mulher responsável pelo surgimento da segunda onda do feminismo e seu amado eram frequentemente vistos.

O Segundo Sexo

Jean-Paul Sartre era um influente intelectual, um homem que publicou os tratados filosóficos que escreveu sentado entre amigos de mesma opinião nas cafeterias francesas. Simone de Beauvoir era sua igual em termos profissional e intelectual (eles receberam as duas maiores honras em filosofia na Sorbonne). Em alguns círculos, Sartre e Beauvoir são ainda considerados um dos casais mais influentes do século XX. Sua causa política, o socialismo, se arrastou até a irrelevância, mas sua influência no casamento moderno permanece indelével.

Sartre e Beauvoir se encontraram em 1929, quando ela tinha vinte e um anos de idade e ele vinte e quatro, e decidiram-se por um relacionamento radical. Abandonando os "limites do casamento burguês", eles definiram sua união de toda a vida como um relacionamento aberto, não monogâmico, não marital, que somente exigia "completa transparência":

> Sartre fortemente acreditava que o amor nada tinha a ver com posse. Para ele, uma espécie mais generosa de amor era amar a outra pessoa enquanto ser livre. Quando Beauvoir levantou a espinhosa questão do ciúme, Sartre disse que, se eles contassem tudo um ao outro, eles nunca se sentiriam excluídos da vida um do outro [...]. Embora Sartre não quisesse perder uma liberdade da qual já desfrutara por vários anos, Beauvoir não poderia sequer imaginar como seria a sua própria liberdade [...]. "Eu não tinha me emancipado de todos os tabus sexuais", ela admite. "A promiscuidade numa mulher ainda me chocava."[14]
>
> À medida que as coisas se desenrolaram, o pacto significava que Beauvoir não somente discutia com Sartre sobre o interesse dele por outras mulheres; ela mesma frequentemente criava amizades próximas com essas mulheres [...]. Sartre

14 Hazel Rowley, Tete-a-Tete: Jean-Paul Sartres and Simone de Beauvoir (New York: HarperCollins, 2005), 28.

> logo deixou de se relacionar sexualmente com ela, e ela teve seus próprios relacionamentos sérios [...]. Mas ela permaneceu comprometida com Sartre e com o pacto; e o relacionamento, com seu carrossel de parceiros e mesas de cafeteria, durou cinquenta e um anos.[15]

Beauvoir ficou mais conhecida com a publicação francesa de 1949 de *Le Deuxième Sexe* (*O Segundo Sexo*), seu estudo compreensivo da condição secundária das mulheres ao longo da história. Como primeiro longo exame sócio-filosófico da condição das mulheres na sociedade, *O Segundo Sexo* é considerado a obra seminal do feminismo moderno. Beauvoir escreveu que a mulher "é definida e diferenciada com referência ao homem e não ele em referência a ela; ela é incidental, o não essencial em contraste ao essencial. Ele é o Sujeito, ele é o Absoluto — ela é o Outro".[16] Por causa desse *status* secundário, Beauvoir argumentou que as mulheres foram "aprisionadas" pelos papéis de esposa, mãe e amante; portanto, ela defendia que "todas as formas de socialismo, ao separar a mulher da família, favorecem a sua libertação".[17]

No entanto, quando sua própria vida é examinada, Beauvoir é uma feminista paradoxal. Ela foi companheira de toda a vida de um homem que compulsivamente seduziu vá-

15 Louis Menand, "Stand by Your Man: The Strange Liaison of Sartre and Beauvoir", New Yorker, 26 set 2005, http://www.newyorker.com/archive/2005/09/26/050926crbo_books.

16 Simone de Beauvoir, The Second Sex (New York:Vintage Books, 1989), xix.

17 Mary Kassian, The Feminist Mistake (Wheaton: Crossway Books, 2005), 22.

rias mulheres. Pior ainda, ela mesma fez parte de seus relacionamentos predatórios com jovens mulheres — uma que sofreu crise nervosa, duas que cometeram suicídio, e uma quarta que enfrentou três abortos para "poupar" Sartre do fardo da paternidade.[18] As suas correspondências privadas, publicadas após a morte deles na década de 1980, revelaram ciúmes, comportamento grosseiro, mentiras e desprezo por aqueles que eles seduziram — o que surpreendeu e enraiveceu aqueles próximos que ainda estavam vivos. De acordo com um perfil recente no *New Yorker*, aquelas cartas também colocaram à prova as visões de Beauvoir sobre o casamento e o relacionamento entre os sexos:

> Se "O Segundo Sexo" não pode ser conciliado com a vida, somos reduzidos à teoria final e deprimente de que o pacto era apenas o arranjo sexista tradicional — no qual o homem se relaciona sexualmente com várias mulheres e a mulher nobremente "aceita" a situação — travestido de filosofia. Sartre era o clássico mulherengo, e Beauvoir a clássica viabilizadora [...]. Beauvoir era formidável, mas não era feita de gelo. Embora seus casos, em sua maioria, fossem casos amorosos, está claro a partir de quase todas as páginas que escreveu que ela abriria mão de todos eles se pudesse ter Sartre somente para ela.[19]

---

18 Gemma O'Doherty, "Simone de Beauvoir foi a mãe do feminismo [...] e no centenário dela, tudo sobre o que escrevem é sobre sua escandalosa vida amorosa". Irish Independent, 12 jan. 2008, arquivado em http://www.independent.ie/.

19 Diane Johnson, "The Life She Chose", New York Times, 15 abr. 1990, http://www.nytimes.com/books/98/12/06/specials/bair-simone.html.

Em *O Segundo Sexo*, Beauvoir escreveu que "todas as ideologias masculinas são direcionadas para justificar a opressão das mulheres [...]; as mulheres são tão condicionadas pela sociedade que elas consentem com essa opressão".[20] Com a vantagem da retrospectiva, parece que a mulher que disse que as outras mulheres eram aprisionadas nos papéis de esposa, mãe e amante viveu, ela mesma, em sórdida escravidão. Ironicamente, próximo ao fim de sua vida, ela disse que nada que alcançou em sua vida profissional foi tão significativo quanto seu relacionamento com Sartre.

Ele morreu em 1980, excluindo-a de seu testamento e deixando seu patrimônio à sua última amante.[21]

Sartre e Beauvoir foram defensores do existencialismo, uma filosofia que pode ser genericamente definida como um sistema no qual a subjetividade, a liberdade individual e a escolha são advogados — "a verdade que é verdadeira para mim", como um filósofo existencialista escreveu.[22] Seu relacionamento foi amplamente imitado pela geração do pós-guerra, os *baby boomers* que diziam que eles também não precisavam de um "pedaço de papel" para confirmar seus relacionamentos.

---

20 Ibid.

21 O'Doherty, "Simone de Beauvoir".

22 Søren Kierkegaard, citado em "Existentialism", verbete na Microsoft Encarta Online Encyclopedia 2008, http://encarta.msn.com.

O Problema Que Não Tem Nome

O Segundo Sexo foi publicado em inglês em 1953, mas não foi amplamente lido nos Estados Unidos até que Betty Friedan o ecoou em sua publicação de 1963, *A Mística Feminina*. No livro, Friedan explora uma "inominada e dolorida insatisfação" entre as donas de casa suburbanas, a qual ela denominaria de "o problema que não tem nome". Sua teoria era que as mulheres estavam tentando viver de acordo com o ideal feminino (a "mística") que as deixava sentindo--se presas, entediadas e deprimidas. Ela escreveu:

> A suburbana dona de casa — ela era a imagem dos sonhos das jovens mulheres estadunidenses e o alvo de inveja, como se dizia, de mulheres de todo o mundo. A dona de casa estadunidense — estava liberta, pela ciência e por tecnologias facilitadoras, do trabalho doméstico, dos perigos do parto e das doenças de sua avó. Ela era saudável, bonita, educada, preocupada apenas com seu marido, seus filhos e seu lar. Ela havia encontrado a verdadeira realização feminina. Como dona de casa e mãe, ela era respeitada como uma parceira, igual e completa, do homem no mundo dele. Ela era livre para escolher carros, roupas, aparelhos, supermercados; ela tinha tudo o que as mulheres sempre sonharam ter. Nos quinze anos após a Segunda Guerra Mundial, essa mística de realização feminina se tornou a

> querida e autoperpetuadora base da cultura estadunidense contemporânea.[23]

Quando se analisa a história do feminismo, as palavras de Friedan são um tanto engraçadas. Dois séculos antes, Abigail Adams estava pedindo ao seu marido que garantisse totais direitos às cidadãs desta nova nação — um pedido sério. E, um século antes, mulheres como Elizabeth Cady Stanton estavam se organizando em favor do sufrágio feminino e da reforma das leis do matrimônio — novamente, impedimentos graves. Mas agora Friedan estava tratando do *tédio* feminino em meio a todos os bens de consumo! (Tenho certeza de que há mulheres pobres em vários países em desenvolvimento que gostariam de ter tais problemas.) Em última análise, Friedan definiu o "problema que não tem nome" como a "voz dentro das mulheres que diz: 'eu quero algo mais que o meu marido, meus filhos e meu lar'".[24]

Friedan achou que o ativismo solucionaria o problema, então ela fundou a *National Organization for Women* (*NOW*) [25] e serviu como sua primeira presidente de 1966 a 1970. Ela também foi cofundadora da *NARAL*[26], o grupo de ação política pró-aborto, e a *National Women's Political Caucus*.[27] Mas seu ativismo teve um preço. Ao caracterizar

---

23 Betty Friedan, The Feminine Mystique (New York: W.W. Norton, 2001), 18.

24 Ibid., 32.

25 N. da T.: que em tradução livre é Organização Nacional pelas Mulheres.

26 N. da T.: sigla para National Abortion and Reproductive Rights Action League (Liga Nacional de Ação pelo Aborto e pelos Direitos Reprodutivos).

27 N. da T.: em tradução livre, Convenção Política Nacional de Mulheres.

seu casamento como baseado não "em amor, mas em ódio dependente", Friedan concluiu que ela não poderia mais continuar "liderando mulheres para fora do deserto enquanto mantinha um casamento que destruiu [seu] respeito próprio."[28] Ela divorciou-se de seu marido, Carl, em 1969.

Em seu livro de memórias, *Life So Far [Vida Até Agora]*, publicado em 2000, ela afirmou que Carl a agrediu fisicamente durante o casamento, uma acusação que ela mais tarde suavizou em entrevistas.[29] Indignado, seu ex-marido criou um site para refutar as acusações. Ele escreveu: "Eu não vivi oitenta anos de uma vida honrada para tê-la arruinada por uma mulher louca [...]. Estou divorciado há trinta anos, e ela ainda me persegue e perturba a minha vida".[30] Embora continuasse a se identificar como feminista, Carl disse: "eu não aconselharia uma pessoa a se casar com uma".[31]

Apesar dessa confusão e da forma como ela desprezou o casamento enquanto jovem feminista, Friedan modificou sua perspectiva quando mais velha. No tributo póstumo publicado por *Christian Science Monitor*, o apoio de Friedan ao casamento era evidente:

---

28 F. Carolyn Graglia, Domestic Tranquility (Dallas: Spence Publishing, 1998), 13.

29 Patricia Sullivan, "Voice of Feminism's 'Second Wave'", Washington Post, 5 fev. 2006, http://www.washingtonpost.com/wp-dyn/content/article/2006/02/04/AR2006020401385.html.

30 Kate O'Beirne, Women Who Make the World Worse (New York: Sentinel, 2006), 20.

31 Ibid., 21.

> Sua *persona* pública autoritária, às vezes indelicada, dava poucas pistas da Friedan mais branda da vida privada, a qual expressou orgulho de seus três filhos e nove netos. A avó sempre coruja, Friedan, aventureira, planejou levar cada um deles em uma viagem. Num ano, ela e seu neto mais velho viajaram para Cuba. Mais tarde, ela e outro neto foram andar de balão na França.
>
> Ela chamou o fracasso do seu próprio casamento de "talvez, [seu] maior arrependimento", numa entrevista para o *Monitor*. "Eu acredito no casamento. Penso que a intimidade, o vínculo e as famílias têm valor". Expressando a esperança de que seus netos se casem e tenham filhos, ela disse: "Famílias são algo ótimo".[32]

Quando ela morreu em 2006, Friedan foi aclamada pelo *Washington Post* como "a defensora feminista e autora, cujo primeiro e intenso livro, '*The Feminine Mystique*', impulsionou, em 1963, o movimento contemporâneo pelas mulheres e, como resultado, transformou permanentemente o tecido social dos Estados Unidos e de países ao redor do mundo".[33]

Friedan sempre será ligada à segunda onda do feminismo — um movimento geralmente visto como alcan-

---

32 Marilyn Gardner, "Betty Friedan: A Dynamo for Women's Rights", Christian Science Monitor, 7 fev. 2006.

33 Margalit Fox, "Betty Friedan, Who Ignited Cause in 'Feminine Mystique', Dies at 85", Washington Post, 5 fev. 2006.

çando seu auge na década de 1970 e declinando por volta de meados da década de 1980. Uma terceira onda — não tão bem documentada na grande imprensa — surgiu no início da década de 1990 como reação ao que foi percebido como a versão da mulher branca e de classe média alta da segunda onda. Mais difícil de documentar enquanto movimento, a influência da terceira onda pode ser mais bem vista na cultura *pop* — a influência inicial das bandas *"riot grrrl"*, os vídeos de mulheres sedutoras de corpos malhados e roupas curtas, a cultura vulgar evidenciada por jovens usando camisetas do coelho da *Playboy*, e academias suburbanas oferecendo aeróbica de *pole dance*. Examinaremos com mais detalhes a terceira onda do feminismo no capítulo 7.

As Lentes da Sabedoria

A vida de Stanton, Beauvoir e Friedan alcança todas as três ondas do feminismo. Ainda assim, o relacionamento delas com os homens foi causa de grande arrependimento ou de antipatia póstuma. Essas mulheres impetuosas e bem articuladas exigiram muita atenção para suas ideias. Mas como devemos julgar seus legados?

O apóstolo Tiago nos oferece este claro e razoável método de avaliação:

> Quem entre vós é sábio e inteligente? Mostre em mansidão de sabedoria, mediante condigno proceder, as suas obras. Se, pelo contrário, tendes em vosso coração inveja amargurada e sentimento faccioso, nem vos glorieis disso, nem mintais contra a verdade. Esta não é a sabedoria que desce lá do alto; antes, é terrena, animal e demoníaca. Pois, onde há inveja e sentimento faccioso, aí há confusão e toda espécie de coisas ruins. A sabedoria, porém, lá do alto é, primeiramente, pura; depois, pacífica, indulgente, tratável, plena de misericórdia e de bons frutos, imparcial, sem fingimento. Ora, é em paz que se semeia o fruto da justiça, para os que promovem a paz.
> (Tg 3.13-18)

Inveja, sentimento faccioso, confusão e toda espécie de coisas ruins caracterizam a falsa sabedoria. Mas pureza, paz, indulgência, correto pensar e misericórdia — virtudes que levam à colheita de bom fruto e à retidão na vida daqueles que buscam tal sabedoria — caracterizam a sabedoria do alto. Como diz o ditado, o pensar correto leva a um viver correto. Esperançosamente, isso foi e continuará sendo evidente em todas as histórias pessoais apresentadas neste livro. Mas se o "viver correto" for o nosso único recurso, logo descobriremos que ninguém o satisfaz completamente. Não é sábio nos comparar aos outros. A experiência humana não pode ser o nosso padrão porque ela é falha e incompleta. A fim de ter os "bons frutos" listados acima, precisamos considerar sua fonte — Deus.

Beauvoir, Friedan e Stanton foram mulheres brilhantes e inteligentes. Supõe-se que eram boas em observar situações e descrevê-las. Mas elas estavam *compreendendo* sua condição corretamente? Beauvoir empregou grande esforço para categorizar a dinâmica entre homem e mulher, concluindo que as mulheres têm sido postas num relacionamento de contínua opressão por parte dos homens, que as relegam como sendo o "Outro" deles. Mas, em sua análise, Beauvoir se esqueceu do *verdadeiro* Absoluto, o verdadeiro Sujeito: Deus. Nós — homens e mulheres semelhantemente — somos todos o Outro em relação ao Um que nos criou. *Deus* é essencial. Nós somos os incidentais e não essenciais. A história não é o conto de nossa insignificante realização. Ela é o conto da atividade redentora de Deus em nós e entre nós.

Redentora — usei essa palavra propositadamente, porque ela destaca o verdadeiro problema. Há uma real tensão entre o Absoluto e o Outro. A razão é o pecado. Nossas ações, pensamentos, atitudes e palavras pecaminosas são a razão da separação entre Deus e os seres humanos. O pecado também nos separa uns dos outros. Precisamos ser *redimidos* das consequências do pecado — a ira e o julgamento justos de Deus — para experimentar a verdadeira liberdade. Ser homem ou mulher não é o problema. De fato, quando Deus criou o homem e a mulher, ele disse que era muito bom.

> Também disse Deus: Façamos o homem à nossa imagem, conforme a nossa semelhança; tenha ele domínio sobre os peixes do mar, sobre as aves dos céus, sobre os animais domésticos, sobre toda a terra e sobre todos os répteis que rastejam pela terra. Criou Deus, pois, o homem à sua imagem, à imagem de Deus o criou; homem e mulher os criou. [...] Viu Deus tudo quanto fizera, *e eis que era muito bom*. Houve tarde e manhã, o sexto dia. (Gn 1.26-27, 31, ênfase da autora)

A masculinidade e feminilidade são ideia e criação de Deus. Há algo que reflete Deus em cada sexo. Então os homens, enquanto classe de gênero, não são o problema biblicamente falando. O *real* problema é que um homem certa vez permaneceu ao lado de sua esposa enquanto ela ouvia o inimigo de Deus questionar sua autoridade, sua bondade e seus limites. O homem não interveio de forma nenhuma. Ao invés disso, ele agiu como um monumento à passividade. Sua única ação foi comer o fruto proibido que sua esposa lhe deu. Da parte dela, a mulher conhecia os limites preservadores da vida que o Senhor Deus havia estabelecido, mas em sua busca por ser como Deus, ela violou esses limites, julgou pecaminosamente os motivos e as ordens de Deus e sucumbiu à sua própria análise da situação. Aquilo sobre o que ela pôs seus olhos, isso ela desejou. Desprezando a autoridade, ela estendeu a mão para aquilo que não lhe tinha sido dado, e seu esposo a acompanhou imediatamente.

> Mas a serpente, mais sagaz que todos os animais selváticos que o SENHOR Deus tinha feito, disse à mulher: É assim que Deus disse: Não comereis de toda árvore do jardim? Respondeu-lhe a mulher: Do fruto das árvores do jardim podemos comer, mas do fruto da árvore que está no meio do jardim, disse Deus: Dele não comereis, nem tocareis nele, para que não morrais. Então, a serpente disse à mulher: É certo que não morrereis. Porque Deus sabe que no dia em que dele comerdes se vos abrirão os olhos e, como Deus, sereis conhecedores do bem e do mal. Vendo a mulher que a árvore era boa para se comer, agradável aos olhos e árvore desejável para dar entendimento, tomou-lhe do fruto e comeu e deu também ao marido, e ele comeu. (Gn 3.1-6)

O resultado dessa decisão momentânea é o mundo em que você e eu vivemos — um mundo repleto de egoísmo, orgulho e ira que resultam em conflito, morte e decadência. Quando Adão e Eva pecaram, eles renunciaram à vida no sossego do jardim do Éden. Eles trocaram a comunhão desimpedida com Deus pelas maldições do conflito marital, do parto doloroso, da fadiga vã, da morte e, mais importante, da separação de Deus. Eles foram os primeiros a pecar, mas nós não somos diferentes.

Essa passagem nos ensina que as mulheres realmente têm um problema. Mas ele não é o homem. É o *pecado*. O pecado deforma tudo, inclusive o bem que Deus planejou ao criar homem e mulher. As mulheres pecam contra os homens, e os homens pecam contra as mulheres, e todos pecam contra Deus e não alcançam seu padrão de santidade e perfeição. O pecado é a razão por que os homens têm oprimido as mulheres, e as mulheres têm usurpado os homens. O pecado é a razão para a inveja, o sentimento faccioso, a confusão e toda espécie de coisas ruins que caracterizam a falsa sabedoria. O pecado é a razão por que precisamos de um Salvador.

Quando Abigail Adams escreveu que "todos os homens seriam tiranos se pudessem", suas palavras foram provavelmente uma mistura de julgamento pecaminoso de sua parte ("*todos* os homens") e de um preciso entendimento do pecado em geral. Como um movimento, o feminismo surgiu porque pecados foram cometidos contra as mulheres. Penso que esse é um argumento justo. Mas o feminismo também surgiu porque as mulheres pecaram em resposta. Este é um problema humano clássico: pecadores tendem a pecar em resposta a pecados cometidos contra eles.

A gloriosa esperança que temos é que Cristo veio nos resgatar da espiral do pecado e da resposta pecaminosa. Somente o evangelho pode diagnosticar com precisão as questões de ambos os lados e oferecer tanto as boas-novas do perdão de nossos pecados quanto a restauração de nosso relacionamento, primeiro com Deus e então uns com os outros.

Essa é a verdadeira libertação para as mulheres... e homens.

"Os Homens São uma Escória"

No capítulo anterior, observamos a história de líderes feministas que culparam os homens pelos seus problemas. Aqui está a história de minha amiga Emma, que tinha muitas razões para desconfiar dos homens e ainda assim, através do evangelho, foi capaz de responder de maneira diferente. Você pode estar numa situação similar e pensando como é possível aplicar a "sabedoria que vem do alto", a qual é pacífica e misericordiosa (Tg 3.13-18). Espero que a história de Emma encoraje você sobre o fato de que a graça de Deus não é apenas um conceito, mas é uma força poderosa para mudança real.

Emma poderia ouvir a briga começar no cômodo ao lado. Ela tampou os ouvidos, tentando bloquear o som da raiva. Era sempre difícil suportar. Mas, desta vez, no concerto do conflito, uma nota soou diferente — era o medo. Emma percebeu que sua mãe estava em perigo real.

Abrindo a porta do quarto dos seus pais, Emma viu sua mãe com os olhos fixos no marido enquanto ele levantava a arma na direção dela. Avaliando a situação, Emma tomou uma medida corajosa para uma pequena menina de quatorze anos. Ela correu para entre os seus pais, empurrou sua mãe e começou a gritar para que ela saísse do quarto. Um surto de adrenalina passou por Emma, sobrepondo todos os seus medos.

Seu pai abaixou a arma, gritando para que Emma saísse do quarto.

Embora ela nunca tivesse visto seu pai puxar uma arma contra sua mãe, ela não estava surpresa de que ele fizesse isso — mesmo num novo país, numa vizinhança suburbana tranquila. Foi assim que eles começaram seu casamento décadas atrás na Jordânia. Aos vinte e cinco anos, ele havia decidido se casar com sua prima mais nova. Ele a sequestrou da escola um dia, colocando-a num carro sob a ameaça de uma arma. Ele escapou de uma barreira de tiros e casou-se com ela imediatamente após isso. Embora a avó de Emma tivesse tentando resgatar sua filha, por razões insondáveis para todos, a mãe de Emma se recusou a deixar o marido.

Pouco depois do incidente da arma, Emma disse à sua mãe que nunca se casaria, porque "todos os homens são uma escória". Sua mãe a repreendeu, dizendo que nem todos os homens são assim. Então Emma a desafiou a citar um único casal feliz.

Depois de um longo silêncio, sua mãe olhou para ela com tristeza e aceitou o argumento.

"Cresci numa condição em que todos os homens que eu conhecia dentro de minha própria família e meus amigos não eram confiáveis", Emma relembra. "A conclusão a que cheguei era a de que os homens não eram bons — eles eram vagabundos. Minha mãe era a pessoa forte da família. Se não fosse por minha mãe, não teríamos conseguido sobreviver financeiramente. Sem ela, não teríamos comida para comer nem casa para morar. Meu pai gostava de parecer como se fosse aquele que sustentava a família, mas minha mãe era a coluna vertebral. Ela procurava garantir que dinheiro entrasse em casa. Ela até mesmo dirigia os negócios dele enquanto ele assistia à TV no cômodo de trás."

Emma tinha dez anos quando sua família emigrou da Jordânia para os Estados Unidos. Ela cresceu numa família nominalmente religiosa, mas não sabia muito sobre sua própria religião (que tem suas raízes numa seita islâmica). Durante seu primeiro verão nos Estados Unidos, Emma encontrou uma salva-vidas na piscina do condomínio, uma jovem que falava sobre Jesus Cristo para o grupo de crianças pequenas que estava sempre por ali. Emma nunca tinha ouvido falar de Jesus antes. Fascinada, ela começou a chegar mais cedo para ajudar a limpar a piscina e organizar um estudo bíblico com a salva-vidas.

Quando descobriram isso, os pais de Emma ficaram furiosos. Eles estavam bravos com a salva-vidas, convencidos de que sua filha tinha sofrido uma lavagem cerebral. Eles ameaçaram Emma a voltar para a Jordânia e morar com sua avó. Mas Emma estava firme em seu compromisso.

"Eles estavam tentando me falar sobre o deus deles, então eu disse: 'se o deus de vocês fosse real, vocês teriam me falado sobre ele antes'", ela diz. "Não se prega para as pessoas sobre a religião de minha família — você nasce nela e isso é tudo. É por isso que deixar a fé ou casar-se com alguém fora dela é escandaloso."

Sua fé foi o que a encorajou a tomar uma atitude no dia em que Emma confrontou seu pai, que segurava uma arma. "Eu olhei em seus olhos e disse: 'Papai, não tenho medo de morrer.' Tudo o que sabia até então é que eu era crente e ele não, então recusei-me a ficar intimidada", ela relembra.

Emma perseverou em sua fé e, até mesmo, convenceu seus pais a permitir que ela frequentasse uma faculdade cristã. No seu terceiro ano, ela encontrou um rapaz chamado Chase Davidson. Eles logo se tornaram amigos, mas ela não permitiu que ele ultrapassasse a linha para tentar o namoro. A amizade cresceu por vários anos até que Emma foi embora para a pós-graduação, a fim de estudar Aconselhamento. Ela havia se afeiçoado a Chase, por essa época, a ponto de confiar nele, então essa amizade próxima a confundiu.

Emma lançou-se nos estudos e começou a trabalhar em casos de trauma pós-estupro e abusos sexuais. Infelizmente, esse trabalho apenas fortaleceu sua visão negativa sobre os homens. Felizmente, ela começou a frequentar uma igreja próxima à sua escola, onde seus preconceitos e as lacunas em sua doutrina cristã foram corrigidos.

"A essa altura, eu precisava desesperadamente de uma perspectiva bíblica para todo o pecado que eu estava vendo", Emma diz. "Não era apenas minhas irmãs ou amigas tendo seu coração partido por namorados infiéis. Não era apenas meu pai sendo abusivo e preguiçoso, nem apenas a promiscuidade do meu irmão. Agora eu estava lidando com crianças que haviam sido sexualmente abusadas e mulheres que haviam sido estupradas. Eu estava cada vez mais desconfiada, então foi a bondosa provisão de Deus que me levou a uma igreja onde eu estava sendo instruída biblicamente. Apesar de ser cristã desde os meus dez anos de idade, eu não tinha uma visão mais completa. Até aquele ponto, eu tinha sempre estado em igrejas onde as mulheres tinham personalidade forte e os homens eram ausentes ou passivos. Não havia visto homens liderarem sem pecaminosamente dominarem suas famílias".

Quando Emma começou a trabalhar de babá para a família de seu pastor, ela pôde ver como ele vivia o que ensinava e como cuidava de sua família. Ela se juntou a um grupo pequeno em sua igreja, onde se tornou amiga de vários casais e viu casamentos que eram saudáveis e honravam a Deus. Finalmente, ela teve fé para se casar. Emma e Chase casaram-se menos de dois anos depois. Agora eles têm três filhos, e Emma treina mulheres em sua igreja a aconselharem outras mulheres que são vítimas de abuso ou trauma.

"Uma coisa é observar e descrever um problema; outra coisa é interpretar um problema", Emma diz. "Várias pessoas podem ser muito boas em descrever um problema e rotular um conjunto de comportamentos. Mas onde elas podem errar é no entendimento das questões que são a raiz de um problema. Nosso problema é a nossa natureza caída. É o pecado. Precisamos conhecer a nossa inclinação, a qual precisava da cruz de Cristo. Eu agradeço a Deus por ter começado a ir a uma igreja onde os fundamentos bíblicos estavam sendo apresentados na mesma época em que comecei a trabalhar nesses casos de abuso. Ter toda aquela informação sem um arquivo que a categorizasse — aquela perspectiva bíblica —, teria sido muito difícil e até mesmo perigoso para mim."

O pai de Emma faleceu no ano passado. Ela passou os últimos meses da vida de seu pai cuidando dele, enquanto o câncer o enfraquecia. Ela orou por ele constantemente e também se certificou de que ele ouvisse o evangelho muitas vezes antes de morrer. Ele não estava tão resistente ao evangelho à época em que faleceu, mas ela permanece incerta sobre a condição espiritual dele. Entretanto, ela considera uma vitória em Cristo ter sido capaz de perdoá-lo e ajudá-lo até a sua última hora na terra.

Essa misericórdia pacificadora é o fruto da sabedoria que vem do alto.

Capítulo 3:

"É ASSIM QUE DEUS DISSE...?"

Se você afirmar que os homens são o principal problema das mulheres, isso acaba dissuadindo as mulheres de se casarem com homens... e vice-versa. Portanto, não é surpresa que o feminismo tenha afetado profundamente as taxas de casamento e sua duração — sem mencionar a definição de casamento. Se você for uma jovem mulher, poderá descobrir que poucos de seus colegas não cristãos estão verdadeiramente planejando se casar. Se você é um pouco mais velha, é possível ver uma onda de divórcios entre seus amigos, muitos dos quais são iniciados por mulheres. Há uma razão para essas tendências — razões que nós exploraremos neste capítulo e no seguinte.

Embora analisemos algumas perspectivas feministas sobre o casamento nas páginas seguintes, penso que é mais importante passar algum tempo examinando o que a Palavra de Deus fala sobre casamento, especialmente sobre aquele tópico polêmico da submissão. Você poderá ficar agradavelmente surpresa de saber que a definição bíblica desafia as suas suposições. A coisa mais importante para cada mulher perceber — casada ou não — é que há uma guerra em curso. Mas não é a clássica guerra dos sexos. É muito mais sério que isso.

Para muitos americanos, no início da década de 1970, a face do feminismo era Gloria Steinem. Uma mulher atraente, com longos cabelos loiros e uma tendência de proferir frases de efeito, ela se tornou uma porta-voz bem apresentável do movimento. Como jornalista profissional, Steinem usou suas habilidades e experiência para fundar a revista feminista *Ms.* em 1971. E foi confundadora da *National Women's Political Caucus* em 1972.

O casamento era frequentemente o tema de suas frases memoráveis:

- "Algumas de nós estão se tornando os homens com quem queríamos de nos casar".
- "Uma mulher livre é alguém que faz sexo antes do casamento e tem um emprego depois dele".

- "Eu não posso me relacionar em cativeiro".
- "Alguém me perguntou por que as mulheres não participam de jogos de azar tanto quanto os homens, e eu dei uma resposta alinhada ao senso-comum de que nós não temos tanto dinheiro. Essa foi uma resposta verdadeira e incompleta. De fato, o instinto feminino pelo jogo de azar é completamente satisfeito através do casamento".[1]
- "O casamento é feito para uma pessoa e meia".[2]
- "A forma mais garantida de ficar só é se casando".[3]
- "Uma mulher precisa de um homem da mesma forma que um peixe precisa de uma bicicleta." (Frase que Gloria Steinem tornou famosa, citando a feminista australiana Irina Dunn).[4]

Então, quando Steinem se casou pela primeira vez à idade de sessenta e seis anos, ela pegou suas colegas feministas de surpresa. Steinem e o empresário sul-africano David Bale casaram-se em Oklahoma, na casa da amiga íntima de Steinem, Wilma Mankiller, a primeira mulher chefe da Nação Cherokee. Infelizmente, Steinem e Bale permaneceram casados por somente três anos antes que ele morresse

1 Citações de Gloria Steinem, colecionadas na página Women's History do website About.com, http://womenshistory.about.com/cs/quotes/a/qu_g_steinem.htm.

2 Associated Press, "Feminist Icon Gloria Steinem First-Time Bride at 66", 5 set. 2000, http://archives.cnn.com/2000/US/09/05/steinem.marriage.ap/index.html.

3 Citações de Gloria Steinem, colecionadas no website Thinkexist.com, http://thinkexist.com/quotes/gloria_steinem.

4 Gary Martin, "The Phrase Finder", http://www.phrases.org.uk/meanings/414150.html.

de linfoma cerebral à idade de sessenta e dois anos.

Antes de seu esposo morrer, Steinem disse ao *Washington Post* por que sua atitude para com o casamento tinha mudado nos últimos trinta anos:

> Se eu tivesse me casado quando deveria, eu teria perdido a maior parte de meus direitos civis — meu nome, minha avaliação de crédito, minha residência legal, minha habilidade de obter um empréstimo ou começar um negócio. Social e legalmente, um casal era uma pessoa, e essa pessoa era o homem. O movimento das mulheres lutou por trinta anos para mudar essas leis, para que agora uma parceria entre iguais fosse possível no casamento — o que é ainda socialmente difícil, mas possível. Então minha atitude para com o casamento mudou quando o casamento mudou.
>
> Eu concordo com você que deveríamos ser livres para escolher ou não o casamento, e a maior barreira ainda presente para aquela liberdade de escolha é a impossibilidade de duas mulheres ou dois homens se casarem. Isso porque o estado ainda diz que o casamento tem a ver com reprodução, ainda que um homem e uma mulher possam casar e escolher não se reproduzir. Pessoalmente, não via motivo ou diferença entre morar junto e ser casado até que percebi que o homem por quem estava apaixonada e eu não teríamos a habilidade de, por exemplo, tomar uma decisão

> sobre a saúde do outro se um de nós estivesse incapacitado. Nós queríamos um compromisso um com o outro, o casamento igualitário é hoje legalmente possível, e então nós nos casamos. Isso me fez perceber mais profundamente a injustiça de fechar essa possibilidade para alguns e não outros.[5]

Nessa afirmação, Steinem se atualizou, combinando as atitudes feministas tanto da segunda onda quanto as da terceira com respeito ao casamento. Quando Steinem lançou a revista *Ms.* no início da década de 1970, a conversa sobre o matrimônio e a família era geralmente estruturada pelo modelo convencional heterossexual, da família nuclear. À época em que ela se casou, as feministas da terceira onda não estavam apenas tentando reformar uma instituição; elas estavam buscando alterá-la para além do reconhecimento.

Tome, por exemplo, Jennifer Baumgardner e Amy Richards, filhas das feministas da segunda onda que, eventualmente, se tornaram editoras na revista *Ms.* no início dos anos 1990. Elas são as autoras de um importante livro feminista da terceira onda, *Manifesta: Young Women, Feminism, and the Future [Manifesto: Mulheres Jovens, Feminismo e o Futuro]*. Quando perguntada sobre o casamento alguns anos atrás, Richard explanou os objetivos da terceira onda

5 Gloria Steinem, "Women's Choice", Washington Post, 18 jan. 2002, http://discuss.washingtonpost.com/wp-srv/zforum/02/nation_steinem011801.htm.

de primeiro eliminar a instituição do casamento e depois eliminar a biologia da definição de família:

> Penso que o casamento tem de se tornar primeiro disponível para todos — casais de mesmo sexo — e o respeito do casamento deve ser concedido a relacionamentos compromissados antes que possamos considerar eliminar o casamento. Penso que a família não deve ser eliminada, mas redefinida. Temos feito um bom trabalho de "acrescer" ao conceito de família — tornando-a "mais que mera biologia" —; no entanto, ainda não eliminamos a biologia daquela definição, e, pessoalmente, penso que a família deveria ser um vínculo emocional e não biológico. Com sorte, começaremos a considerar isso em maior detalhe à medida que as pessoas forem usando a tecnologia para ter filhos.[6]

Um dos meus objetivos ao escrever este livro era evitar o estridente palavreado de programas de TV de cunho político — a polêmica "nós contra eles" que retrata tudo em extremos. Mas na linguagem escrita é difícil evitar isso quando as visões são tão radicalmente diferentes entre o feminismo e a fé cristã. Esta citação de *Manifesta* resume isso muito bem:

---

6 Como escrito na coluna "Ask Amy" no website Feminist.com, mai. 2003, http://www.feminist.com/askamy/feminism/503_fem8.html.

> O feminismo é mais frequentemente descrito pelo que ele não é do que pelo que ele é, o que cria alguma confusão (e essa é a razão por que nós o definimos antes de entrar nesta parte). As descrições inadvertidamente engraçadas dadas por ideólogos da direita, como Pat Robertson, não ajudam também: "As feministas encorajam as mulheres a deixarem seus maridos, a matarem seus filhos, a praticarem bruxaria, a se tornarem lésbicas e a destruírem o capitalismo". Certamente essa definição não é tão errada quanto o é hiperbólica. Para um fundamentalista, isso é apenas uma descrição de leis para divórcios sem culpa, direito de aborto, rejeição de Deus enquanto Pai, aceitação da sexualidade feminina e um compromisso com os trabalhadores.[7]

Embora eu raramente concorde com Pat Robertson ou Jennifer Baumgardner e Amy Richards, essa citação acerta diretamente o problema: a rejeição de Deus como Pai. Como Steinem disse numa entrevista em 2005: "O monoteísmo me deixa aborrecida. Não confio em qualquer religião que faz de Deus parte de uma classe dominadora. Acho que sou uma pagã ou animista".[8]

A autoridade de Deus ao criar e definir o casamento está sob julgamento no feminismo. Portanto, neste ca-

---

7 Jennifer Baumgardner and Amy Richards, Manifesta: Young Women, Feminism, and the Future (New York: Farrar, Straus & Giroux), 2000, 61.

8 Melissa Denes, "Feminism? It's Hardly Begun", The Guardian (Reino Unido), 17 jan. 2005, http://www.guardian.co.uk/g2/story/0,3604,1391841,00.html.

pítulo, exploraremos o que a Bíblia diz sobre a instituição do casamento.

Uma Crise Espiritual

Eu apostaria que se você perguntasse às pessoas o que aconteceu com a instituição do casamento, a resposta que você receberia provavelmente giraria em torno da alta taxa de divórcios. Ou talvez você pudesse ouvir sobre o número crescente de parcerias domésticas. Essas são as histórias que a mídia traz. Por exemplo, no início de 2007, o *The New York Times* anunciou que mais mulheres estadunidenses estavam vivendo sem marido do que com. O jornal citou estatísticas dizendo que, em 2005, 51 por cento das mulheres disseram estar vivendo sem esposo, ao comparar com 49 por cento em 2000 e 35 por cento em 1950.[9]

A *blogosfera* acendeu-se em reação a essa reportagem, discutindo a morte do casamento. O único problema? Foi finalmente provado que a matéria estava errada. A análise da repórter incluiu meninas adolescentes entre quinze e dezenove anos de idade (a vasta maioria das quais não estão casadas nesse estágio da vida) e excluiu mulheres que indicaram que eram casadas, mas cujo esposo estava ausente (tal como aquelas com os cônjuges no serviço militar ou na prisão). No entanto, a análise estatística foi crível para

9 Sam Roberts, "51% of Women Are Now Living without Spouse", The New York Times, 16 jan. 2007; http://www.nytimes.com/2007/01/16/us/16census.html.

muitos por causa do intenso ataque cultural ao matrimônio ao longo dos últimos quarenta anos.

Seja você solteira, casada, divorciada ou viúva, seu relacionamento foi profundamente afetado pelo feminismo. Não se trata apenas de algumas leis terem sido revisadas com respeito ao casamento, como Steinem disse. Os efeitos adversos do feminismo podem ser vistos na vacina contra o HPV, que o conselho da escola insiste que sua filha tome imediatamente, até a lista de presentes que sua colega de trabalho anunciou, porque ela e o namorado estão morando juntos agora. Não há nada de errado com vacinas ou presentes, mas a inferência implícita é a de que o casamento e a fidelidade sexual não importam mais. Como a Bíblia diz em Juízes 21.25, quando não há rei — nenhuma autoridade última — todo mundo faz o que é certo aos seus próprios olhos. Embora a nossa cultura tenha descartado a ideia de Deus e de sua autoridade absoluta, isso não o remove da questão. De fato, a arrogância das criaturas tentando expulsar seu Criador apenas *realça* o verdadeiro problema.

Deixe-me mostrar o que quero dizer. Há um livro grosso em minha estante que é um estudo exaustivo, escrito por um professor de seminário, sobre tudo o que a Bíblia tem a dizer sobre casamento e família — intitulado, muito apropriadamente, *God, Marriage, and Family [Deus, Casamento e Familia]*, de Andreas Köstenberger. Os comentários do autor são tão relevantes para esta discussão, que citarei alguns parágrafos-chave de diversas partes de seu livro para oferecer uma perspectiva para esse tópico:

> Pela primeira vez em sua história, a civilização ocidental é confrontada com a necessidade de definir o significado dos termos "casamento" e "família" [...]. A crise cultural do momento, no entanto, é meramente sintoma de uma crise espiritual profunda que continua a corroer os fundamentos de nossos valores sociais antigamente comuns. Se Deus o Criador, de fato, como a Bíblia ensina, instituiu o casamento e a família, e se há um mal chamado Satanás que empreende guerra contra os propósitos criativos de Deus neste mundo, não deveria surpreender o fato de que o fundamento divino dessas instituições esteja sob ataque massivo nos anos recentes. Em última análise, nós, seres humanos, percebamos isso ou não, estamos envolvidos no conflito cósmico espiritual que opõe Deus a Satanás, com o casamento e a família servindo de arena principal onde as batalhas espirituais e culturais são feitas. Se, então, a crise cultural é sintomática de uma crise espiritual subjacente, a solução deve igualmente ser espiritual, não meramente cultural.[10]

O feminismo é uma manifestação contemporânea dessa batalha espiritual antiga. Nas eras passadas, outros

---

10 Andreas J. Köstenberger with David W. Jones, God, Marriage, and Family (Wheaton: Crossway, 2004), 25-26.

pecados dominantes — tais como o chauvinismo e a poligamia — mancharam o desígnio de Deus para o casamento e a família. Mas hoje é importante que entendamos claramente que a mudança em nossa cultura é evidência de uma crise espiritual, mais que de uma crise cultural. Posso não concordar de forma alguma com o que Gloria Steinem fala sobre casamento, mas ela e outras feministas não são o meu inimigo. Para os cristãos, nossos verdadeiros inimigos são *espirituais*. "Porque a nossa luta não é contra o sangue e a carne, e sim contra os principados e potestades, contra os dominadores deste mundo tenebroso, contra as forças espirituais do mal, nas regiões celestes" (Ef 6.12).

A Bíblia nos ensina que casamento é muito mais que ter a habilidade legal de dirigir os cuidados de saúde do seu cônjuge ou outros direitos civis percebidos. Sua importância é maior que a entrada triunfal no dia da cerimônia ou todas aquelas coisas que você pode colocar na sua lista de presentes. Essas são preocupações de seres humanos finitos com perspectivas finitas. Sim, é justo e necessário ter direitos civis iguais como mulher — certamente não quero voltar aos dias em que eles não existiam! Presentes são bons também. Mas vistas em contraste com as questões maiores de Efésios 6.12, essas preocupações simplesmente não importam tanto para aqueles que vivem cada dia conscientes de que há forças espirituais alinhadas contra nós.

Então estamos em uma batalha. Mas com o que ela se parece? Devemos andar por aí expulsando demônios do casamento uns dos outros? Devemos carregar uma espada em nossos encontros? Na verdade, Köstenberger salienta que andamos *todos os dias* com a nossa arma mais estratégica:

> Qual é o elemento-chave na guerra espiritual? De acordo com a Escritura, é a mente humana. "Mas receio que, assim como a serpente enganou a Eva com a sua astúcia, assim também seja corrompida a vossa mente e se aparte da simplicidade e pureza devidas a Cristo" (2Co 11.3). "Porque, embora andando na carne, não militamos segundo a carne. Porque as armas da nossa milícia não são carnais, e sim poderosas em Deus, para destruir fortalezas, anulando nós sofismas e toda altivez que se levante contra o conhecimento de Deus, e levando cativo todo pensamento à obediência de Cristo" (10.3-5). Assim como Satanás discutiu com Eva sobre por que ela deveria desobedecer a Deus no Jardim, assim também os pensamentos das pessoas *são a arena onde as nossas batalhas espirituais são ganhas ou perdidas*.[11]

Coloquei a última parte em itálico porque ela é importante. Nós precisamos refletir por um momento sobre este grave conceito: *as guerras espirituais são ganhas ou perdidas nos pensamentos que entretemos no dia a dia*. As ideias importam! O que pensamos sobre o propósito do casamen-

11 Ibid., 165.

to, os papéis no casamento e a prioridade do casamento *importa*, e importa muito para Deus. Köstenberger continua:

> A guerra espiritual é a realidade abrangente e dominadora para o relacionamento conjugal. Aqueles que a ignoram assim o fazem por seu próprio risco. Assim como o diabo ataca aqueles com potencial para a liderança na igreja, ele busca subverter casamentos humanos, porque eles têm o maior potencial de demonstrar para o mundo a natureza do relacionamento entre Cristo e sua igreja (Ef 5.31-32).[12]

Você percebe a batalha espiritual em que *todos* nós estamos envolvidos? O que cada um de nós pensa e diz sobre o casamento é parte dessa batalha — estejamos nós, atualmente, casados ou não. "*Assim como Satanás discutiu com Eva sobre por que ela deveria desobedecer a Deus no Jardim, assim também os pensamentos das pessoas são a arena onde nossas batalhas espirituais são ganhas ou perdidas.*" Desde a fundação do mundo, Satanás tem atacado o nosso pensamento sobre o caráter de Deus e suas intenções para conosco. Eva sabia que somente *uma* árvore no jardim do Éden estava fora dos seus limites e de Adão, mas Satanás entrou rastejando no caso com uma insinuação de que Deus estava escondendo algo dela: "Mas a serpente, mais sagaz que todos os animais selváticos que o SENHOR Deus tinha

12 Ibid., 170.

feito, disse à mulher: É assim que Deus disse: Não comereis de toda árvore do jardim?" (Gn 3.1).

A primeira pergunta na Bíblia vem da Serpente distorcendo a Palavra de Deus: "É assim que Deus disse...?" E a resposta de Eva é acrescentar uma restrição ainda maior ao mandamento de Deus: "Respondeu-lhe a mulher: Do fruto das árvores do jardim podemos comer, mas do fruto da árvore que está no meio do jardim, disse Deus: Dele não comereis, nem tocareis nele, para que não morrais" (Gn 3.2-3). Deus não disse que Adão e Eva não poderiam tocar na árvore, apenas que eles não deveriam comer dela.

Como filhas de Eva, precisamos perceber que a Serpente ainda está entre nós, fazendo a mesma pergunta. "É assim que Deus disse...?" Você pode completar a frase com suas próprias tentações e seus pensamentos. Você pode ouvir perguntas sussurrando em seus ouvidos sobre a definição de Deus para a infidelidade, a maternidade, o sexo antes do casamento, a monogamia, o papel de homens e mulheres, o valor de uma esposa, a função de uma família e assim por diante. Essas perguntas têm uma origem — nosso inimigo espiritual — e um sistema de amplificação inato — nosso coração pecaminoso. E quando os dois se misturam, os resultados são inflamáveis.

Veja, as sementes do feminismo estão dentro do nosso coração. Cada um de nós é inclinado a concordar com a difamação do caráter de Deus empreendida por Satanás. Nós frequentemente nos irritamos com os bons limites que

Deus nos colocou. Somos facilmente tentados a pensar o pior de Deus. E duvidamos de que o que Deus restringiu de nós seja tão bom quanto o que ele nos deu. De alguma forma, temos muito mais em comum com as autoproclamadas feministas do que possamos perceber.

Então vamos analisar uma incendiária questão do casamento: É assim que Deus *realmente* disse, que as esposas devem ser submissas aos seus esposos?

Imitadores de Deus

Como escrevi no primeiro capítulo deste livro, o conceito de submissão foi um dos primeiros obstáculos que encontrei quando recém-convertida. No quinto capítulo da carta aos Efésios, eu encontrei esse versículo provocador sobre a submissão da esposa, um capítulo que começa com estes dois versículos:

> Sede, pois, imitadores de Deus, como filhos amados; e andai em amor, como também Cristo nos amou e se entregou a si mesmo por nós, como oferta e sacrifício a Deus, em aroma suave. (Ef 5.1-2)

Tudo mais que se segue neste capítulo — incluindo aquele espinhoso verso sobre submissão — é erguido sobre o dever de viver uma vida de amor como imitadores de Deus. O que muitas mulheres negligenciam é que *a submissão é parte do caráter divino da Trindade*. Como o teólogo Wayne Grudem nota, a Bíblia frequentemente fala dos diferentes papéis e relacionamentos dentro da Trindade:

> A Escritura nunca diz que o Filho envia o Pai para o mundo, ou que o Espírito Santo envia o Pai ou o Filho ao mundo, ou que o Pai obedece aos mandamentos do Filho ou do Espírito Santo. Nunca a Escritura diz que o Filho nos predestinou para sermos conformados à imagem do Pai. O papel de planejar, direcionar, enviar e comandar o Filho pertence ao Pai somente [...].
>
> O Pai tem eternamente um papel de liderança, uma autoridade para iniciar e direcionar, que o Filho não tem. Semelhantemente, o Espírito Santo é sujeito tanto ao Pai quanto ao Filho e tem ainda um papel diferente na Criação e na obra da salvação.
>
> Quando então a ideia do cabeça e da submissão começou? A ideia do cabeça e da submissão nunca começou! Ela sempre existiu na natureza eterna do próprio Deus. E nesse mais básico de todos os relacionamentos de autoridade, a autoridade não está baseada em dons ou habilidades (pois o Pai, o Filho e o Espírito Santo são iguais em atributos e perfeição). Ela apenas está lá. A autoridade pertence ao Pai, não porque ele é mais sábio ou porque ele é um líder mais habilidoso, mas apenas porque ele é o Pai.[13]

13 Wayne Grudem, Evangelical Feminism and Biblical Truth (Sisters, OR: Multnomah Publishers, 2004), 46-47.

É meio difícil contestar o conceito de submissão quando você o vê como um pilar da Trindade, não é? As três Pessoas divinas da Trindade são iguais em natureza, mas diferentes em papel. *As feministas põem muita ênfase nos papéis porque elas igualam papéis com valor intrínseco*. Mas esse não é um conceito bíblico.

Logo no primeiro capítulo da Bíblia, encontramos uma afirmação incrivelmente clara sobre a igualdade fundamental de homens e mulheres: "Criou Deus, pois, o homem à sua imagem, à imagem de Deus o criou; homem e mulher os criou" (Gn 1.27). Esse verso faz uma declaração extraordinária, de acordo com o Dr. Grudem:

> Ser à imagem de Deus é um privilégio incrível. Significa ser como Deus e representar Deus. Nenhuma outra criatura, em toda a criação, nem mesmo é dito dos anjos poderosos serem feitos à imagem de Deus. Esse é um privilégio dado somente a nós, homens e mulheres.
>
> Qualquer discussão sobre masculinidade e feminilidade na Bíblia deve começar aqui. Toda vez que falamos uns com outros como homens e mulheres, devemos lembrar que a pessoa com quem falamos é uma criatura de Deus que é *mais parecida com Deus que qualquer outra no universo*, e homens e mulheres compartilham desse *status* igualmente. Portanto, devemos tratar homens e mulheres com igual dignidade e devemos pensar em homens e mulheres como tendo igual valor.

Nós somos feitos *ambos* à imagem de Deus, e o somos desde o primeiro dia em que Deus nos criou. "Criou Deus, pois, o homem à sua imagem, à imagem de Deus o criou; *homem e mulher os criou*" (Gn 1.27). Em nenhum lugar, a Bíblia diz que os homens são mais à imagem de Deus do que as mulheres. Homens e mulheres compartilham igualmente o grande privilégio de ser à imagem de Deus.

A Bíblia assim corrige os erros da dominação e superioridade masculinas que surgiram como resultado do pecado e que têm sido vistos em quase todas as culturas na história do mundo. Onde quer que os homens sejam vistos como sendo melhores que as mulheres, onde quer que os esposos ajam como "ditadores" egoístas, onde quer que as esposas sejam proibidas de ter seu próprio trabalho fora de casa, ou de votar, ou de ter propriedades, ou de receber educação, onde quer que as mulheres sejam tratadas como inferiores, onde quer que haja abuso ou violência contra as mulheres, estupro, infanticídio feminino, poligamia ou haréns, a verdade bíblica da igualdade à imagem de Deus está sendo negada. Para todas as sociedades e culturas onde essas coisas acontecem, devemos proclamar que a primeira página da Palavra de Deus carrega um testemunho fundamental e irrefutável contra esses males.[14]

14 Ibid., 25-26.

Amém! Isso não é poderosamente encorajador? Apesar de nossa história humana pecaminosa de distorcer a Palavra de Deus, a Bíblia *nunca* aceitou esses erros e ações.

No entanto, por mais impregnados que estejamos de nossa cultura individualista, devemos notar que é também uma falsa suposição concluir que cada pessoa reflita Deus *exatamente da mesma forma*. Para refletir precisamente a imagem de Deus, cada um teria que possuir todas as suas virtudes — pelo menos tantas quantas forem possíveis para seres humanos falíveis. Mas isso não parece ser possível mesmo com a observação natural. Há algumas pessoas que refletem a misericórdia de Deus melhor do que outras; há aquelas que demonstram a criatividade de Deus melhor que outras; há aquelas que manifestam a sabedoria de Deus mais que outras, e assim por diante. É em nosso testemunho corporativo que nós mais precisamente refletimos a multiforme perfeição de Deus. E os papéis que nós ocupamos são parte desse testemunho corporativo.

Viva Sabiamente

Vamos retornar à progressão de ideias no quinto capítulo de Efésios. Depois de nos exortar como queridos filhos amados para sermos imitadores de Deus e vivermos uma vida de amor, o apóstolo Paulo descreve com o que isso se parece:

> Portanto, vede prudentemente como andais, não como néscios, e sim como sábios, remindo o tempo, porque os dias são maus. Por esta razão, não vos torneis insensatos, mas procurai compreender qual a vontade do Senhor. E não vos embriagueis com vinho, no qual há dissolução, mas enchei-vos do Espírito, falando entre vós com salmos, entoando e louvando de coração ao Senhor com hinos e cânticos espirituais, dando sempre graças por tudo a nosso Deus e Pai, em nome de nosso Senhor Jesus Cristo, sujeitando-vos uns aos outros no temor de Cristo. As mulheres sejam submissas ao seu próprio marido, como ao Senhor; porque o marido é o cabeça da mulher, como também Cristo é o cabeça da igreja, sendo este mesmo o salvador do corpo. Como, porém, a igreja está sujeita a Cristo, assim também as mulheres sejam em tudo submissas ao seu marido. Maridos, amai vossa mulher, como também Cristo amou a igreja e a si mesmo se entregou por ela, para que a santificasse, tendo-a purificado por meio da lavagem de água pela palavra, para a apresentar a si mesmo igreja gloriosa, sem mácula, nem ruga, nem coisa semelhante, porém santa e sem defeito. Assim também os maridos devem amar a sua mulher como ao próprio corpo. Quem ama a esposa a si mesmo se ama. Porque ninguém jamais odiou a própria carne; antes, a alimenta e dela cuida, como também Cristo o faz com a igreja; porque somos membros do seu corpo. Eis por que deixará o homem a seu pai e a sua mãe e se unirá à sua mulher, e se tor-

> narão os dois uma só carne. Grande é este mistério, mas eu me refiro a Cristo e à igreja. Não obstante, vós, cada um de per si também ame a própria esposa como a si mesmo, e a esposa respeite ao marido. (Ef 5.15-33)

Todos nós somos chamados para sermos cuidadosos com a forma com que vivemos. Todos nós somos chamados a viver nossas vidas em submissão a Cristo. Devemos cultivar sabedoria santa baseada no entendimento do que é a vontade do Senhor. Na área do casamento, precisamos conhecer sua vontade em relação a essa união e os papéis dentro dela. É a autoridade de Cristo que domina sobre cada um de nós, e, no casamento, ambas as partes são submissas a ele. Mas há uma maneira distinta na qual reconhecemos a autoridade de Cristo na posição de marido ou esposa.

A primeira coisa a notar é o conjunto conciso de instruções às esposas. Esse capítulo contém mais versículos dirigidos aos maridos, e esses versos têm os mandamentos mais difíceis. Sejamos honestas: submeter-se a um marido que lidera e ama como Cristo, e respeitá-lo, é o papel mais fácil dentre os dois! Mas, na realidade, nenhum marido humano jamais cumpre perfeitamente esses mandamentos. Isso deixa a esposa com o desafio de respeitar um marido falho e de se submeter a ele — um fato que certamente não fugiu à atenção do Espírito Santo quando ele inspirou esses versículos.

A segunda coisa a se notar é importante: *maridos* não são chamados para forçar submissão. *Esposas* são chamadas a se submeter a seus maridos, porque essa é uma expressão de adoração ao Senhor. É um ato de amor, livremente oferecido. No final dessa passagem, as esposas também são chamadas a respeitar seus maridos. O sentido é que isso é feito por sua própria vontade. Uma tradução alternativa torna esse aspecto ainda mais claro: "Portanto, cada um de vocês também ame a sua mulher como a si mesmo, e a mulher trate o marido com todo o respeito" (v. 33, NVI). A esposa respeita seu marido e se submete a ele *não* porque sua atuação alcança merecimento, mas porque é assim que ela glorifica a Deus ao refletir o mistério de Cristo e da Igreja.

Essa passagem contradiz o medo feminista de que os papéis bíblicos complementares são equivalentes à dominação masculina pecaminosa contra as mulheres. Então quando nos vemos temendo esse versículo — ou desconfortavelmente tentando explicá-lo para nossos amigos e família não cristãos —, é bom lembrar quatro coisas importantes sobre esse versículo:

- A Bíblia não diz à mulher que se submeta a todos os homens, mas somente a um homem — seu esposo.
- Não é prerrogativa do esposo forçar esse mandamento, porque a submissão é, em última análise, um ato voluntário da esposa de adoração e obediência *ao Senhor*.

- A submissão amorosa e proposital da esposa ao seu próprio esposo é para o propósito de criar uma união de "uma só carne" que aponta para além do casamento ao mistério de Cristo e sua Igreja.
- A liderança amorosa do esposo — como descrita na Escritura — desafia os pecados, predominantemente, masculinos de dominação e passividade. (Iremos falar mais sobre isso no próximo capítulo.)

Essa é a grande visão dos propósitos de Deus no casamento. Sem dúvida, você tem um monte de perguntas sobre como isso se dá na vida diária. Nós tocaremos em alguns desses tópicos no próximo capítulo. Obtive informações de muitos de meus amigos casados e estou ansiosa para compartilhar a sabedoria deles com você.

"Siga Este Homem"

Aqui está uma história para encorajar toda mulher que luta com a ideia de seguir e apoiar um homem imperfeito. Talvez você pense que seu esposo não merece seu compromisso no casamento. Talvez você pense que as falhas ou os pecados dele são muito piores que os seus, então ele precisa ganhar o seu respeito. Ou talvez você seja casada com um homem que é espiritualmente morto e é difícil ter fé de que um dia ele realmente acreditará no evangelho. Meus amigos Bill e Stephanie Kettering não somente aprenderam o valor dos papéis num casamento santo, como também aprenderam muito sobre perdão. Espero que a história deles ajude você a ter fé no que Deus pode fazer em seu próprio relacionamento ao confiar nele e obedecer-lhe.

Stephanie ligou para o seu esposo a fim de dizer boa noite — algo rotineiro quando ela passava a noite longe dele. Bill não a acompanhou nesta visita aos pais dela desta vez, alegando ter um horário pesado de trabalho e demandas do curso de pós-graduação.

Durante a conversa, ele pareceu distraído e um pouco frio para ela. Incerta sobre o comportamento de Bill, Stephanie decidiu terminar a conversa. "Bem, está certo, boa noite. Amo você." "Eu também", ele respondeu.

Deitada na mesma cama de quando era criança,

Stephanie repassou a conversa muitas vezes em sua mente. *Eu também*. Parecia um alarme de um sino. Por que ele não disse as palavras reais, como sempre dizia? Inquieta, ela estendeu a mão ao telefone de novo. O relógio dizia que já passava das 2h da manhã.

Nenhuma resposta. Ela discou novamente. Ainda assim, nenhuma resposta.

O medo se juntou às suas suspeitas. Stephanie acordou sua irmã, pedindo para que cuidasse de suas duas filhas. Ela iria fazer o longo trajeto de volta à sua casa para ver como estava o seu marido.

Na estrada, suas emoções transbordaram. Stephanie se perguntou o que ela encontraria quando chegasse. Estava Bill mortalmente doente e incapaz de responder ao telefone? Estava ele machucado e no hospital? Ou... Estava ele passando a noite com outra pessoa?

Fragmentos das conversas e interações ao longo do último ano invadiram sua mente. O quanto Bill parecia distante durante a festa de aniversário de seis anos da filha. Quanto tempo ele estava dedicando ao trabalho. A forma elogiosa com que ele falava de suas colegas. O jeito com que ele disse à Stephanie sobre quão atraente uma colega estava com o novo vestido vermelho. O tanto de apoio emocional que ele deu a essa mulher depois do fim do namoro dela. O quanto ele criticava Stephanie quando ele estava em casa.

Num ato de reflexo, ela começou a orar. *Deus, ajude-me. Ajude meu casamento. Dê-me um sinal do que fazer.*

Stephanie só conseguiu pensar em uma forma de saber que Deus estava respondendo à sua oração. Ela ligou o rádio, dizendo a si mesma que qualquer música que ela ouvisse seria seu sinal. Depois de um assustador momento de silêncio, ela ouviu a simples melodia de uma música que foi cantada em sua festa de casamento.

> Um homem deixará sua mãe, e uma mulher deixará sua casa.
> E eles viajarão para onde os dois serão como um.
> Como foi no início, assim é agora e até o fim,
> A mulher obtém vida do homem e a retribui novamente.
> E há amor, há amor.[15]

Stephanie olhou assustada para o rádio. *Deus está realmente ouvindo*, ela pensou. Chegando à sua rua, ela pôde ver que o carro de Bill não estava na garagem. Ela saiu do seu carro no frio da madrugada, caminhou até a porta de sua casa vazia e subiu as escadas para o seu quarto.

15 The Wedding Song", por Noel Paul Stookey, 1971.

Vendo a cama vazia, ela começou a chorar novamente. Perguntas giravam ao seu redor. *Quem é meu esposo? Acaso eu ainda o conheço? Ele tem outra vida separada? Como ele pôde fazer isso? Será que, pelo menos, ele ainda me ama? E quanto às crianças? O que acontecerá conosco?*

Stephanie ficou acordada a noite toda, incapaz de dormir. Na manhã seguinte, ela telefonou para Bill no trabalho dele e perguntou se poderia ir vê-lo. Ele a encontrou no estacionamento e entrou no carro. Ela pegou a mão dele, colocou-a sobre o coração dela, olhou em seus olhos e fez a temida pergunta.

"Onde você estava ontem à noite?"

Imediatamente consciente do quanto a verdade machucaria Stephanie, Bill mentiu. "Eu estava em casa."

"Não, você não estava", Stephanie respondeu em voz baixa. "Eu fui para casa, e você não estava lá."

Atordoado, Bill sentiu uma onda de emoções quebrar sobre ele — alívio, porque a verdade já era conhecida; tristeza por machucar sua esposa; e arrependimento e vergonha por suas ações. Ele não conseguiu falar coisa alguma.

Stephanie desabou em lágrimas. Depois de um momento tenso, ela desviou o olhar e fez uma série de perguntas ásperas: "Por que você não me ama? Você a ama? Você quer se divorciar?"

"Eu amo você, e não, não quero o divórcio — eu realmente não quero", ele finalmente respondeu.

"Então por que você fez isso?"

"Eu não sei...", ele respondeu. "Eu realmente sinto muito."

Nos meses seguintes, Stephanie e Bill continuaram a conversar e a reconstruir o relacionamento. Stephanie queria derrubar o muro da desconfiança entre eles, mas se sentia impotente para fazer algo a respeito. Ao mesmo tempo, Bill estava lidando com a sua vergonha.

Pouco depois de sua traição ser descoberta, Bill mudou de emprego. Seu novo patrão era um cristão assumido, não reticente sobre enfatizar o temor de Deus. Ele também era grande e intimidador. Bill foi tentado a se afastar dele, mas Deus o usou para apresentar Bill à ideia de que seu casamento precisava de algo mais do que aquilo que ele ou Stephanie tinham para oferecer.

Um dia, Bill entrou na cozinha e anunciou o diagnóstico: "Você sabe o que está faltando em nosso casamento? Está faltando Cristo."

Stephanie concordou imediatamente. Então ela lhe contou sobre duas famílias que ela tinha conhecido na sua rua que iam para a mesma igreja e pareciam *realmente* gostar. Então aquela foi a igreja que eles foram visitar no domingo seguinte.

Embora tenha sido ideia dele ir, quando o domingo chegou, Bill tinha sentimentos mistos. Em primeiro lugar, em sua mente estava o como desfazer o que ele tinha feito e ser perdoado. Ele se sentiu manchado em uma igreja onde todo mundo parecia tão feliz e estava cantando com entusiasmo. No final da reunião, o pastor apresentou o evangelho, descreveu como as pessoas poderiam ser perdoadas de seus pecados e então pediu àqueles que queriam aceitar a oferta da livre graça de Cristo que levantassem suas mãos.

Bill levantou a mão. Stephanie também.

Então o pastor pediu que aqueles que levantaram suas mãos viessem à frente para oração. De mãos dadas, Bill e Stephanie caminharam para frente. Um dos outros pastores se aproximou e os parou. Ele olhou para Bill, depois para Stephanie, e depois novamente para Bill.

"Eu vi você vindo até aqui e quero que você saiba que Deus tem um plano para você", ele disse para Bill. Então, olhando para Stephanie, ele gentilmente acrescentou: "Siga este homem".

Dezessete anos depois, os Ketterings estão sentados na sala, recontando o quanto mudaram desde aquele dia. Bill está sentado no chão, perto de Stephanie, que está no sofá. À medida que eles recontam os detalhes dolorosos, Bill estende a mão para sua esposa, mantendo um contato tranquilizador.

"O que mais me lembro daquele dia na igreja foi que eu, de repente, percebi que meu foco tinha sido, durante todo aquele tempo, o pecado do meu esposo", Stephanie recorda. "Eu tinha certeza de que Bill levantaria a mão. Mas no momento exato, vi meus pecados e percebi que precisava de um Salvador também. Até então, eu tinha vivido mais ciente de como eu havia sido ofendida."

Refletindo sobre o que o pastor disse a eles no dia em que se tornaram cristãos, Bill elogia sua esposa.

"Ela não tinha uma categoria para descrever o que 'seguir' significava naquele tempo, pelo menos não em termos de ensino bíblico", ele diz. "Mas ela sabia que aquilo vinha do Senhor. Então ela fez. Ela realmente lutou para entender o que significava me perdoar e me seguir."

Pausando por um momento, Bill se esforça para manter sua compostura. As lágrimas derramam sobre seu rosto mesmo assim.

"Eu acho que um dos exemplos mais claros do desejo dela de me seguir foi que — além da irmã e do cunhado dela — ela não contou a mais ninguém o que eu fiz", ele conta com uma voz sufocada. "Ela deixou que eu contasse aos outros. O pensamento dela era de não me desonrar. Incrível, não é?"

Depois da visita inicial, os Ketterings logo se juntaram à igreja e começaram a frequentar um grupo pequeno que se encontrava no bairro deles. Eles foram abertos quanto às dificuldades de seu casamento, mas não compartilharam os detalhes imediatamente. Assim, Stephanie buscava ajuda em Bill quando sofria com as memórias da infidelidade dele.

"Ao longo daquele primeiro difícil ano, Bill me ajudou", Stephanie recorda. "Ele me ajudou com o processo de cura. Houve vezes quando não queria sair da cama, mas eu sabia que tinha que fazer isso por causa das minhas filhas. Eu sempre sabia que a amargura estava se avivando em minha mente quando imaginava as cenas dele com essa outra mulher. Nesses momentos, eu fazia orações bem simples, dizendo coisas como: 'Ajude-me, Senhor. Não deixe que eu pense desse jeito'. Então eu telefonava para Bill e contava que estava tendo pensamentos ruins sobre ele. Ele dizia: 'Desculpe-me, eu não sei como mudar isso, mas quero que saiba que realmente amo você'. Então depois de nos tornarmos cristãos, eu dizia para ele: 'Por favor, diga que nunca mais vai fazer isso de novo'. Eu me lembro de ele dizer: 'Eu gostaria de prometer isso, mas não posso *garantir* porque sou pecador. Mas eu posso prometer que Deus é fiel e *ele* é capaz de manter nosso casamento firme'".

Como nova cristã, as dificuldades forçaram Stephanie a desenvolver um entendimento do perdão na prática. Um dia, ela leu um versículo em que Jesus estava instruindo seus discípulos sobre o perdão. Marcos 11.25 diz: "E, quando estiverdes orando, se tendes alguma coisa contra alguém, perdoai, para que vosso Pai celestial vos perdoe as vossas ofensas".

"Eu vi que havia uma nota de rodapé para esse versículo e fui até embaixo para ver que alguns manuscritos tinham um versículo adicional que diz: 'Mas, se não perdoardes, também vosso Pai celestial não vos perdoará as vossas ofensas'", ela relembra. "Era um claro mandamento para perdoar. Mas ele era um mandamento baseado em quanto perdão eu havia recebido de Deus. A misericórdia que eu tinha recebido pelos meus pecados era a razão por que eu poderia perdoar Bill pelos pecados dele."

Mesmo com aquele entendimento e novo apreço por seu próprio perdão, Stephanie descobriu que a amargura era uma tentação ocasional. Então ela temeu não estar cumprindo o mandamento correlato em Mateus 18.21-22 de perdoar setenta vezes sete. Mas mesmo essa preocupação tinha um benefício não planejado — ela destacava sua contínua necessidade de um Salvador.

"Eu descobri que facilmente me inclinava para minha própria atuação em busca de confiança", ela diz. "Finalmente aprendi que era somente através do evangelho que eu poderia reconciliar minha experiência com os mandamentos bíblicos de amar e honrar meu esposo.

Quando eu entendi claramente que Cristo sofreu na cruz com muita dor para que *eu* pudesse ser perdoada, isso se tornou a minha motivação. Foi assim que pude amar meu esposo — Cristo fez isso por mim, e eu queria viver a minha vida para agradar a Deus."

Logo depois de os Ketterings terem se tornado cristãos, uma mulher em seu grupo pequeno lhes deu duas bolsas cheias de sermões gravados. Bill começou a ouvir esses sermões enquanto dirigia, desenterrando dezenas deles todo mês.

"Ele vinha para casa e me dizia sobre o que estava aprendendo", Stephanie relembra. "Um dia, ele entrou em casa e disse: 'Sabe o que aprendi hoje? Eu sou encarregado de ser a cabeça. Sou responsável por liderar a nossa família'. Quando ele me disse isso, senti um peso saindo dos meus ombros. Sempre senti que eu é quem devia estar fazendo isso. Mas perguntei a ele: 'Bem, quem é a sua cabeça?'. Ele respondeu: 'Cristo é a minha cabeça'".

Bill sorri para sua esposa enquanto ela reconta essa conversa, e então acrescenta: "Ela nunca me fez sentir estranho porque ela tinha assumido essa postura de querer agradar a Deus, de querer fazer o que Deus a tinha chamado para fazer em termos de me amar. Ela nunca disse: 'Você não merece liderar esta família'".

Antes de se tornarem cristãos, eles tinham um casamento bem típico. Bill trabalhava fora, em jornada integral, e fazia cursos de graduação de meio período para que pudesse melhorar as oportunidades de sua carreira. Stephanie primariamente ficava em casa com as filhas, mas ela também trabalhava nos fins de semana no comércio de varejo. Mesmo estando casados, eles frequentemente conduziam vidas paralelas, porém separadas.

"Naquela época, nunca pensei que Stephanie precisava de mim. As coisas funcionavam bem sem mim", Bill afirma. "Depois, eu soube que era para eu me envolver e não deixar que ela lidasse com tudo sozinha. Não que ela não fosse capaz — ela certamente era —, mas agora nós entendíamos que eu precisava arcar com as responsabilidades às quais fui chamado."

À medida que eles aprendiam sobre o plano bíblico para o casamento, houve uma sutil, mas profunda, mudança na vida deles. Eles sempre tinham funcionado bem juntos em termos de realizar tarefas, mas agora eles desfrutam do benefício adicional da paz que advém da clareza.

"Quando está bem claro quem é responsável pelo que — quando nós conhecemos a nossa parte do relacionamento — é mais pacífico", Bill diz. "Não tínhamos papéis definidos antes. Estávamos apenas fazendo as coisas juntos. Agora nós sabemos como deve ser", ele diz. "E estamos trabalhando juntos para fazermos assim".

Certamente, quando ela veio para casa naquela noite difícil e descobriu que seu esposo não estava lá, Stephanie nunca poderia imaginar que eles seriam tão felizes agora. Nem teria imaginado que Deus poderia usá-los para ajudar outros casais. Os Ketterings são hoje parte da equipe de aconselhamento bíblico da igreja onde congregam, por meio do qual eles têm ajudado centenas de casais com seus próprios conflitos conjugais.

Sentada em sua sala de estar, com suas filhas adultas indo e vindo, Stephanie segura a mão de seu esposo e oferece sua perspectiva obtida da forma mais difícil.

"A maioria das pessoas pensaria que o divórcio seria a primeira alternativa numa situação como essa. Mas Deus é mais glorificado quando você não faz isso, mas, ao contrário, confia que

ele será fiel à sua Palavra para dar-lhe sabedoria, perdão e graça para a mudança de que precisa.

[illegible] assim [illegible]

Certamente, quando ele olhar as [illegible] antes [illegible] e descobrir que seu esposo não estava [illegible] para poder imaginar que elas [illegible] [illegible] a [illegible] que Deus [illegible] para aquelas coisas? [illegible] do que o [illegible] [illegible] da qual ele, tendo [illegible] [illegible] outros próprios e outros [illegible]

[illegible] estava [illegible] Sempre [illegible] a [illegible] de [illegible] e [illegible] de [illegible]

[illegible] que [illegible] [illegible] quando [illegible]

Capítulo 4:

CHAMADA PARA UM PAPEL

Você já notou como as comédias românticas geralmente terminam com o casamento — e nunca retratam o choque de realidade que se segue? Nossa tendência natural é querer concluir quando todos os olhos estão sobre nós — o centro das atenções. A Bíblia também fala muito de casamento, mas, ao contrário dos filmes, ela nos provê com a necessária informação de como o casamento deve funcionar após a lua de mel.

Neste capítulo, é hora de ser mais prática. O casamento é a interação primária, mas em todos os nossos relacionamentos há ecos desses papéis correspondentes para homens e mulheres. Neste capítulo, começaremos com o que aprendi (da maneira difícil) e então prosseguiremos para os verdadeiros especialistas! Ao longo do caminho, nós veremos como as teorias feministas da segunda onda sobre gênero já estão se desmoronando, veremos também o motivo pelo qual ser uma "auxiliadora" reflete a forma como Deus descreve a si mesmo e como a submissão de uma esposa deve até mesmo incluir disciplina.

A primeira vez que fiz *rafting*, aprendi uma importante lição... mas não sobre *rafting*... ou mesmo sobre como sobreviver ao ser lançada em águas agitadas. O que aprendi foi a importância de ser uma boa seguidora.

Meu namorado à época gostava muito de ciclismo e *rafting*, principalmente de andar de caiaque. Eu até que gostava de ciclismo; conhecemo-nos numa trilha de ciclismo. Mas eu sempre pensei que *rafting* era algo mais do gosto dele, não do meu. Então quando Greg sugeriu que fôssemos fazer *rafting* juntos, eu recusei. Ele, todavia, não aceitou a minha recusa e insistiu que nos divertiríamos. Apesar das minhas queixas, reclamações e resistência temerosa, de alguma forma, acabei vestindo um colete salva-vidas e indo fazer *rafting* de cara emburrada em um dia quente de verão, com meu mau comportamento acabando com toda a diversão do passeio.

Quando começamos a descer o rio, Greg virou para mim e disse firmemente: "Veja, você conseguiria fazer isso se simplesmente parasse de reclamar e me ouvisse. Eu sei o que estou fazendo. Eu conheço suas habilidades. Apenas ouça o que eu lhe digo, e você ficará bem. Você é quem está tornando isso difícil".

No papel, isso soa áspero, mas na verdade foi dito da forma como um treinador motivaria um participante teimoso. Greg já tinha me ensinado como me superar em longos trajetos de ciclismo e como subir morros íngremes. Ele estava certo — ele conhecia minhas habilidades melhor do que eu. Então, quando parei de resistir a ele, nós dois nos divertimos no rio. De fato, eu *amei* fazer *rafting*!

Naquele dia, Greg me deu dois presentes: um amor pelo *rafting* e uma compreensão sobre a importância de liderar e seguir. Ambos os papéis são necessários para qualquer união entre seres humanos. Líderes têm que ter pessoas os seguindo ou eles não estarão mais liderando. Um seguidor compreensivo e cooperador é tão necessário para o time quanto um bom líder.

O *rafting* provê uma ilustração perfeita disso. Um guia de *rafting* é o líder de vários outros remadores no barco. Alguns remadores podem ser novatos; outros podem ser bem experientes. Mas no rio, somente uma pessoa pode tomar decisões em águas turbulentas. Todo o restante tem que ouvir o guia e remar em sincronia — caso contrário, o time terá um indesejado mergulho nas águas agitadas. Porque ele está encarregado de navegar as águas turbulentas, o guia grita: "Todos para frente! Puxem com força!". Mas se ele for o único remando, a manobra não terá sucesso. À medida que o barco se aproxima das águas agitadas, é importante que os remadores ouçam atenciosamente o guia e o que ele diz — tudo e prontamente. Trabalho coordenado de equipe evita o desastre.

Embora nenhum de nós fosse cristão naquele tempo, Greg me ofereceu uma avaliação honesta do meu caráter, assim como uma ilustração que me ajudou a entender o plano harmonioso de Deus para o casamento quando me tornei cristã menos de um ano mais tarde. Esse é o mesmo princípio encontrado na Escritura sobre o matrimônio. Deus nomeou o esposo para o papel de guia. O esposo é responsável por guiar o barco de acordo com as instruções que ele recebeu da Bíblia. Semelhantemente, Deus nomeou a esposa para o papel de remadora-companheira. Ela recebe as instruções de remo de seu esposo, e juntos eles navegam a turbulência da vida. Se ele não liderar bem, o barco pode andar em círculos. Se ela não seguir bem, o barco pode virar.

Como nova cristã, eu inicialmente recusei a ideia de papéis diferentes no matrimônio; no entanto, as lições aprendidas durante o meu passeio de *rafting* vieram à mente durante a minha curva de aprendizado teológico. Veja, mesmo como mulher solteira, eu tive que decidir se iria acreditar na Palavra de Deus sobre esses papéis e confiar nela — e não apenas para o meu próprio benefício. Todas as vezes que estive em um casamento cristão, minha presença prometia que eu apoiaria o plano de Deus para o casamento. Todas as vezes que meus amigos casados me falavam de suas dificuldades e tentações, eu tive a escolha de influenciá-los com a perspectiva da Bíblia ou com as mais recentes teorias de autoajuda. Portanto, eu precisava me aprofundar e me certificar de que entendia o que Deus estava dizendo em sua Palavra. *Não precisamos da autoridade da experiência pessoal para aconselharmos uns aos outros, porque a Bíblia é suficiente para essa tarefa.* Mas realmente precisamos *conhecer* a Palavra.

Inversão de Papéis

É desconfortante pensar que à idade de trinta anos tive de aprender que existem diferenças fundamentais entre homens e mulheres. Mas eu cresci com o dogma feminista de que diferenças de gênero são culturalmente criadas — que, à parte das diferenças estruturais óbvias, somos inerentemente iguais. Pesquisas médicas têm desmantelado essa teoria nos últimos anos à medida que descobrimos diferenças biológicas significativas entre homens e mulheres, especialmente na área de anatomia e do funcionamento do cérebro. Como um artigo sobre neurociência afirmou, as diferenças entre os sexos são mais complexas do que originalmente se suspeitava:

> Na última década, estudos sobre percepção, cognição, memória e função neural têm descoberto diferenças evidentes entre os gêneros que

> frequentemente se opõem a preconceitos convencionais.
>
> O cérebro das mulheres, por exemplo, parece ser mais rápido e eficiente que o dos homens.
>
> De um modo geral, os homens parecem ter mais massa cinzenta, feita de neurônios ativos, e as mulheres mais matéria branca responsável pela comunicação entre diferentes áreas do cérebro.
>
> No geral, o cérebro das mulheres parece mais complexamente enrugado, sugerindo que há mais estruturas neurológicas complexas, como pesquisadores da *UCLA* descobriram em agosto.
>
> Homens e mulheres parecem usar diferentes partes do cérebro para codificar memórias, sentir emoções, reconhecer rostos, resolver certos problemas e tomar decisões. De fato, quando homens e mulheres de inteligência e aptidão semelhantes atuam igualmente bem, o cérebro deles parece ter abordagens diferentes, como se a natureza tivesse modelos diferentes, divulgaram pesquisadores da *UC Irvine* este ano.[1]

Nossas estruturas cerebrais diferentes indicam que homens e mulheres processam estímulos, pensamentos, emoções e memórias diferentemente uns dos outros. Essen-

1 Robert Lee Hotz, "Deep, Dark Secrets of His and Her Brains", Los Angeles Times, 16 jun. 2005, http://www.latimes.com/news/science/la-sci-brainsex16jun16,0,5806592,full.story?coll=la-home-headlines.

cialmente, somos *planejados* para funcionar diferentemente. No entanto, pesquisadores enfatizam que não há qualquer diferença entre homens e mulheres no que se refere a QI ou inteligência. Nossos cérebros confirmam o que a Escritura nos diz: homens e mulheres são iguais em essência, mas criados para funcionar diferentemente.

Embora a ciência confirme essa diferença essencial, a mensagem ainda não alcançou nossa cultura geral. Teorias feministas da década de 1970 ainda têm considerável influência sobre os nossos relacionamentos sociais hoje, especialmente relacionamentos românticos:

> Em *The Female Eunuch*, [a autora feminista Germaine] Greer teorizou que as diferenças corporais e psicológicas das mulheres eram características induzidas impostas sobre as mulheres para mantê-las subservientes. Ela defendia, por exemplo, que a estrutura esquelética da mulher foi grandemente influenciada pelo papel que ela foi forçada a ocupar na sociedade [...]. Greer admitiu que algumas diferenças genitais eram óbvias e inegáveis, mas argumentou que essas diferenças foram exageradas pelos papéis culturais que as mulheres foram forçadas a ocupar. De acordo com Greer, os homens moldaram as mulheres em quem elas eram. Ela argumentou que o patriarcalismo distorceu a natural composição tanto psicológica quanto biológica das mulheres.

> Greer propôs que todos os costumes, estruturas e instituições sociais que falsamente aumentaram as diferenças biológicas precisavam ser desafiadas e desmontadas. Ela encorajou as mulheres a questionarem e mudarem o modo como elas viam os papéis masculino e feminino, o relacionamento conjugal e inclusive seus próprios corpos.[2]

O que estamos colhendo é uma confusão decepcionante. Em nossos relacionamentos sociais, ainda agimos de acordo com velhas teorias feministas, tanto no namoro como no casamento. E a ironia disso é que mesmo fontes seculares estão apontando as contradições. Um exemplo interessante vem de dois roteiristas da série *Sex and the City* (não é uma série que eu recomendaria) que publicaram um livro de autoajuda para mulheres solteiras, *Ele simplesmente não está a fim de você: Entenda os homens Sem Desculpas*. Os criadores da personagem sexualmente agressiva, porém incapaz de se relacionar, Carrie Bradshaw da série *Sex and the City*, sentiram que era necessário explicar às fãs da personagem porque seus próprios relacionamentos similares não estavam funcionando. Ele se tornou um *best-seller* do *The New York Times* e uma recomendação de Oprah, porque o coautor casado, Greg Behrendt, explicou às mulheres uma verdade imutável:

2 Kassian, Feminist Mistake, 58.

> Os homens, em sua maioria, gostam de correr atrás das mulheres. Gostamos de não saber se conseguimos alcançar vocês. Sentimo-nos recompensados quando conseguimos. Especialmente quando a perseguição foi longa. Sabemos que houve uma revolução sexual. (E nós gostamos disso.) Sabemos que as mulheres são capazes de dirigir governos, liderar corporações multinacionais e criar filhos amáveis — algumas vezes vários ao mesmo tempo. Isso, no entanto, não torna os *homens* diferentes.[3]

Agora, eu não estou recomendando esse livro, mas não é de se impressionar que as mulheres de hoje precisem entender que há uma diferença profunda entre homens e mulheres? Ou que um livro tosco como esse se torne um sucesso de vendas ao explicar a diferença entre um mulherengo e um bom partido para mulheres adultas? Na verdade, esse livro até mesmo oferece uma defesa para as mulheres que querem se casar:

> Apenas se lembre disto. Cada homem que você já namorou que disse que não quer se casar, ou que não acredita no casamento, ou que tem "problemas" com o casamento, ele irá, pode escrever, casar-se algum dia. Só que nunca será com você. Porque ele não está realmente dizendo que não quer se casar. Ele está dizendo que não

3 Greg Behrendt and Liz Tuccillo, He's Just Not That into You (New York: Simon Spotlight Entertainment, 2004), 16-17.

> quer se casar com você. Não há nada de errado em querer se casar. Você não deve se sentir envergonhada, carente ou "não livre" por querer isso. Então, certifique-se desde o início de escolher um homem que compartilha das suas visões para o futuro, e, se não, saia do relacionamento o mais rápido possível. Grandes planos requerem grandes ações.[4]

Esse tipo de confusão relacional é levado para dentro do casamento... Isso se o casal moderno não se separar após morar junto. Um estudo de 2007 do *Pew Research Center* relatou que aproximadamente metade (47 por cento) dos adultos em seus trinta ou quarenta anos passou um período de suas vidas morando junto.[5] Mas a ideia comum de que a convivência determinará se um casamento terá sucesso é falha, de acordo com a pesquisadora Jennifer Roback Morse:

> O Censo relata um crescimento de 72 por cento, desde 1990, no número de casais morando junto. Infelizmente, a pesquisa mostra que a coabitação está correlacionada a uma maior chance de infelicidade e violência doméstica no relacionamento. Casais que moram junto relatam níveis mais baixos de satisfação no relacionamento que os casados. As mulheres tendem a ser mais abusa-

---

4 Ibid., 79

5 Pew Research Center Social and Demographic Trends, "As Marriage and Parenthood Drift Apart, Public Is Concerned about Social Impact", 1º jul. 2007, http://pewsocialtrends.org/pubs/526/marriage-parenthood.

> das por um namorado com quem mora junto do que por um marido. Os filhos tendem a ser mais abusados pelos namorados de suas mães do que pelo esposo dela, ainda que o namorado seja o pai biológico das crianças. Se um casal que mora junto acaba se casando, eles tendem a relatar níveis mais baixos de satisfação conjugal e uma propensão maior para o divórcio.
>
> Relatórios e comentários recentes sobre a coabitação tendem a amenizar essas dificuldades. Suspeito que seja assim, porque as pessoas não sabem compreender os achados das pesquisas. Muitas pessoas imaginam que viver junto antes do casamento se assemelha a pegar um carro para fazer um *test drive*. O "período de teste" dá às pessoas uma chance de descobrir se elas são compatíveis. Essa analogia parece tão convincente, que as pessoas são incapazes de interpretar as montanhas de dados que apontam o contrário.[6]

A coabitação é por definição anticompromisso. Um "talvez" prolongado não é um compromisso. É triste que isso seja visto como uma opção melhor que o dom de Deus do casamento. O que a Escritura retrata é um amor apaixonado e seguro entre esposo e esposa, onde o compromisso provê a liberdade de celebrar um ao outro e não apostas limitadas:

Arrebataste-me o coração, minha irmã, noi-

6 Jennifer Roback Morse, "Why Not Take Her for a Test Drive?", publicado no website Boundless.org, http://www.boundless.org/2001/departments/beyond_buddies/a0000498.html

> va minha; arrebataste-me o coração com um só dos teus olhares, com uma só pérola do teu colar. Que belo é o teu amor, ó minha irmã, noiva minha! Quanto melhor é o teu amor do que o vinho, e o aroma dos teus unguentos do que toda sorte de especiarias! (Ct 4.9-10)

Uma Auxiliadora Idônea para Ele

Eu não acho que alguém desprezaria aquele retrato maravilhoso do casamento. Mas quando a amada se torna a esposa, as mulheres têm dificuldades de ver o casamento como um conceito atraente. Por quê? Porque na Bíblia a esposa é descrita como um complemento para o seu esposo, uma ajuda para o seu companheiro. Ser focado no outro em nossa cultura focada no eu é algo incomum.

Quando penso sobre a minha vida antes da conversão, não consigo lembrar de um só exemplo de alguém usando a expressão "auxiliadora" para descrever uma esposa. Mas a ideia estava impregnada em nossa cultura. De fato, o conceito de auxiliadora foi satirizado na edição de lançamento da revista *Ms.* com o clássico artigo *Why I Want a Wife [*Por que eu quero uma esposa*]*, no qual a escritora satirizou o papel da esposa:

> Não faz muito tempo que um amigo meu apareceu em cena logo depois de um divórcio. Ele tinha um filho, o qual, é claro, ele teve com sua ex-mulher.

Ele estava procurando por outra mulher. Quando pensei nele enquanto passava roupas durante certa noite, de repente me ocorreu que eu, também, gostaria de ter uma esposa. Por que eu quero uma esposa?

Eu gostaria de voltar a estudar para que pudesse me tornar economicamente independente, sustentar a mim mesma e, se fosse necessário, sustentar aqueles que fossem dependentes de mim. Quero uma esposa que trabalhe e me envie de volta aos estudos [...]. Quero uma esposa que cuide de minhas necessidades físicas. Quero uma esposa que mantenha a minha casa limpa. Uma esposa que arrume a bagunça dos meus filhos, uma esposa que arrume a minha bagunça. Eu quero uma esposa que mantenha as minhas roupas lavadas, passadas, substituídas quando necessário e que se certifique de que os meus objetos pessoais sejam guardados em seu devido lugar para que eu possa encontrar aquilo de que preciso no momento em que preciso. Quero uma esposa que faça as refeições, uma esposa que seja boa cozinheira. Quero uma esposa que planeje os *menus*, faça as compras de supermercado necessárias, prepare as refeições, sirva-as de maneira agradável e, então, faça a limpeza enquanto estudo. Eu quero uma esposa que cuide de mim quando eu estiver doente e se simpatize com a minha dor e perda de tempo dos estudos. Quero uma esposa que me acompanhe quando a nossa família sair de férias, para que alguém continue a

> cuidar de mim... quando eu precisar de descanso e de uma mudança de cenário. Quero uma esposa que não me incomode com murmurações sobre os deveres de uma esposa.[7]

Quando dito assim, quem não iria querer uma assistente pessoal dessas? Mas, por favor, note que as reflexões dessa autora sobre os deveres de uma esposa começam quando ela considera um homem que não estava vivendo os mandamentos bíblicos para um esposo e pai. É tão fácil que a conversa se desvie quando Deus não faz parte do assunto. É por isso que é importante que não sobreponhamos suposições culturais aos conceitos bíblicos.

Quando a Bíblia usa a palavra *auxiliadora*, há um contexto divino para ela. Quando a palavra é introduzida pela primeira vez em Gênesis 2.18 — "Disse mais o SENHOR Deus: Não é bom que o homem esteja só; far-lhe-ei uma auxiliadora que lhe seja idônea" — ela é a mesma palavra hebraica (*'ezer*) que é usada mais frequentemente para se referir a Deus ao longo do Velho Testamento. Se Deus, que é óbviamente e infinitamente superior a nós, refere a si mesmo, sem embaraços, como o nosso auxiliador, então deveríamos nos orgulhar de usar o mesmo termo. Como Wayne Grudem nota, o contexto desse versículo descreve

7 Judy Syfers, "Why I Want a Wife", Ms., primavera 1971, http://www.feministezine.com/feminist/modern/Why-I-Want-A-Wife.html.

tanto a ideia de auxiliadora *quanto* a igualdade inerente entre homens e mulheres:

> O texto hebraico pode ser traduzido literalmente como "Farei para ele (do hebraico *le-*) uma auxiliadora que lhe seja idônea". O apóstolo Paulo entende isso precisamente, porque em 1 Coríntios 11 ele escreve: "Porque também o homem não foi criado por causa da mulher, e sim a mulher, por causa do homem" (1Co 11.9). O papel de Eva, e o propósito que Deus tinha em mente quando ele a criou, era que ela fosse "para ele... uma auxiliadora" [...]. Ainda assim, na mesma frase, Deus enfatiza que a mulher não ajuda o homem como alguém que é inferior a ele. Ao invés disso, ela deve ser uma auxiliadora "idônea", e aqui a palavra hebraica *kenegdô* quer dizer uma auxiliadora que "corresponda a ele", ou seja, "igual e adequada para ele". Então Eva foi criada como auxiliadora, mas como uma auxiliadora que era sua igual, e que diferia dele, mas diferia de maneiras que complementariam exatamente quem Adão era.[8]

Como vimos no último capítulo, esse é o ponto que as feministas deixam escapar. Elas igualam papéis com valores inerentes, um salto que a Bíblia nunca dá. Se você não tem Gênesis 1 para estabelecer a igualdade de homens e mulheres na criação, e se você não tem Gênesis 2 para ofe-

8 Grudem, Evangelical Feminism and Biblical Truth, 119.

recer o retrato de "uma só carne" do matrimônio e os papéis necessários para fazer isso funcionar, então você apenas terá todos os ingredientes para uma bebida efervescente de desentendimento e ressentimento. E, como Morse nota, essa bebida afeta ambas as partes:

> O movimento feminista introduziu uma quantidade inacreditável de tensão nos relacionamentos entre homens e mulheres. O feminismo deu a nós mulheres a permissão para importunar e criticar nossos esposos, o que a maioria das mulheres pode fazer facilmente sem qualquer permissão especial. O legado do movimento feminista foi tornar o lar, que deveria ser o lugar de cooperação, numa esfera de competição entre homens e mulheres. E, ironicamente, o feminismo, que deveria ser sobre ir além de estereótipos, defendeu o mais negativo dos estereótipos sobre os homens.
>
> Eu tenho minha própria teoria de estimação sobre o estereótipo de homens resistindo ao casamento. Os sociobiólogos afirmam que os homens querem investir suas sementes em tantas mulheres quanto for possível e, portanto, não querem casamento. Penso que essa é apenas uma fraca sombra da verdade completa. A verdade completa deve incluir este grande fato sobre os homens: eles são capazes de uma lealdade heroica. Quando os homens finalmente se casam, eles são capazes de se comprometerem com o cuidado

> de suas esposas e filhos. Muitos homens passam a vida trabalhando em empregos dos quais eles não gostam por amor às suas famílias. Quando os homens se casam, eles levam isso muito a sério. *São as mulheres que iniciam a maioria dos divórcios.* São homens divorciados que cometem suicídio duas vezes mais que homens casados, enquanto o divórcio tem pequeno impacto na propensão ao suicídio de mulheres.[9] (ênfase da autora)

Um Desafio Correspondente

Penso que a descrição de Morse pode na verdade ser estendida ao relacionamento entre homens e mulheres em geral — o legado feminista foi tornar a potencial cooperação complementar entre homens e mulheres num espírito de competição. Mas há esperança de restaurar a unidade. Eu realmente gosto da descrição que John Ensor oferece em *Doing Things Right in Matters of The Heart [Fazendo a coisa certa nas questões do Coração]*:

> Nas questões do coração, é certo que os homens devem liderar e as mulheres devem acolher e guiar essa liderança. Ela é sua auxiliadora (Gn 2.18). O objetivo dela é dar ao seu homem toda a ajuda de que ele precisa para liderar bem. O objetivo dele é humildemente aceitar a responsabilidade de

9 Jennifer Roback Morse, "Husband's Day", National Review Online, 16 jun. 2006, como arquivado em http://nationalreview.com.

> liderar, e não fugir dela nem a empunhar como um porrete.
>
> A orientação que ela lhe provê vem principalmente em duas formas: ao ajudá-lo a pensar claramente e ao encorajá-lo a agir com confiança. O que advém daí é uma vitória compartilhada. Caso haja um erro, ele é suportado junto. De qualquer forma, o que é nutrido é verdadeira unidade de espírito, que é o centro da questão, onde os dois se tornam um. Temos que trabalhar nisso, mas se assim o fizermos, verdadeira unidade é nutrida e preservada na troca complementar da liderança masculina e da orientação feminina.[10]

Agora, eu vou admitir que muitos homens falham no papel de liderança humilde, sacrificial e amorosa. Muitas mulheres falham no papel de apoio humilde e encorajador. Apenas porque o pecado mancha um conceito, isso não significa que ele esteja além da redenção do evangelho. Voltaremos a essa ideia em algumas páginas, mas quero parar por aqui e reconhecer algo que espero que seja óbvio: não estou escrevendo este livro para homens. Se você está curioso sobre como essa "troca complementar" deve ser ensinada aos homens, há inúmeros livros já publicados para homens, escritos por homens, sobre ser um esposo piedoso. Aqueles que eu conheço e que os homens parecem gostar

10 John Ensor, Doing Things Right in Matters of the Heart (Wheaton: Crossway Books, 2007), 97-98.

mais são *The Exemplary Husband* [O Marido Exemplar], de Stuart Scott; *Sex, Romance, and the Glory of God: What Every Christian Husband Needs to Know* [Sexo, Romance e a Glória de Deus: O Que Todo Marido Cristão Precisa Saber], de C. J. Mahaney; e *The Complete Husband* [O Marido Completo], de Lou Priolo — sem mencionar o material desafiador para esposos encontrado em Quando Pecadores Dizem Sim, de Dave Harvey; *Love That Lasts* [Amor que Dura], de Gary e Betsy Ricucci; e *Sacred Marriage* [Casamento Sagrado], de Gary Thomas. De fato, Gary Thomas escreve esta perspectiva útil sobre papéis bíblicos balanceados:

> A submissão da esposa ao seu marido é colocada no contexto de um casamento no qual um marido é chamado para ser como Cristo — entregando sua vida por ela, colocando-a em primeiro lugar, servindo-a, cuidando dela, amando-a sempre da mesma forma sacrificial, de entrega da própria vida, como Cristo ama a igreja (versículo 25).
>
> Paulo descreve uma visão idealista de um compromisso simultâneo pelo bem-estar um do outro. Não tenho a intenção de usar a palavra "idealista" de maneira negativa — certamente todo casamento deve lutar por isso. Mas também penso que Paulo seria o primeiro a objetar se ele ouvisse sobre mulheres sendo exortadas a se submeter, enquanto maridos ditadores e condescendentes não ouvem o desafio correspondente de amar à maneira de Cristo. A igreja

> não deve ensinar a submissão das esposas *separada do* amor e do serviço sacrificiais requeridos dos maridos. Isso não significa que a falta de amor sacrificial por parte de um marido *cancele* o chamado de uma esposa à submissão, mas realmente torna um pouco mais difícil aplicar esse princípio.[11]

Eu já vi esse desafio correspondente para os homens — eu posso atestar que ele existe. Não somente ouvi sobre ele do púlpito, mas o vi exercitado no particular. De fato, enquanto trabalhava neste capítulo, aconteceu de eu ir a um encontro com dois pastores para discutir um projeto que estou desenvolvendo. A conversa foi deixada de lado em certo ponto, quando o pastor mais velho começou gentilmente a desafiar o mais novo sobre suas prioridades. O pastor mais velho exortou o mais novo a não sacrificar sua família pelas pressões do ministério. Ele o lembrou de que o trabalho do reino começa na família e que ele foi chamado para cuidar de sua esposa e não a deixar indevidamente sobrecarregada. Eu também vi homens incentivando outros a planejar encontros semanais com suas esposas e a arranjar alguém para cuidar das crianças, e vi homens desafiarem outros acerca da busca por passatempos egoístas ou horas de trabalho excessivas. Eu conheço homens que abriram mão de oportunidades de emprego prestigiosas, porque a relocação ou o compromisso com o trabalho prejudicariam a

11 Gary Thomas, Sacred Influence (Grand Rapids: Zondervan, 2006), 79.

saúde espiritual da família.

Em resumo, quando os homens são ensinados que eles serão responsabilizados pela vitalidade e frutificação espiritual de suas famílias, eles entendem que a liderança tem a intenção de dirigir suas famílias *em direção a* Cristo. A liderança não é assumir uma posição para sua própria glória, mas para servir os propósitos do evangelho de Deus. Sem esse ponto de referência espiritual, nossa cultura interpreta a liderança como uma posição de autoglorificação — e então refuta a ideia de mulheres serem chamadas a dar suporte a isso. Aqueles que conhecem Cristo não devem ter essa mesma falsa suposição.

Submissão e Pecado

Voltando ao ponto levantado por Gary Thomas na citação anterior, talvez você seja uma esposa tentando aplicar o princípio de auxiliadora num casamento difícil, e está se perguntando como fazer isso. Como aprendi, a submissão tem mais a ver com nossa *atitude* para com esse conceito do que com qualquer execução dela sem defeitos. Como John Piper e Wayne Grudem dizem, ela realmente diz respeito à inclinação de nossos corações:

> A submissão se refere ao chamado divino da esposa de honrar e afirmar a liderança de seu esposo e de ajudá-lo a liderar de acordo com seus

> dons. Ela não é uma rendição absoluta da própria vontade. Antes, estamos falando da sua *disposição de render-se* à orientação de seu marido e da sua *inclinação* de seguir a liderança dele. Cristo é a autoridade absoluta dela, não o esposo. Ela se submete "no temor de Cristo" (Ef 5.21). A autoridade suprema de Cristo qualifica a autoridade do seu esposo. Ela nunca deve seguir seu esposo no pecado. Apesar disso, mesmo quando ela possa ter de ficar com Cristo contra a vontade pecaminosa de seu esposo (por exemplo, 1Pe 3.1, onde ela não se rende à descrença do seu esposo), ela ainda pode ter um *espírito* de submissão — uma *disposição* de se render. Ela pode mostrar que anseia que ele abandone o pecado e lidere em retidão, para que a disposição dela de honrá-lo como cabeça possa novamente produzir harmonia.[12]

Ela nunca deve seguir seu esposo no pecado. Uma verdadeira auxiliadora não é uma seguidora cega, mas é uma amiga fiel e uma sábia irmã em Cristo que entende a seriedade do pecado. Como John Piper diz: "As esposas não são apenas esposas submissas. Elas também são irmãs amorosas. Há um modo único em que uma esposa submissa deve ser uma irmã cuidadora para com seu imperfeito esposo-irmão. Ela irá, de tempos em tempos, seguir Gálatas 6.1 no caso dele: 'Irmãos, se alguém for surpreendido nalguma falta, vós, que sois espirituais, corrigi-o com espírito de

12 John Piper and Wayne Grudem, Recovering Biblical Manhood and Womanhood (Wheaton: Crossway Books, 1991), 61.

brandura; e guarda-te para que não sejas também tentado'. Ela fará isso por ele."[13]

O papel de uma esposa significa que ela é agraciada de uma maneira única a prover seu esposo com conselho útil e correção perspicaz. Como a autora Carolyn Mahaney diz, Deus usa as diferentes experiências de vida, as forças, os dons e os pontos de vista de uma esposa para complementar o seu esposo e fortalecer seu papel de liderança:

> Ora, isso deveria nos dar fé acerca de como Deus pode nos usar para servir nossos esposos. Deus nos dará sabedoria específica e conselho para eles. Nós teremos percepção única que os servirá no relacionamento deles com Deus e no relacionamento deles com os outros. Nós possuímos discernimento que os ajudará a eficazmente liderar nossa família. E nós temos a responsabilidade de exercitar esses dons de sabedoria e discernimento que Deus nos deu para o bem de nosso esposo, tanto em sua vida pessoal quanto no seu papel de liderança. Agora, na maior parte do tempo, isso envolverá comunicar nosso apoio e encorajamento, ou simplesmente compartilhar nossa perspectiva sobre uma questão ou dar a ele conselho e recomendação, mas eventualmente isso incluirá trazê-lo à correção também.[14]

---

13 John Piper, "Marriage: Pursuing Conformity to Christ in the Covenant", sermão pregado em Bethlehem Baptist Church, 25 fev. 2007, http://www.desiringgod.org/ResourceLibrary/Sermons/ByDate/2007/2006_Marriage_Pursuing_Conformity_to_Christ_in_the_Covenant/.

14 CarolynMahaney, "Watch YourMan", mensagem dada na Sovereign Grace Ministries Leadership Conference 2005, como arquivada em www.sovereigngraceministries.org.

De fato, o esposo de Carolyn, C. J. Mahaney, diz que, como pastor, ele tem visto uma incompreensão comum sobre a submissão e a honra, em que a esposa fica indevidamente preocupada com a opinião ou a reação de seu esposo, caso ela precise corrigi-lo. "Para qualquer casamento, a correção do esposo pela esposa seria um item de minha curta lista de coisas mais importantes", ele diz. "Se observasse uma esposa relutante em corrigir seu esposo, eu me preocuparia com aquele casamento. Obviamente, não estou defendendo um casamento contencioso, mas a correção, humildemente comunicada, deve ser parte de todo casamento [...]. Eu argumentaria que a correção não é apenas parte do matrimônio, mas um aspecto do que significa ser coerdeiro da graça da vida. O encorajamento de Carolyn tem sido de imenso benefício para mim, mas igualmente ou ainda mais, em equilíbrio, a sua correção. Ela tem me protegido quando o pecado me engana".[15]

Falando em pecado, o mandamento bíblico para as esposas se submeterem aos seus maridos *nunca* significa que as esposas devem se submeter ao abuso físico. A violência doméstica não é apenas um crime, ele é a quebra da lei de Deus. Em tais casos, uma esposa abusada deveria se remover do lar, buscar abrigo seguro e envolver as autoridades tanto legais quanto eclesiásticas para sua proteção.

---

15 C. J. Mahaney, comentário gravado para a Sovereign Grace Ministries Pastors College, mar. 2008, como apresentado no blog Sovereign Grace Ministries, http://www.sovereigngraceministries.org/Blog/post/How-to-Help-Your-Husband-When-Hes-Criticized.aspx.

Desistindo do Papel

Algumas páginas atrás, você deve ter notado que citei a pesquisadora Jennifer Roback Morse dizendo que as mulheres iniciam a maioria dos divórcios. Aquela afirmação chamou sua atenção? Ela chamou a minha quando a li pela primeira vez, pois essa tendência certamente tem sido o que tenho observado. Ela, também, é legado do feminismo.

Um dos triunfos reclamados pelas feministas da segunda onda foi a vasta mudança no contrato do matrimônio. Durante as décadas de 1970 e de 1980, todos os cinquenta estados norte-americanos adotaram leis de divórcio "sem culpa", possibilitando que um cônjuge unilateralmente peticionasse pelo divórcio sem alegar que o outro cônjuge quebrou o contrato de matrimônio por adultério, abuso ou crime. Alguns críticos argumentam que esse é *o* efeito mais profundo do feminismo sobre a nossa cultura:

> Essa mudança em nossas leis do divórcio afetou o tecido social, econômico, cultural e legal de nossa sociedade mais do que qualquer outra coisa que tenha acontecido nas últimas duas décadas. É possível evitar participar ou não sucumbir a todas as outras mudanças, mas as leis e atitudes agora mudadas acerca do divórcio afetam a todos nós. Ninguém pode forçar que você tenha um aborto ou veja pornografia. Se você não pode orar na escola, você ainda pode orar em casa, na

igreja e em seu coração. Você pode fugir daquilo que julgar uma situação intolerável ao mudar de emprego ou escola.

Mas o divórcio — a dissolução de um contrato mútuo solene no qual você empenha sua vida, sua honra, seu nome, seu compromisso e seu futuro — pode ser imposto a você sem seu consentimento. São necessários dois para se casar, mas agora um cônjuge pode terminar o casamento sem o consentimento do outro. A própria existência dessa espada de Dâmocles pairando sobre a cabeça de todo esposo e de toda esposa valida a atitude de que o casamento é temporário e baseado na satisfação própria, ao invés de no compromisso e na responsabilidade.

O movimento feminista radical vendeu o fácil divórcio sem culpa como libertação para as mulheres quando, de fato, ele foi principalmente libertação para os homens. As feministas não descobriram seu erro até que Lenore Weitzman publicou seu livro, marco de referência, em 1985, *The Divorce Revolution* [A Revolução do Divórcio], o qual provou que o divórcio fácil geralmente significa devastação econômica para as mulheres.

É também tempo de alguém falar e dizer em alta voz que uma grande parte do custo humano do divórcio é pago pelos filhos.[16]

16 Phyllis Schlafly, Feminist Fantasies (Dallas: Spence Publishing, 2003), 234-235.

Visto que o divórcio sem culpa foi vendido para as mulheres como um caminho para a felicidade e realização pessoal máxima, isso levou um grupo de pesquisadores a acompanhar um grupo representativo de casais ao longo de cinco anos para descobrir se o divórcio estava ligado, de forma mensurável, a um aumento da felicidade. Eles acompanharam cônjuges que avaliaram o próprio casamento como "infeliz" na entrevista inicial, e então os entrevistaram novamente cinco anos depois. Ao longo desses anos, alguns se divorciaram, outros se separaram e alguns permaneceram casados. Os pesquisadores concluíram que: "Adultos casados infelizes que se divorciaram ou se separaram não estavam mais felizes, em média, que os adultos casados infelizes que permaneceram casados. Mesmo cônjuges infelizes que tinham se divorciado e casaram-se novamente não estavam mais felizes, em média, que os cônjuges infelizes que permaneceram casados".[17]

Contrário a um aumento da realização pessoal, há páginas e páginas de dados sobre os efeitos negativos do divórcio. Se você é divorciada e está lendo isso, sua experiência pode ou não se alinhar com os dados — e, ao abordar esse tema, certamente não quero ser insensível com a dor pessoal de ninguém. Mas acredito que o mandamento de Tito 2, de que as mulheres mais velhas devem ensinar as mulheres mais novas a como amar seus maridos, deve

---

17 Carrie L. Lukas, The Politically Incorrect Guide to Women, Sex, and Feminism (Washington, D.C.: Regnery Publishing, 2006), 97.

incluir, em nossa época, as instruções bíblicas específicas sobre o divórcio — *especialmente* quando as mulheres estão iniciando mais divórcios que os homens.

Vamos examinar o debate sobre divórcio em que Jesus participou, como está registrado no evangelho de Mateus:

> Vieram a ele alguns fariseus e o experimentavam, perguntando: É lícito ao marido repudiar a sua mulher por qualquer motivo? Então, respondeu ele: Não tendes lido que o Criador, desde o princípio, os fez homem e mulher e que disse: Por esta causa deixará o homem pai e mãe e se unirá a sua mulher, tornando-se os dois uma só carne? De modo que já não são mais dois, porém uma só carne. Portanto, o que Deus ajuntou não o separe o homem. Replicaram-lhe: Por que mandou, então, Moisés dar carta de divórcio e repudiar? Respondeu-lhes Jesus: Por causa da dureza do vosso coração é que Moisés vos permitiu repudiar vossa mulher; entretanto, não foi assim desde o princípio. Eu, porém, vos digo: quem repudiar sua mulher, não sendo por causa de relações sexuais ilícitas, e casar com outra comete adultério. (Mt 19:3-9)

A resposta que Jesus deu aos fariseus transcendia as disputas que existiam entre diferentes escolas rabínicas sobre a legalidade do divórcio. Ao apontar de volta para o projeto original de casamento no plano de Deus, Jesus surpreendeu até mesmo seus próprios discípulos com o elevado padrão que ele pôs diante deles. A resposta deles na mesma frase foi pesarosa: "Disseram-lhe os discípulos: Se essa é a condição do homem relativamente à sua mulher, não convém casar". Mas Jesus responde a eles com a garantia de que apenas algumas pessoas são chamadas para uma vida de celibato. Como Andreas Köstenberger nota, essa foi uma boa notícia para as mulheres:

> Ele não somente enfatiza a permanência do casamento como uma instituição divina ao invés de meramente humana, como também argumenta que o divórcio está fundamentalmente em desacordo com o propósito de Deus na criação. Além disso, a aplicação de Jesus do mesmo padrão com relação ao divórcio e ao novo casamento tanto para homens quanto para mulheres (veja especialmente Mc 10.11) é nada menos que revolucionária. Apesar dos regulamentos na lei mosaica que estipulavam igual tratamento de homens e mulheres com relação ao divórcio (Lv 20.10-12), nos tempos do Velho Testamento, um padrão duplo prevalecia, de acordo com o qual se exigia que as mulheres fossem fiéis aos seus esposos (caso contrário, haveria punição), enquanto os padrões para os homens eram, consideravelmente, mais brandos. No ensinamento de Jesus, no entanto, os direitos conjugais foram colocados em igual condição. De fato, Jesus ensinou que a cobiça por outras mulheres no coração

> de um homem já constituía adultério (Mt 5.28), o que implica que os casos extraconjugais eram igualmente errados para homens e mulheres.[18]

Há um truísmo cristão frequentemente repetido que diz: "O que Deus ordena, ele possibilita". Deus não está rindo do fato de que ele colocou criaturas caídas, pecadoras na comprometedora aliança do casamento e então ordenou que elas permanecessem presas num combate mortal. De forma alguma! Deus possui um suprimento *infinito* de graça para nos ajudar a mudar e crescer. A maioria dos divórcios hoje é simplesmente atribuída a "diferenças irreconciliáveis" — você não acha que há graça para esses relacionamentos?

Não tenho espaço neste livro para tratar das questões de disciplina prática nessas áreas do casamento (e eu me submeto àqueles que experimentaram a graça de Deus no casamento pessoalmente), mas quero concluir este capítulo com um comentário encorajador para as esposas, de Gary Thomas:

> Embora toda esposa tenha se casado com um homem com história, personalidade e dons únicos, toda esposa tem uma coisa em comum: seu marido é um homem imperfeito. Nenhuma mulher tem um marido que nunca lhe dá razão para reclamação legítima [...]. Isso se apresenta a você

18 Köstenberger, God, Marriage and Family, 234-235.

como um desafio espiritual. Você terá que lutar contra a tendência natural de se ocupar continuamente com as fraquezas de seu esposo. Quando insisto para que você afirme os pontos fortes dele, não estou minimizando suas muitas fraquezas. Estou apenas encorajando você a fazer a escolha espiritual diária de focar nas qualidades pelas quais você se sente grata. O tempo virá em que você poderá tratar das fraquezas — *depois* de ter estabelecido uma firme base de amor e encorajamento. Por enquanto, você deve fazer a escolha consciente de dar graças pelos pontos fortes dele.

Descobri que Filipenses 4.8 é tão relevante para o casamento quanto o é para a vida: "Finalmente, irmãos, tudo o que é verdadeiro, tudo o que é respeitável, tudo o que é justo, tudo o que é puro, tudo o que é amável, tudo o que é de boa fama, se alguma virtude há e se algum louvor existe, seja isso o que ocupe o vosso pensamento."

Ocupar a mente com as fraquezas de seu esposo não fará com que elas vão embora. Você pode ter feito isso por anos — se sim, o que isso lhe deu, senão mais do mesmo? Leslie Vernick adverte: "Pensar regularmente de maneira negativa sobre seu esposo *aumenta* sua insatisfação para com ele e com seu casamento". Afirmar os pontos fortes do seu marido, no entanto, provavelmente reforçará e edificará aquelas áreas que você aprecia e moti-

> vará seu esposo a buscar a excelência de caráter nas outras.
>
> Os homens reagem a elogios. Quando alguém nos elogia, queremos manter a opinião positiva daquela pessoa intacta. Amamos o sentimento gerado quando nossas esposas nos respeitam; sentimo-nos extraordinariamente animados quando ouvimos o elogio dela ou vemos aquele seu olhar de admiração — e nós todos viajaremos o mundo inteiro se for necessário para continuar recebendo isso.[19]

No início deste capítulo, usei a analogia de uma companheira remadora no *rafting* para o papel de esposa. É preciso muita força para remar nas águas turbulentas e permanecer no barco. No casamento, é preciso muita força de caráter para ser uma auxiliadora como a Bíblia descreve e não abandonar o matrimônio. Mas você não está fazendo isso sozinha ou em sua própria força. Nunca se esqueça de que o encorajamento, a correção, a submissão, a honra, o respeito e a apreciação que você dá ao seu esposo a cada dia são ricamente supridos por Aquele que é também *seu* ajudador!

---

19 Thomas, Sacred Influence, 60-61.

Falando Verdades a Ele

Há uma fina arte de ser uma auxiliadora piedosa. Ela é uma mistura balanceada de encorajamento, correção, conselho, apoio e respeito. Ela é bonita de se contemplar em qualquer estágio da vida, mas é verdadeiramente de tirar o fôlego observá-la quando as tempestades da vida acontecem. Foi isso que vi quando minha amiga Grace passou por um dos períodos mais turbulentos de seu casamento de vinte e um anos com Frank. A história dela deve oferecer esperança para outras que se encontram em tempos difíceis, tentadas a fugir e incertas de que Deus providenciará a ajuda, a força e o apoio necessários para manter um casamento difícil.

O Ano Novo chegou ensolarado e brilhante. GraceCarver sorria para si mesma, enquanto retirava as decorações de Natal. Os últimos Natais tinham sido nômades e caóticos, mas este foi vivido em paz em seu novo lar. Grace saboreou as memórias da celebração de sua família, que estava crescendo, e estava ansiosa por criar novas memórias no novo ano.

No dia seguinte, más notícias esmagaram ao chão suas esperanças, como delicados ornamentos de Natal despedaçados em dezenas de cacos coloridos. O esposo dela — um homem frequentemente elogiado pelos pastores e um líder dentro de sua igreja — tinha sido preso por apropriação indébita e solto após sua confissão.

Quando Frank contou a ela o que aconteceu, ele abaixou sua cabeça em humilhação, e lágrimas escorriam pelo rosto. Em choque, Grace olhou para seu esposo, incapaz de expressar seus pensamentos. Várias memórias aparentemente não relacionadas encheram sua mente e foram se encaixando à medida que a realidade desses fatos se definia. Os novos eletroeletrônicos da casa. As idas ao banco que ele parecia sempre ansioso para fazer. As respostas vagas às perguntas que ela fazia sobre o horário irregular dele. Com a clareza da visão em retrospectiva, a mente dela avançou para o futuro. Frank tinha um perfil respeitado em seu ramo de negócios e era considerado um líder nacional em sua área. Essa prisão chegaria à imprensa? As crianças ficariam sabendo disso? Ele conseguiria manter seu emprego? Eles seriam capazes de permanecer na nova casa?

Para sua tristeza, os carros da imprensa já se amontoavam em frente à casa. Em pouco tempo, o rosto de Frank e o relato de sua prisão começaram a se espalhar pela mídia. Pessoas que nunca o conheceram pessoalmente, mas que o associaram à reputação corporativa negativa de seu empregador, logo estavam caluniando Frank em seus blogs e sites pessoais. Incapaz de carregar o fardo do escândalo, seu empregador o demitiu imediatamente. Mas Frank afirmou que era tudo um mal-entendido que logo seria resolvido.

Na primeira noite, nem Frank nem Grace conseguiram dormir. Eles se sentaram na cama, chorando e de mãos dadas. Enquanto Grace observa seu despertador registrar os lentos minutos entre a meia-noite e o amanhecer, a memória de um encontro de oração meses antes lhe surgiu de repente. Nesse encontro, Frank e ela receberam a oração de vários pastores, e um deles teve um pressentimento específico enquanto oravam. Esse pastor disse a Grace que ele sentia uma tempestade vindo — uma séria provação no futuro deles. Mas ele os assegurou de que Deus teria o povo dele em todos os lugares para ajudá-los. Então esse pastor relembrou Grace de que ela fora chamada para ser uma guardiã em seu lar, para prover paz e normalidade em meio à tormenta. Grace apenas registrou esse sinal no seu diário de oração — um caderno repleto de cartões, versículos bíblicos e outras lembranças da fidelidade de Deus — mas não se preocupou com ele.

Agora essas palavras trouxeram conforto na escuridão fria da noite. Grace sabia o que deveria fazer nos dias que se seguiram. Diferente da esposa de Jó, o conselho dela ao Frank não seria "amaldiçoa teu Deus e morre", mas sim "louva teu Deus e vive". Ela começou a meditar sobre o quanto Deus realmente deveria amar Frank para expor seu erro e não deixar que as consequências do pecado se multiplicassem.

No dia seguinte, amigos de longa data se reuniram na casa dos Carvers. Frank estava em estado de choque, e Grace alternava entre medo, fé e aflição. Dois velhos amigos ministros telefonaram para oferecer apoio e orações — e um encorajamento específico para Grace: "Estamos orando por você, para que você possa ver essa crise na perspectiva de um casamento para toda a vida. Estamos pedindo a Deus que lhe dê sabedoria para tomar decisões hoje à luz dos anos ainda por vir em seu casamento".

Mais tarde naquele dia, Frank se encontrou com seu pastor. Grace estava surpresa pelo longo tempo que ele havia passado fora. Quando Frank retornou, ele subiu quieto e diretamente para o quarto, sem dar uma palavra com Grace ou seus filhos. Momentos depois, o telefone tocou. Era o pastor deles.

"Grace, quero que você saiba que pode me ligar a qualquer hora", ele disse. "Creio que há mais para ser revelado sobre essa situação, e Deus usará você nesse processo. Você terá de fazer algumas perguntas ao Frank. Você precisará amorosamente confrontá-lo e não o mimar. Cuidar dele, sim. Mimar o orgulho dele, não. Creio que o Espírito Santo lhe dará sabedoria para saber a diferença."

Aconteceu que Grace realmente teve muito tempo para praticar. Apesar dos iniciais protestos de inocência de Frank, os procedimentos legais contra ele continuaram por vários meses. Mais acusações foram feitas, mais advogados foram contratados, mais artigos foram publicados. E Grace se tornou mais e mais hábil em retirar informações de seu esposo.

"Eu sabia que meu papel era falar verdades a ele", ela recorda. "Mas eu não sabia exatamente o que fazer. Quando falava com nosso pastor, ele dizia: 'Não permita que ele converse sobre um monte de coisas superficiais só para encher o tempo. Você precisa fazer perguntas a ele tais como: como está sua alma? Sobre o que você está pensando?'. Nunca tivemos comunhão nesse nível antes. Claro, no passado, nós conversávamos e orávamos juntos, mas eu nunca tinha feito perguntas desse tipo para ele. Meu papel era ir aonde eu não necessariamente queria ir, persegui-lo, fazer perguntas — e então não deixar que palavras escondessem a verdade, minimizando o pecado. Tivemos que aprender a usar palavras bíblicas, usar as palavras de Deus para identificar o pecado e reconhecer sua graça santificadora em operação em nós dois. Logo aprendi que às vezes eu deveria confrontar Frank, mas outras vezes, apenas deveria amorosamente caminhar ao lado de um homem que estava mancando."

Através do cuidado habilidoso de seu pastor e do ministério encorajador de sua esposa, Frank eventualmente confessou que as acusações feitas contra ele estavam certas e começou o processo de restituição. Na época em que a data do julgamento chegou, o procurador do estado e os advogados de Frank tinham feito um acordo no qual Frank confessaria a culpa — corretamente reconhecendo seu pecado —, mas passaria por um período probatório antes de ser julgado. O juiz concordou com os termos, e Frank saiu da sala de audiência com a oportunidade de um exitoso período probatório que limparia seu registro criminal. Ele permanece um membro frutífero em sua igreja, servindo em vários ministérios e está empregado novamente.

Olhando em retrospectiva, Grace diz que a profunda amizade deles ajudou a ancorar o casamento durante a crise. Porque ela amava e respeitava Frank, ela não teve que lidar com grande amargura e justiça própria. Mais importante: o próprio relacionamento dela com o Senhor a equipou a resistir aos ferozes ventos da crise.

"Como auxiliadoras, precisamos ser independentes em nossa fé", Grace diz. "Temos essa ideia de que dependemos de nossos maridos para tudo, mas se somos verdadeiramente mulheres de Deus, então teremos que ser independentes em nossa busca por ele e fazer com que nossas raízes espirituais sejam mais profundas para resistir às tempestades. Haverá tempos em que nós seremos chamadas para apoiar nossos maridos e os membros da família durante uma crise. Penso que as esposas precisam aprender a como ser isso para os seus maridos. Penso nos marinheiros e em como eles dizem: 'nunca deixe um homem para trás' — como crentes, é isso que temos de fazer.

Temos de voltar e buscar aqueles que estão feridos e pecando e trazê-los de volta à segurança.

Capítulo 5:

NÃO HÁ LUGAR COMO O LAR

Escrevendo esse livro, passei muito tempo em minha casa, olhando para as paredes enquanto tentava organizar meus pensamentos. Como muitas pessoas, eu frequentemente trabalho em casa. O lar como espaço de trabalho recebe muita atenção hoje em dia à medida que mais pessoas começam negócios em casa ou são empregadas no modelo *home office*. Você pode supor que essa é uma nova tendência, mas é, na verdade, uma ideia bem antiga. Como veremos neste capítulo, a história do lar é, na realidade, muito mais complexa do que podemos compreender hoje. A história da domesticidade é relevante para a atual discussão feminista sobre onde as mulheres devem investir seu tempo e sua energia. Eu não conhecia nem metade dela quando comecei minha pesquisa — estava completamente fascinada ao aprender sobre a era de ouro da domesticidade, as verdadeiras raízes da economia do lar e como o *marketing* consumista moldou muito a avaliação de nossa cultura acerca do lar. Apesar disso, a Escritura é muito clara sobre o fato de que a sabedoria ou a tolice é demonstrada pelo modo como a mulher trata seu lar. "A mulher sábia edifica a sua casa, mas a insensata, com as próprias mãos, a derriba" (Pv 14.1).

Tudo começou com ligações telefônicas para algumas noivas da elite da região de Nova Iorque.

A autora feminista e advogada, Linda Hirshman, estava fazendo pesquisas para um livro sobre casamento após o feminismo, e ela esperava que essas mulheres de quarenta e poucos anos — as herdeiras lógicas do movimento feminista — refletissem as mudanças substanciais do movimento feminista em suas vidas. Ao invés disso, descobriu o que foi para ela uma surpresa desagradável:

> Noventa por cento das noivas que encontrei tinham tido bebês. Das trinta com bebês, cinco ainda trabalhavam em jornada completa. Vinte e cinco, ou 85 por cento, não trabalhavam em jornada completa. Daquelas que não trabalhavam em jornada completa, dez estavam trabalhando em meia jornada, mas frequentemente em empregos muito diferentes de suas carreiras ante-

riores. E metade das mulheres casadas e com filhos não estavam trabalhando mais.[1]

Essa pesquisa levou ao infame artigo de Hirshman, na edição de novembro de 2005 da *American Prospect*, chamado "*Homeward Bound*" [Chegando até o Lar]. Nessa obra, Hirshman criticou o "feminismo de escolha", dizendo que não havia escolha real para as mulheres deixarem o trabalho por causa de suas famílias, porque o "verdadeiro obstáculo estava em casa". Nesse artigo, ela escreveu que as mulheres estavam fazendo escolhas ruins porque o feminismo *não era radical o suficiente*. "Ele mudou o espaço de trabalho, mas não mudou os homens, e, mais importante, ele não mudou fundamentalmente como as mulheres se relacionam com os homens", ela escreveu.[2]

Hirshman acredita que o "feminismo de escolha" não é uma forma convincente de feminismo. Na visão dela, as feministas fizeram avanços no mercado de trabalho, mas falharam em transformar a família. "Nas entrevistas, as mulheres com dinheiro suficiente para largar o trabalho diziam que estavam 'escolhendo' sair", ela escreve. "As palavras delas escondem uma realidade crucial: a crença de que as mulheres são responsáveis pela educação das crianças e pelo cuidado da casa permaneceu quase intocada por décadas de

---

1 Linda Hirshman, "Homeward Bound", American Prospect, 21 nov. 2005, http://www.prospect.org/cs/articles?articleId=10659.

2 Ibid.

feminismo no local de trabalho”.[3]

Seu livro, *Get to Work* [Vá Trabalhar] foi lançado pouco tempo depois. Ele ampliou a discussão do artigo “*Homeward Bound*” com uma crítica mais contundente:

> Um lar confinador não é bom para as mulheres nem para a sociedade. As mulheres não estão usando suas habilidades completamente; a assim chamada livre escolha delas as torna dependentes não-livres de seus maridos. Se elas deixam o mercado de trabalho completamente ou apenas reduzem seu compromisso, o talento e a educação delas são perdidas do mundo público para o mundo privado de roupas para lavar e beijinhos em “dodóis”. O abandono do mundo público pelas mulheres em altos escalões significa que a classe dominadora é majoritariamente masculina. Se os dominadores são homens, eles tomarão decisões erradas que beneficiam os homens. Imagine uma Suprema Corte só com homens. Nós podemos acabar voltando àquele tempo. O que isso significará para as mulheres dos Estados Unidos?[4]

Por seis meses, a controvérsia continuou a ferver na mídia. Então o *Washington Post* deu à Hirshman a oportunidade de escrever um texto em sua defesa: “Desenca-

3 Ibid.

4 Linda Hirshman, Get to Work: A Manifesto for Women of the World (New York: Viking, 2006), 2.

deando a Ira das Mães que Permanecem em Casa". Como temos visto nos escritos de muitas feministas de todas as três ondas, a ofensa real para as feministas não é uma opinião contrária, mas sim uma opinião contrária *baseada na Bíblia*, algo que parece ser de importância proeminente para Hirshman notar:

> Aprendi algo que as pessoas realmente precisam saber. A domesticidade agressiva não está vindo apenas de um monte de mulheres que não conseguem gerenciar todas as demandas do tempo delas. Vez após vez, quando pude identificar as fontes das críticas mais fanáticas e as pesquisei no *Google*, seja partindo de homens ou de mulheres, elas tinham materiais religiosos fundamentalistas em seus *sites* ou na biografia que o *Google* oferecia. Muito do fundamentalismo por trás do movimento de mães donas de casa é evidente, como as cartas preocupadas com a minha alma que apareceram depois que o líder do *Southern Baptist Theological Seminary* sugeriu que seus seguidores conversassem comigo. Mas muito desse fundamentalismo está oculto, tais como a identidade dos autores de manuais disfarçados de dicas sobre o cuidado com o lar, mas que na verdade convencem as mulheres a ficarem em casa, como a Bíblia sugere.[5]

---

5 Linda Hirshman, "Unleashing the Wrath of Stay-at-Home Moms", Washington Post, 18 jun. 2006, http://www.washingtonpost.com/wp-dyn/content/article/2006/06/16/AR2006061601766.html.

O que Hirshman provocou com seus artigos e seu livro é na verdade uma discussão com duas frentes. A primeira é o valor do lar *versus* o valor do mercado de trabalho. Isso é o que exploraremos neste capítulo. A segunda é a definição e a prática da maternidade. A muito alardeada "guerra das mães" será o tópico do capítulo seguinte. De alguma forma, elas são intercambiáveis, mas começaremos com o lar, doce lar.

A análise de Hirshman reflete a agitação social que começou no fim do século XVIII. Embora em 1963 Betty Friedan tenha escrito sobre a "síndrome da dona de casa confinada", ela também não fez uma descoberta inédita. A bifurcação das esferas pública e privada, a análise econômica das donas de casa como "dependentes presas" e a valorização do mercado relacionado ao cuidado com as crianças são discussões que começaram na primeira onda do feminismo. Por um breve e especial momento houve uma oportunidade de honrar e valorizar o lar e aquelas que trabalham nele. Mas esse momento se perdeu, esmagado pelas miríades de fatores decorrentes do surgimento da democracia, passando pela Revolução Industrial, até a cultura do consumismo. Esses fatores históricos, que exploraremos nas próximas páginas, contribuíram para o desdém da perspectiva bíblica acerca do lar.

No entanto, a Palavra de Deus oferece esta exortação atemporal, imutável: "A mulher sábia edifica a sua casa, mas a insensata, com as próprias mãos, a derriba" (Pv 14.1).

A sabedoria e a tolice aguardam enquanto exploramos a história do lar.

Simples Abrigo

Na década de 1980, a analista de tendências, Faith Popcorn, cunhou o termo "encasulamento". Ela o definiu como uma tendência de se retirar para o lar em busca de conforto e santuário pessoais. Desde 1950, a média da casa estadunidense cresceu de 300 para 690 metros quadrados nos anos 2.000, mais do que dobrou à medida que o número de residentes diminuiu.[6] As novas casas frequentemente têm um banheiro para cada ocupante, uma sala de TV, um espaço externo de entretenimento, uma cozinha de vitrine que pode acomodar um monte de pessoas e aparatos. "Todos os confortos do lar" ganharam um novo significado nas últimas décadas.

Mas uma casa nem sempre foi uma coleção de conveniências. De fato, durante a maior parte da história registrada, a maioria da humanidade viveu em habitações simples. Exceto pelos ricos e pela classe governante, os lares da maior parte das pessoas na antiguidade eram práticos, ao invés de monumentos ao gosto e estilo pessoais.

---

6 Rick Diamond and Mithra Moezzi, Changing Trends: A Brief History of the US Household Consumption of Energy, Water, Food, Beverages and Tobacco, publicação do Lawrence Berkeley National Laboratory, circa 2003, http.//epb.lbl.gov/homepages/Rick_Diamond/LBNL55011-trends.pdf.

Comecemos com o tipo de casa que Abraão deixou para trás para ir aonde Deus o levaria. Quando Abraão caminhava pelas estreitas ruas de Ur, ele só passaria por portas. As casas de então não tinham janelas. As portas se abriam para um pátio central, e os outros cômodos eram construídos ao seu redor. O pátio central era a única fonte de luz no interior. Ur era uma cidade sofisticada, então muitas casas de classe média tinham dois andares. Uma casa tinha em média 12 por 15 metros e de dez a vinte cômodos bem apertados, muitos para estocagem. O piso térreo tinha áreas para cozinhar (atividade feita normalmente no pátio aberto) e se alimentar, assim como estoques e um lavatório rudimentar. O segundo andar era onde a família dormia. Todas as portas tinham peitoris ou soleiras de tijolos para impedir que entrassem água da chuva e resíduos. O nível da rua muitas vezes aumentava, também, conforme o lixo não coletado se acumulava ali.[7]

A mobília nessas casas era igualmente simples e até mesmo escassa. As pessoas geralmente se sentavam numa almofada no chão ou num banco. Havia algumas mesas simples e possivelmente um banco de tijolos que servia como "sofá" durante o dia e como "cama" à noite, quando o saco de dormir era desenrolado. No entanto, a maior parte das pessoas dormia num saco de dormir no chão. As luzes inter-

---

7 Howard E. Vos, New Illustrated Bible Manners and Customs (Nashville: Thomas Nelson, 1999), 13-14.

nas eram simples lâmpadas de óleo com pavio de linho[8].

No tempo em que os hebreus nômades se assentaram em Canaã e começaram a viver em casas novamente, eles moravam em estruturas de quatro cômodos construídas ao redor de um pátio aberto. A porta de entrada levava a um pátio de terra batida, com um cômodo para estocagem de um lado e outro para uma mula ou uma vaca no lado oposto, além de um cômodo posterior para dormir. Essas salas eram pequenas e frequentemente tinham pilares, ao invés de paredes, dividindo as áreas. O pátio tinha uma fogueira, servindo como cozinha e sala de jantar. Assim como no tempo de Abraão, as casas eram tipicamente sem janelas, e as portas eram simples e de madeira, que se fechavam com barras. Essas casas basicamente não tinham mobília. Algumas vezes elas tinham um banco de pedra para se usar como assento ou suporte para a cama.[9]

A casa pode não ter sido um lugar de luxo, mas era um lugar de comunidade. Embora homens e mulheres tivessem tarefas distintas, eles geralmente trabalhavam juntos na mesma vizinhança. Os homens eram, na maioria das vezes, responsáveis pela criação de animais (eles cuidavam de ovelhas em grandes números), pela agricultura e pela produção de cerâmica — a maior parte dos seus utensílios era feita de barro e assada em um forno rudimentar. As mulheres eram, na maioria, responsáveis pelo cuidado das crian-

8 Ibid., 14.

9 Ibid., 133.

ças e por fazer roupas e comida, embora elas também trabalhassem nos campos ocasionalmente. O pão era feito com grãos moídos manualmente e assado em pequenos fornos de tijolos ou cerâmica, colocados sobre o fogo com pedras quentes embaixo. As mulheres também cozinhavam misturas de legumes e grãos em fogueiras.[10]

Embora eles tivessem de produzir tudo o que comiam e aquilo de que precisavam, os hebreus eram capazes de desenvolver materiais adicionais, com os quais faziam negócios ou permutas. Duas vezes ao ano, eles tosquiavam suas ovelhas. As ovelhas eram lavadas num tanque antes de serem tosquiadas; depois, as mulheres lavavam a lã mais uma vez e a penteavam. Então essas mulheres preparavam a lã para a fiação e a tecelagem, e criavam o tecido para seu guarda-roupa. Qualquer lã extra também servia como "mercadoria" — um item para negociação que poderia completar a renda de uma família.[11]

Essa casa de quatro cômodos permaneceu como o projeto básico dos lares israelitas ao longo da monarquia unida até a destruição de Jerusalém, em 586 a.C., pelos babilônicos. A mobília também continuou basicamente a mesma. Embora monarcas como Saul, Davi ou Salomão pudessem comer sentados a uma mesa baixa, a maior parte das pessoas pobres estendiam peles de animais no chão e comiam ali. As condições eram extremamente anti-higiêni-

---

10 Ibid., 143-144.

11 Ibid., 142-143.

cas também. O excremento humano era normalmente enterrado num "campo de lixo", mas as ruas eram cheias de estrume de animais e outros resíduos.

Apesar dessas configurações modestas, a hospitalidade foi essencial ao longo da história hebraica. Do anfitrião, esperava-se que oferecesse seu melhor para qualquer convidado, e o chefe da casa lavava os pés dos visitantes, o que sinalizava o cuidado e a proteção do anfitrião para com o convidado. (E também era prático, considerando tudo o que as pessoas pisavam naquelas ruas!) A hospitalidade era considerada inviolável na sociedade semita como um todo — o que explica (mas não justifica) algumas das difíceis passagens da Bíblia em que os convidados eram tratados de uma forma bem melhor que os membros da família.[12]

Aquelas eram as questões práticas, mas o que isso significava para as mulheres nos tempos do Velho Testamento? De acordo com o livro *The New Illustrated Bible Manners and Customs* [A Nova Bíblia Ilustrada de Costumes e Hábitos], as mulheres hebreias eram respeitadas apesar de terem papéis e tarefas diferentes no lar e na comunidade:

> O cuidado com as crianças permaneceu como a responsabilidade principal da mãe ou esposa, que tinha autoridade para gerenciar a casa. Ela racionava e alocava os suprimentos de comida, preparava os alimentos, processava-os e estocava-os. Ela servia como administradora com res-

12 Ibid., 208.

ponsabilidades econômicas quando gerenciava o "orçamento da família" e, com responsabilidades judiciais, quando decidia as responsabilidades dentro do lar. E embora o pai ou patriarca designasse um herdeiro, a mãe com regularidade exercitava esse poder (note o papel de Bate-Seba na escolha de Salomão como o rei). A mãe educava os filhos. Esse é um ponto importante para se ter em mente quando pensamos em todas as mulheres pagãs do harém de Salomão — incapazes de criar os filhos nos caminhos do Deus e, assim, contribuindo para o surgimento da idolatria. Quando os meninos se tornavam rapazes, os pais assumiam a responsabilidade por sua educação, mas as mães continuavam com a responsabilidade de educar as meninas depois que elas se tornavam moças. Embora as mulheres geralmente ajudassem com a criação de animais e com a agricultura, a responsabilidade primária em tais atividades recaía sobre os homens.

Na discussão feminista moderna, frequentemente supõe-se que as mulheres no Israel antigo tinham papéis inferiores. Mas as mulheres nos lares hebraicos tinham um *status* igual ou maior que o de muitos homens. E o padrão bíblico é honrar "pai *e* mãe" (p. ex., Êx 20.12; 2 Sm 19.37; Pv 15.20). Esse honrar envolvia respeito, deferência, obediência e cuidado na idade avançada ou em circunstâncias adversas, numa sociedade que não tinha provisões de previdência social.[13]

13 Ibid.

As mulheres também recebiam educação. No fim do século VIII a.C., a sociedade israelita era grandemente alfabetizada. O alfabeto hebraico, formado por somente vinte e duas letras, tornou a alfabetização geral muito mais fácil que no Egito ou na Mesopotâmia, com suas centenas de hieróglifos e sinais cuneiformes.[14] Visto que os índices de alfabetização entre as mulheres costumam ser um sinal de seu valor em uma cultura ou sociedade, é um reflexo de sua igualdade essencial em dignidade e valor o fato de que as mulheres hebreias eram alfabetizadas e responsáveis pela maior parte da tarefa de educar seus filhos.

Que importante ponto a ser lembrado da próxima vez que alguém pontuar o quanto as mulheres eram oprimidas nos tempos bíblicos!

O Lar no Novo Testamento

No tempo em que Jesus andou pela Galileia, muito pouco havia sido mudado em relação à estrutura do lar. Com exceção dos ricos, os lares tinham mais ou menos o mesmo tamanho e ainda eram mobiliados de forma simples, embora fosse cada vez mais popular o uso do telhado para uma infinidade de propósitos, incluindo dormir durante o clima quente, secar frutas e linho, e orar. Os pobres ainda dormiam em sacos de dormir, normalmente feitos de palha, e se sentavam no chão para comer. Mas, nesse período, quase

14 Ibid., 247.

todas as classes sociais tinham alguma mobília — bancos, cadeiras, mesas baixas para refeição e camas com sarrafos ou cordas para sustentar os colchões. As classes mais altas se reclinavam em sofás durante a refeição, com suas cabeças sustentadas no cotovelo esquerdo, enquanto comiam com a mão direita. Seus pés ficavam voltados para o lado de fora da mesa, assim como foi descrito em Mateus 26.6-13, quando uma mulher — que se crê ter sido Maria — ungiu os pés de Jesus enquanto ele jantava na casa dela.[15]

Na época do Novo Testamento, a Palestina se tornou mais urbanizada. As atividades comerciais se tornaram mais comuns, com ocupações manuais tais como alfaiates, sapateiros, construtores, cortadores de pedras, carpinteiros, padeiros, perfumistas, açougueiros, tecelões, oleiros, médicos, escribas e outros. Trabalhadores da mesma área costumavam viver próximos uns dos outros na cidade, como alianças rudimentares.[16] Por ser parte do Império Romano, os negócios cresceram significantemente. Portanto, havia uma maior variedade de bens disponíveis para a dona de casa mediana no dia de feira — que tradicionalmente acontecia na sexta-feira, o dia antes do *Shabat*. Visto ser o "Dia da Assembleia", a sexta-feira também era o dia para eventos públicos, tais como casamentos ou audiências públicas.[17]

---

15 Ibid., 445-446.

16 Ibid., 464.

17 Ibid., 380-381.

Atividades semelhantes eram vistas nas casas das mulheres na Grécia e na Ásia Menor à medida que a igreja do Novo Testamento se expandia. As mulheres, assistidas pelos servos da casa, produziam fios de lã e faziam algumas tecelagens em casa. Até mesmo os produtores têxteis comerciais de então não faziam a maior parte da fiação e da tecelagem.[18] Nas casas gregas, como em Corinto, as esposas supervisionavam a propriedade da casa, os servos homens e mulheres, a cozinha, o cuidado com os doentes, a produção de tecidos e a educação dos filhos.

Em poucas palavras, a esposa controlava todas as atividades domésticas.[19]

Os Cuidados Domésticos

Esse é o pano de fundo cultural para várias passagens que encontramos nas Escrituras acerca do lar. Embora ele possa ter sido modesto em comparação aos minipalácios dos anos modernos, o lar permaneceu importante nas Escrituras. De fato, no livro dos Salmos, encontramos dois versículos que falam especificamente das bênçãos do lar.

> Deus faz que o solitário more em família; tira os cativos para a prosperidade; só os rebeldes habitam em terra estéril. (Sl 68.6)

---

18 Ibid., 534.
19 Ibid., 572.

> Faz que a mulher estéril viva em família e seja alegre mãe de filhos. Aleluia! (Sl 113.9)

Uma forma pela qual Deus escolhe abençoar o povo é providenciando um lar — um refúgio em um mundo difícil e um lugar onde os relacionamentos podem crescer e ser frutíferos. E uma mulher estéril que está agora em seu lar para cuidar de seus filhos é um objeto digno de louvor, de acordo com a Bíblia, não um objeto de pena ou escárnio. Além disso, vemos que uma das últimas coisas que Jesus fez foi se certificar de que sua mãe fosse cuidada por João, seu discípulo: "Depois, disse ao discípulo: Eis aí tua mãe. *Dessa hora em diante, o discípulo a tomou para casa*" (Jo 19.27, ênfase acrescida).

Aquele protótipo de sabedoria e virtude, a mulher de Provérbios 31, também exemplificou a sabedoria doméstica ao conduzir um lar que era uma bênção para todos ligados a ele. Os muitos versículos que elogiam suas atividades são resumidos no verso 27, "Atende ao bom andamento da sua casa e não come o pão da preguiça". Em contraste, a prostituta descrita anteriormente em Provérbios *não* cuida da sua casa. "Eis que a mulher lhe sai ao encontro, com vestes de prostituta e astuta de coração. É apaixonada e inquieta, cujos pés não param em casa; ora está nas ruas, ora nas praças, espreitando por todos os cantos" (Pv 7.10-12).

Esse contraste de virtude é a razão por que o apóstolo Paulo instrui as mulheres cristãs a não negligenciar seus lares. Tito 2.3-5 diz: "Quanto às mulheres idosas, semelhantemente, que sejam sérias em seu proceder, não caluniadoras, não escravizadas a muito vinho; sejam mestras do bem, a fim de instruírem as jovens recém-casadas a amarem ao marido e a seus filhos, a serem sensatas, honestas, boas donas de casa, bondosas, sujeitas ao marido, para que a palavra de Deus não seja difamada".

É fácil entender por que a sensatez, a gentileza e a honestidade são essenciais para a proteção da Palavra de Deus, sem mencionar os afetuosos relacionamentos familiares. Porém, não é sempre evidente como o cuidado da casa pode ser significativo no panorama geral do evangelho. O cuidado com a casa é simplesmente o conjunto de tarefas que mantém uma casa funcionando. Essas tarefas são, em última análise, a definição de uma "boa dona de casa", assim como limpar arquivos eletrônicos, deletar *e-mails*, atender telefone e agendar reservas de viagens são a definição efetiva do trabalho de escritório. Cada esfera tem suas tarefas repetitivas que contribuem para o objetivo maior da produtividade.

O objetivo de ser uma guardiã do lar é prover um refúgio para que uma família piedosa floresça (um requisito para a liderança na igreja, de acordo com 1Tm 3.1-5), oferecer hospitalidade para companheiros cristãos e não cristãos igualmente, e prover um lugar para a igreja se encontrar. Embora a igreja primitiva se encontrasse primariamente em casas, ainda hoje nossos lares podem operar como uma extensão da reunião maior de domingo, quando nos ajuntamos em grupos pequenos ou estudos bíblicos. A hospitalidade permanece como mandamento para todos os crentes ao longo dos tempos — "praticai a hospitalidade" (Rm 12.13).

No entanto, mesmo entre grandes números de cristãos hoje, o lar não é tão importante quanto já foi, nem é visto como um lugar de ministério e alcance de pessoas. Isso é resultado de uma colisão de tendências em meados do século XIX que embaçou a domesticidade e levou ao virulento ataque do feminismo contra o lar.

Maternidade Republicana

As esferas altamente segregadas do lar e do local de trabalho são um desenvolvimento relativamente novo na história humana — um legado da Revolução Industrial do século XIX. A autora e professora Nancy Pearcey diz que os modernos defensores da família não entenderão a reduzida importância do lar até que levem em consideração o fim da base econômica da família. Ela escreve:

> Antes do século XIX, a vasta maioria das pessoas no mundo viviam em fazendas ou vilas de camponeses. O trabalho produtivo era feito na casa ou em suas construções anexas, seja para subsistência ou para venda. O trabalho não era feito por indivíduos, mas por famílias.

Lojas, escritórios e oficinas eram localizados num cômodo frontal, com as áreas de convivência familiar no andar superior ou na parte de trás da casa. Os limites da casa eram fluídos e permeáveis; o "mundo" entrava continuamente na forma de clientes, colegas de negócios, fregueses e aprendizes.

O que essa integração entre trabalho e vida significava para os relacionamentos familiares? Para esposo e esposa, ela significava que eles habitavam o mesmo universo, trabalhando lado a lado numa empreitada comum (embora não necessariamente em tarefas idênticas). Para a mãe, o local de trabalho dentro de casa significava que ela era capaz de cuidar dos filhos enquanto ainda participava no sustento da família. O casamento nos tempos coloniais "significava se tornar uma colega de trabalho do esposo e, se necessário, aprender novas habilidades em trabalho de açougue, manipulação de prata, impressão ou estofamento — quaisquer habilidades especiais que o trabalho do esposo requeresse". Claro, as mulheres também eram responsáveis pelas tarefas de casa, que requeriam uma ampla gama de aptidões: fiar lã e algodão; tecer; costurar as roupas da família; fazer jardinagem e preservar o alimento; preparar refeições sem ingredientes pré-processados; fazer sabão, botões, velas, remédios. As mães coloniais não precisaram começar um movimento feminista para exigir um papel no trabalho economicamente produtivo.

> Muitos bens usados na sociedade colonial eram manufaturados por mulheres, as quais faziam o trabalho intelectual (planejamento e gerenciamento) assim como o manual.
>
> Os pais desfrutavam da mesma integração entre trabalho e responsabilidade na educação dos filhos. A criação de filhos não era, como hoje, quase exclusivamente o domínio da mãe. Sermões, manuais de criação de filhos e outras literaturas prescritivas da época se dirigiam a ambos os pais, admoestando-os a "educar" seus filhos juntos. Quando os manuais de fato se dirigiam a um deles, era geralmente ao pai, que era considerado como particularmente importante no treinamento religioso e intelectual. Com o esforço produtivo centrado no lar, os pais eram "uma presença visível, ano após ano, dia após dia". Eles treinavam seus filhos para trabalharem ao seu lado. "A paternidade era assim uma extensão, se não parte integral, de grande porção da atividade rotineira".[20]

A Revolução Industrial e a crescente urbanização de nossa nação alteraram drasticamente o que havia sido o *status quo* por séculos. No entanto, não foram apenas esses dois fatores que afetaram o lar. A formação desse novo experimento político chamado Estados Unidos da América

---

20 Nancy Pearcey, "Is Love Enough? Recreating the Economic Base of the Family", publicado pelo Rockford Institute Center on the Family in America; jan. 1990, vol. 4, no. 1., http://www.leaderu.com/orgs/arn/pearcey/np_familyinamerica.htm.

também afetou profundamente o lar. De início, isso foi uma coisa boa, como diz a historiadora Glenna Matthews, autora de *"Just a Housewife": The Rise and Fall of Domesticity in America* [Apenas uma Dona de Casa: A Ascensão e a Queda da Domesticidade na América]:

> Talvez o fator mais importante para elevar o *status* do lar foi o papel que ele desempenhou no governo depois da Revolução Americana. De fato, o entrelaçamento do doméstico com o político começou mesmo antes da própria guerra, com o boicote das mercadorias britânicas. O que era igualmente visto por homens e mulheres como um conjunto de preocupações triviais — o tipo de tecido a ser usado na feitura de um traje, por exemplo — adquiriu uma relevância política totalmente nova. Os boicotes não teriam funcionado sem a cooperação de mulheres agindo a partir de suas próprias casas, e isso deu às mulheres um novo respeito próprio e um motivo para entrar em discussões políticas [...].
>
> Mas foi a preocupação comum sobre como melhor socializar os cidadãos depois da guerra que teve o maior impacto. Não havia precedentes para uma república na escala dos Estados Unidos. Muitas pessoas acreditavam que a nova nação requereria o apoio de cidadãos especialmente voltados para o público. Se os cidadãos deveriam colocar um alto valor no interesse público, essa era uma lição que eles precisariam

> começar já na infância. Assim, o lar se tornou crucial para o sucesso da nação, e as mulheres — cuja educação começou a ser levada muito mais a sério do que antes — ganharam o papel de "Mãe Republicana" [...].[21]

A ideologia da Maternidade Republicana foi uma razão importante para o crescimento acentuado dos índices de alfabetização entre as mulheres estadunidenses. Por volta de 1860, havia pequena diferença discernível entre a alfabetização de homens e de mulheres.[22] O conceito da Maternidade Republicana também começou a extravasar da casa para a praça pública à medida que as mulheres defenderam a ideia de que a preocupação pelo lar deveria se traduzir em preocupação pela cultura. As energias benéficas do lar começaram a transbordar para a sociedade à medida que as mulheres organizaram entidades benevolentes de combate ao alcoolismo, à escravidão e a outros males da época.

Era o começo da era de ouro da domesticidade.

A Era de Ouro da Domesticidade

À medida que a Revolução Industrial atraiu mais e mais homens para as indústrias e escritórios, o contraste entre o mundo competitivo da produção manufaturada e do capitalismo criou um anseio pelo "abrigo do lar" como

21 Matthews, "Just a Housewife", 6-7.

22 Ibid., 21.

um contrapeso — um lugar de refúgio para o trabalhador cansado. A industrialização também melhorou a casa, com novas invenções tais como o fogão de ferro fundido, a máquina de costura e outros aparatos que tornaram a domesticidade mais interessante e menos árdua. Assim, à medida que o local de trabalho se tornou mais mecanizado e impessoal, a casa se tornou mais refinada, servindo como o refúgio para as qualidades intangíveis que melhoraram a sociedade. O resultante intenso foco no lar se tornou conhecido como o "culto à domesticidade" ou "a era de ouro da domesticidade".

Muitos livros e revistas da época promoviam com vigor a casa ideal, e ninguém o fez melhor que Sarah Josepha Hale. Ela era editora de *Godey's Lady's Book*, uma das primeiras revistas para mulheres. Em seu auge de popularidade, ela tinha uma circulação de 150.000 exemplares. A historiadora Glenna Matthews diz que, inquestionavelmente, Hale foi uma das duas ou três mulheres estadunidenses mais influentes do século XIX. Estamos vivendo sua influência ainda hoje — toda vez que nos sentamos para o jantar de Ação de Graças. Matthews nota como Hale foi insistente em sua campanha por essa data comemorativa:

> Apesar de não ter sido feminista de acordo com os padrões modernos — ela se opunha ao direito de voto das mulheres e acreditava em esferas claramente delineadas para os dois sexos —, Hale

> era uma enérgica defensora de muitos melhoramentos no *status* das mulheres. Ela participou de campanhas por uma educação melhor para elas, incluindo a educação superior. Ela lutou pela admissão das mulheres para a profissão médica. Ela lutou por direitos de propriedade para mulheres casadas. A lista de suas reformas favoritas seria longa. Ademais, apesar de sua aversão a mulheres votando, ela não colocou limites em outras formas de atividade política, tal como escrever cartas aos políticos. De fato, em busca de seu mais estimado objetivo de ter o Presidente separando um feriado nacional para o Dia de Ação de Graças, ela lançou um constante bombardeio de cartas a Governadores, Senadores, Secretários de Estado e Presidentes [...]. Em 1863, o Presidente Lincoln recompensou os esforços dela em favor do Dia de Ação de Graças ao proclamá-lo feriado nacional. Esse foi um reconhecimento aberto não somente de influência de Hale, mas também das ramificações políticas da domesticidade, porque Hale tinha baseado sua campanha pelo feriado em benefícios políticos que adviriam de uma festa na qual toda a nação poderia participar de uma só vez.[23]

Hale não foi a única erguendo sua caneta para influenciar a política. Uma contribuidora ocasional da *Godey's*, uma revista direcionada para o público feminino, publicou um livro que transformou a nação — *A Cabana do Pai Tomás*.

---

23 Ibid., 43-44.

Harriet Beecher Stower escreveu esse romance para expressar sua indignação em relação à passagem do Ato do Escravo Fugitivo de 1850. Precisamente, porque ele foi escrito na era de ouro da domesticidade, Stowe teve a coragem de ousadamente mirar a escravidão através das lentes dos valores domésticos. Matthews diz que muitas coisas eram notáveis acerca da temporalidade desse livro:

> Primeiro, romancistas estadunidenses — quase de maneira unânime — se silenciaram quanto ao tema da escravidão até 1851. Segundo, embora as escritoras estivessem alcançando um vasto mercado com o romance doméstico, houve poucas tentando escrever sobre questões públicas para uma audiência mais geral [...]. Finalmente, Stowe, embora membro de uma família de talentos, não tinha razão para se ver como destinada a um papel público.[24]

O romance é um feito surpreendente porque combina paixão moral e religiosa com o detalhe realista da pintura de gênero. Stowe queria substituir os valores sórdidos, não cristãos e gananciosos do mercado, e a política acomodada daqueles que votaram o Ato do Escravo Fugitivo, por um conjunto de valores baseados no cristianismo verdadeiro e no amor. Mas ao invés de uma abordagem utópica daquilo que deveria substituir o *status quo*, ela tinha uma visão muito

24 Ibid., 49.

> prática, que era o conjunto de valores e comportamentos a serem encontrados num lar cristão amoroso presidido por uma mulher de grande coração. Nas palavras de Jane Tompkins: "o romance doméstico popular do século XIX representa um esforço monumental de reorganizar a cultura a partir de um ponto de vista feminino", e *A Cabana do Pai Tomás* é a "*suma teológica*" desse esforço.[25]

Com as mulheres se tornando mais ativas em sociedades de reforma e organizações de caridade, suas energias deram início à era progressiva que floresceu no século XIX. Como Pearcey escreve, para reformar a esfera pública, as mulheres começaram a trabalhar através da igreja em nome da benevolência cristã:

> Elas se uniram e se organizaram em sociedades para alimentar e vestir o pobre. Elas apoiaram o movimento da escola dominical e as sociedades missionárias. Elas se uniram a organizações ou as fundaram para abolir a escravidão, tornar ilegal a prostituição e o aborto, pôr fim à bebedeira pública e aos jogos de azar. Elas apoiaram orfanatos e sociedades tais como a *YWCA* (Associação Cristã de Mulheres Jovens, em português) para ajudar mulheres solteiras nas cidades. Elas iniciaram movimentos para abolir o trabalho infantil, estabelecer juizados de menores e forta-

25 Ibid., 50-51.

> lecer leis sobre alimentos e remédios. Essa rede entrelaçada de sociedades de reforma imitou o Império Benevolente [...]. Mas a maior parte dessas antigas militantes definitivamente *não* era feminista: elas não baseavam sua reclamação pelo trabalho fora de casa com o argumento feminista de que não há diferenças importantes entre homens e mulheres. Pelo contrário: elas aceitavam a doutrina de que as mulheres eram mais amorosas, mais sensíveis, mais piedosas — mas então argumentavam que eram *precisamente aquelas qualidades* que as equipavam para o trabalho benevolente para além dos limites da casa.[26]

Embora a era de ouro da domesticidade parecesse conceder alto respeito às mulheres, ela na verdade criou o ambiente para o surgimento do feminismo. Como Pearcey observa, tornar as mulheres guardiãs da moralidade — as executoras da virtude moral — levou a uma definição depreciativa da masculinidade. "Pela primeira vez, as lideranças moral e espiritual não eram mais vistas como atributos masculinos. Elas se tornaram o trabalho das mulheres", ela escreve. "[Os homens] estavam se tornando satisfeitos com uma definição atrofiada de masculinidade que se apresentava como dura, competitiva e pragmática, o que negava suas aspirações morais e espirituais".[27]

26 Nancy Pearcey, Total Truth: Liberating Christianity from Its Cultural Captivity (Wheaton: Crossway Books), 336.

27 Ibid., 333.

E, como ela nota, isso teve severas repercussões na igreja também:

> Onde estava a igreja cristã nisso tudo? Ela se manteve firme contra a "desmoralização" do caráter masculino? Infelizmente, não. Ao invés disso, a igreja estadunidense, em sua maioria, aceitou a redefinição de masculinidade. Depois de séculos ensinando que os esposos e pais eram divinamente chamados para a função de liderança no lar, a igreja começou a lançar o seu apelo primariamente para as mulheres. O clero começou a falar das mulheres como tendo um dom especial para a religião e a moralidade [...]. Em resumo, ao invés de desafiar o crescente secularismo entre os homens, a igreja em sua maioria aquiesceu — voltando-se às mulheres. O clero parecia aliviado de encontrar pelo menos uma esfera, o lar, onde a religião ainda tinha controle.[28]

A era de ouro da domesticidade, no entanto, foi curta, porque uma nova teoria estava amadurecendo — uma que humilharia as mulheres e o lar de uma maneira sem precedentes.

---

28 Ibid., 334.

O Darwinismo Social e a Economia do Lar

Com o surgimento do Império Benevolente dirigido pelas mulheres, não é de se surpreender que eventualmente muitos homens se ressentiram da aparente hegemonia feminina sobre a virtude e das tentativas das reformadoras para controlar os vícios masculinos. O resgate deles, por assim dizer, veio quando Charles Darwin promoveu a teoria evolucionista em sua publicação de 1859, *A Origem das Espécies*. Esse livro realmente machucou a causa das mulheres, porque Darwin as considerava como seres inferiores no sistema da evolução. Matthews diz que, de acordo com várias fontes, Darwin não era muito esclarecido acerca das mulheres, muito embora ele tenha se casado com sua prima e gerado dez filhos. Ela acrescenta:

> O darwinismo tendia a ser reducionista com respeito às mulheres, tornando sua capacidade reprodutiva o critério principal da excelência feminina. Consequentemente, todo o complexo dos valores morais, sociais e religiosos associados à Maternidade Republicana foi lançado às sombras. Ademais, Darwin e muitos de seus seguidores explicitamente afirmaram que as mulheres são biologicamente inferiores aos homens. Isso também teve um impacto negativo no *status* do lar. Talvez o mais prejudicial para o lar tenha sido o fato de a teoria da seleção sexual de Darwin ter colocado a fonte da mudança evolutiva na luta

> masculina por parceiras, tornando os homens e a atividade masculina a "vanguarda da evolução". Finalmente, Darwin ajudou a promover a secularização da sociedade estadunidense e, assim, contribuiu para minar ainda mais o papel religioso do lar. Tudo isso corroeu o interesse de intelectuais estadunidenses, inclusive de mulheres, na domesticidade.[29]

Suas ideias foram imediatamente incorporadas no que tem sido chamado de Darwinismo Social, a crença de que somente o mais forte ou o mais adaptado pode sobreviver ou florescer na sociedade, enquanto os fracos e não adaptados deveriam ser deixados para morrer. No século XIX, darwinistas sociais diziam que a razão por que os homens eram superiores às mulheres era que, desde o princípio, eles lutaram pela sobrevivência no mundo, onde foram aperfeiçoados pela competição e pela seleção natural. Em comparação, as mulheres foram protegidas desse processo porque estavam em casa com as crianças — assim, elas evoluíram mais lentamente. Mesmo aqueles que tentaram defender as mulheres contra essa ideia apenas ajudaram com um elogio débil: as mulheres não eram inerentemente inferiores, mas seu confinamento ao lar as deixaram com faculdades mentais subdesenvolvidas ou definhadas.

Uma proeminente feminista (ironicamente, a sobrinha-neta de Harriet Becher Stowe) acabou contribuindo

29 Matthews, "Just a Housewife", 117.

com o darwinismo social ao questionar a competência das donas de casa em todos os lugares. Na virada do século, a enérgica Charlotte Perkins Gilman, autora de *Women and Economics [Mulheres e Economia]* e do clássico conto feminista *O Papel de Parede Amarelo*, havia desvalorizado grandemente o lar em comparação à forma como ele era celebrado antes da guerra, no período da era de ouro da domesticidade. Ela argumentou que o confinamento das mulheres ao lar era a principal razão para a inferioridade feminina. Portanto, sua solução era profissionalizá-la. "O lar do futuro é um no qual nenhuma fagulha de trabalho deve ser feita, exceto por profissionais que são pagos por hora", ela escreveu.[30]

O impacto de Gilman sobre a domesticidade foi enorme. Como Matthews diz: "Ao acrescentar à teoria evolucionista, ela provavelmente fez mais que qualquer outro indivíduo para separar o lar da história, ou seja, para fazer com que o lar fosse visto como uma instituição retrógrada e irrelevante [...]. Quando homens estudados refletiam sobre o lar, havia o pensamento tranquilizador de que uma nova disciplina, a economia doméstica, tinha surgido para resolver as dificuldades domésticas".[31]

Ah, a economia doméstica. Isso soa tão cultura *pop* — uma fraca memória da escola fundamental no auge das décadas de 1960 e 1970 —, não é mesmo? Na verdade, apesar daquela estranha experiência da classe de adolescentes,

30 Danielle Crittenden, What Our Mothers Didn't Tell Us (New York: Touchstone, 1999), 128.

31 Matthews, "Just a Housewife", 142.

o conceito de economia doméstica se estende para o início do século XX — onde encontramos Charlotte Perkins Gilman. Gilman queria *tanto* libertar as mulheres dos limites do lar *quanto* aplicar princípios científicos e de negócios para modernizar a domesticidade através do novo ramo da economia doméstica. Como Matthews nota:

> Quanto tratamos de Gilman, no entanto, deparamo-nos com alguém cuja repugnância pelo lar limitou sua habilidade de vislumbrar como a domesticidade e a justiça para as mulheres poderiam ser compatíveis. Ademais, ela compartilhava da baixa avaliação de Darwin sobre a contribuição feminina para o progresso humano. De fato, os dois atributos não estão desassociados. Foi porque ela via tão poucas coisas positivas no "cuidado da casa", insistindo que o que tem sido tradicionalmente tarefa das mulheres não era verdadeiramente produtivo, que ela pôde ignorar as contribuições femininas tão prontamente: "[...] somos a única espécie animal em que a fêmea depende do macho para sua comida, a única espécie animal em que a relação entre os sexos também é uma relação econômica".
>
> [...] O darwinismo não apenas ajudou a moldar a avaliação que fazia em relação ao trabalho da mulher, como também a evolução explicava a natureza primitiva do lar, em sua visão. Ao invés de igualar antiguidade com valor, ela a igualou com algo ultrapassado: o lar é nossa instituição

> mais antiga e necessariamente a mais baixa e mais ultrapassada.[32]

Assim pregavam os antigos economistas domésticos, esperando que a ciência sanitária e a saúde pública se tornassem o centro da reforma urbana. Ávidos por aplicar os mais novos princípios científicos e de negócios ao lar, esses novos economistas pensavam que estavam criando um lugar para as mulheres na ciência. O que eles acabaram criando, no entanto, foi a consumidora final.

Marketing para a Sra. Consumidora

Uma das mais famosas economistas domésticas foi Christine Frederick, que apaixonadamente promoveu o conceito do modelo de gerenciamento científico para a economia doméstica. Ela obteve seu diploma em ciências na *Northwestern University*, casou-se e teve quatro filhos antes de começar a estudar a eficiência da cozinha. Ela estabeleceu uma cozinha-modelo em sua casa — conhecida como a Estação *Applecroft* de Experimentos do Lar. Seus experimentos se tornaram famosos, levando-a à posição de editora de cuidados domésticos da revista *Ladies Home*. Hoje, qualquer coisa que atraia muito a atenção logo encontra publicitários ao seu redor; esse também foi o caso com a cozinha-modelo de Frederick, diz Matthews.

32 Ibid., 140-141.

Entre os anos 1913 e 1929, Frederick passou de economista doméstica pioneira para garota-propaganda pioneira. Visto que sua Estação *Applecroft* de Experimentos do Lar se tornou muito conhecida, fabricantes começaram a enviar-lhe seus produtos para que fossem testados. Se o produto em tela recebesse sua aprovação, ela escreveria literatura promocional em seu favor, evidentemente sem se preocupar com o que isso representaria sobre sua credibilidade como entendedora imparcial. Devido ao fato de que, em seu início, o ramo de publicidade discriminava as mulheres, ela fundou a Liga de Mulheres Publicitárias em Nova Iorque, em 1912, e dedicou cada vez mais tempo e atenção a esse empreendimento [...]. A metamorfose de Frederick é um indicativo da facilidade com que o corporativismo estadunidense conseguia "comprar" economistas domésticas para servirem de porta-vozes [...]. Além disso, o campo era mal concebido, visto que é impossível "ajudar" uma dona de casa e, ao mesmo tempo, depreciar constantemente suas experiências de vida e seu julgamento [...]. Por fim, quando a eficiência, a *expertise* e a fidelidade ao método científico se tornam os valores mais importantes, a habilidade de se resistir a uma boa oferta de um publicitário é grandemente prejudicada. Se o lar é importante porque ele está fora do controle do dinheiro, porque ele celebra valores em oposição àqueles do mercado [...], então pode haver uma razão para dizer não a

> *General Foods* ou a *General Mills*. Ao se separarem dessa tradição, as economistas domésticas se tornaram prontas em essência para fazer o papel de Betty Crocker [33] e o resto de suas seguidoras.[34]

Frederick passou a escrever o *Selling Mrs. Consumer*, um livro focado na indústria de publicidade, que delineava como fazer com que donas de casa gastassem tanto quanto possível. Visto que o capitalismo industrial é abastecido pelo alto nível de gastos dos consumidores, essa tarefa foi dada às mulheres. Em pouco tempo, revistas como *Ladies Home* estavam carregando a bandeira do novo lar consumista, publicando artigos sobre os mais novos aparatos eletrônicos, os novos substitutos alimentares e as mais recentes mercadorias para a casa.

Assim, a mudança do lar enquanto lugar de produção para um lugar de consumo foi completada. Na nova cultura do consumo — apoiada pela era da publicidade e o incentivo ao crédito ao consumidor —, todos os vestígios das preocupações do século XIX com o caráter, o comedimento e o sacrifício se foram. A Maternidade Republicana tinha sido substituída pela Sra. Consumidora. O Império Benevolente tinha sido substituído pela atitude hedonista da "Era do Jazz" da década de 1920. Enquanto as mulheres celebravam sua nova liberdade de votar, a primeira onda do femi-

33 N. da T.: personagem de vários comerciais de produtos alimentícios desde 1921.

34 Ibid., 170-171.

nismo chegava ao seu fim e a nação voltava suas atenções para os crescentes problemas do fascismo e do socialismo iminentes na Europa.

As décadas seguintes foram uma luta pela sobrevivência. A Grande Depressão e a Segunda Guerra Mundial tornaram a nação mais sóbria, mas o esforço bélico também empurrou quase seis milhões de mulheres para a mão de obra. Alguns até sugeriam que a dona de casa não estava cumprindo seu dever patriótico. Um colunista do *Detroit Free Press*, por exemplo, afirmou que a dona de casa deveria oferecer seu assento no ônibus para uma mulher que estava trabalhando na guerra.[35] O impacto de Rosie, a Rebitadeira, é legendário — e volumes já foram escritos sobre essa figura icônica da guerra —, então não insistirei nesse tema. O que quero destacar é que o período do pós-guerra criou tanto uma nação pronta para uma trégua quanto uma subcultura relevante de ativistas radicais envolvidos com o comunismo, o socialismo e a política dos proletários. Ambos os fatores contribuíram para o surgimento da segunda onda do feminismo.

Muitas de nós vimos as propagandas e os artigos paternalistas frequentes na década de 1950. O lar é retratado na mídia e nas propagandas como um lugar cheio de maravilhas tecnológicas que causam desmaios emocionados e arrebatadores em mulheres adultas. A Sra. Consumidora estava de volta — e melhor do que nunca. Como Matthews

35 Ibid., 203.

nota: "Depois das privações da depressão e da guerra, o casamento precoce e as numerosas famílias se tornaram moda. Os severos eventos dos vinte anos anteriores dificultaram a crença na capacidade individual de influenciar positivamente uma sociedade dele ou dela. Portanto, o lar mais uma vez se tornou um abrigo, mas apolítico, diferente dos anos antes da guerra. Na era da ansiedade engendrada pela Guerra Fria e ameaça nuclear, a principal qualidade esperada de uma mulher era que ela fosse tranquilizadora".[36]

Foi no período do pós-guerra que Betty Friedan começou a escrever sua carreira. A mulher que faria do mal-estar da dona de casa uma preocupação nacional na década de 1960 com a publicação de *A Mística Feminina* era na verdade um produto das políticas socialistas-comunistas que ela abraçara nas décadas de 1940 e 1950. Embora ela defendesse que tinha sido uma típica dona de casa suburbana, seu biógrafo, o historiador Daniel Horowitz, diz que ela não era típica; ao invés disso, ela tinha sido uma ativista política envolvida na política comunista e uma escritora *freelance* por vinte e cinco anos antes de publicar *A Mística Feminina*. Suas visões políticas colidiram com a mídia e a máquina publicitária dos anos 1950, um tempo em que o *marketing* para a Sra. Consumidora estava em toda sua glória paternalista. Em *A Mística Feminina*, Friedan desafiou o ideal da década de 1950 de que a realização feminina advinha do casamento,

36 Ibid., 210.

da maternidade e da domesticidade suburbana, chamando o lar suburbano de um "confortável campo de concentração".

O Coração do Lar

Então aqui estamos nós no século XXI, colhendo os frutos de todas essas mudanças e ideias. Os escritos de Friedan moldaram o debate que ainda está vivo hoje na batalha de Linda Hirshman contra o "feminismo de escolha" e contra as mulheres que "escolhem sair" do mercado de trabalho para ficar em casa. A mesma dicotomia entre esfera pública e privada que surgiu quase dois séculos atrás colore o nosso pensamento hoje. Se formos sábias, compreenderemos os valores econômicos que criaram essa dicotomia e continuam a permear o pensamento de nossa cultura. Se formos honestas, também reconheceremos que as promessas publicitárias em termos de satisfação em bens materiais é uma promessa vazia e que as feministas estão parcialmente certas em se rebelar contra o consumismo entorpecedor armado contra as mulheres. Ninguém encontrará satisfação duradoura nos mais novos aparelhos ou dispositivos que cuidam de uma casa. Ninguém encontrará satisfação duradoura em tentar decorar ou entreter como a mais nova dama da hospitalidade. Bens materiais e perfeccionismo doméstico autoglorificador definitivamente não são o coração do lar.

O coração do lar é encontrado nos relacionamentos nutridos ali e no conforto oferecido um ao outro — conforto que primeiro recebemos de Deus, o Pai da compaixão, e então compartilhamos um com o outro (2Co 1.3-4). O lar não é uma esfera inferior, pois a Escritura diz que ele deve ser edificado com sabedoria divina (Pv 14.1; 24.3) e através de retidão (Pv 15.6). De fato, Provérbios 3.33 é até mesmo mais específico: "A maldição do SENHOR habita na casa do perverso, porém a morada dos justos ele abençoa".

Mais importante, o lar é uma amostra do refúgio eterno que espera por nós quando Jesus retornar. Ele não nos deixou a fim de preparar outro cubículo no escritório de seu Pai — graças a Deus! A meritocracia competitiva e impessoal não habita o paraíso. É o refúgio do lar — com um lugar para cada um de nós — que Jesus prometeu. "Não se turbe o vosso coração; credes em Deus, crede também em mim. Na casa de meu Pai há muitas moradas. Se assim não fora, eu vo-lo teria dito. Pois vou preparar-vos lugar. E, quando eu for e vos preparar lugar, voltarei e vos receberei para mim mesmo, para que, onde eu estou, estejais vós também" (Jo 14.1-3).

"Apenas uma dona de casa" é uma frase que nossa cultura usa para minar a importância de uma esfera privada. Embora o mercado de trabalho não valorize o lar para além dos bens que podem ser adquiridos para ele, o ministério a ser encontrado no lar é de imenso valor para o Senhor. A estabilidade de relacionamentos familiares, o cuidado dos membros mais velhos ou debilitados da família, a disciplina e a educação dos filhos, a calorosa recepção de visitas, a produção de memórias para toda a vida, o exemplo diário de instrução bíblica, a alimentação saudável numa era de alimentos processados que contribuem para a nossa falta de saúde em geral, a alegria de um casamento centrado em Cristo — todas essas coisas têm efeitos duradouros, se não eternos. Mas a maioria desses ministérios tem valor pequeno a nenhum valor no mercado de trabalho. Se formos sábias, reconheceremos esse fato e consideraremos se as escolhas que estamos fazendo estão edificando ou destruindo os nossos lares (Pv 14.1) — pois a Escritura não nos dá um meio-termo aqui.

Chutando a Secadora

Anos atrás, ouvi alguém falando sobre a necessidade de termos margem em nossas vidas — o inerente "espaço para respirar", para absorver emergências e atrasos inesperados em nossos horários. Pelo que observo, a margem parece desaparecer para mães que trabalham fora. Essa é uma das razões para o estresse atual, a culpa barata e até mesmo a raiva que aflige essas esposas e mães multitarefas. Entendo que muitas mulheres gostam de trabalhar fora e outras têm que trabalhar fora, mas aqui está uma história que desafia a perspectiva feminista sobre o lar e as contribuições que as mulheres fazem ali. Não a apresento para dizer que isso é o que toda mulher deve fazer, nem que as mulheres não devem ter habilidades profissionais. Por favor, note que minha amiga Megan não deixou seu campo — ela apenas reduziu seu horário para fazer alguns trabalhos em casa. Mas suas prioridades mudaram, e os resultados para todos os envolvidos foram mais profundos do que ela inicialmente teria imaginado.

O incêndio provocado pela corrente elétrica foi a gota d'água. Depois de os bombeiros terem ido embora, Megan ficou diante dos restos chamuscados de sua área de serviço, olhou para a fumaça e os danos causados pela água e desabafou toda sua frustração num grito gutural.

"Eu não AGUENTO mais!"

As crianças começaram a chorar no quarto ao lado, assustadas com a raiva de sua mãe.

Megan chutou a secadora três vezes, deixando um amassado. "Essa é a gota d'água!", ela gritou. "Alguma coisa mais pode dar errado? Eu não aguento todos esses *problemas*!"

O rosto de seu esposo apareceu na porta. "Você está doida? Pare com isso! Não quebre mais coisas".

Megan olhou para Peter, momentaneamente tentada a chutá-lo também. Então a adrenalina a deixou, e ela abandonou a briga.

"Sim, você está certo. Mas eu estou seriamente *estressada*! Por que é que algo grande sempre acontece por aqui quando tenho um prazo para cumprir? Eu preciso terminar aquelas finanças hoje à noite. Meu dia inteiro foi perdido com reuniões. Você pode limpar aqui?"

O rosto de Peter se contraiu. "Acho que você esqueceu que meu artigo precisa ser entregue amanhã de manhã".

Megan começou a dizer coisas amargas, mas então se segurou e manteve-se calada. A casa tinha um cheiro de queimado, as roupas — tanto limpas quanto sujas — que tinham sido recolhidas na área de serviço estavam além de qualquer esperança de serem usadas novamente; sem dúvida, uma das crianças precisava de ajuda com a tarefa da escola, e eles dois estavam apertados com o prazo.

"Bem, eu obviamente não sou uma supermulher", ela disse finalmente. "Precisei completar 40 anos de idade para desistir dessa ilusão. Não posso ter tudo o que quero. Não posso fazer tudo. E não estou aproveitando coisa alguma. Sou apenas uma mulher irritada e cansada, com uma lista de coisas por fazer de três quilômetros de comprimento."

Ela deu um pequeno sorriso, tentando amenizar sua reclamação.

Peter suspirou. "Então vamos parar de tentar. Estou cansado da lista de coisas por fazer. E sinto falta da minha esposa divertida."

"O que você quer dizer?"

"Apenas vamos viver de maneira mais simples. Ouça, os meninos precisam mais de nossa atenção agora. E, hum, a casa também. Por que estamos nos enlouquecendo? Vamos parar de fazer tanta coisa. Vamos tentar viver com só um salário. Vamos, pelo menos, pensar sobre isso, certo?"

Peter segurou a mão de sua esposa. "E vamos sair desse cômodo fedorento".

Passaram-se alguns meses, mas aquela ideia maluca criou raízes. Megan arranjou trabalhos para fazer de casa na área de contratos e então pediu demissão de sua empresa. Quando eles contaram para as crianças que Megan estava deixando o trabalho de jornada integral, os meninos pularam de alegria. Megan ficou um pouco surpresa com o entusiasmo deles.

De início, ela se perguntou sobre como preencheria seus dias. Ela rapidamente fez uma tabela de horários, designando tarefas do cuidado com a casa em dias diferentes. Ela pensou que teria muito tempo para fazer *scrapbooking* e outros *hobbies* negligenciados, mas logo viu que o cuidado e a alimentação de quatro pessoas consumiam bastante tempo. Agora que ela estava em casa, havia tempo para fazer as coisas importantes que nunca se destacavam em relação a outras urgentes — preparar refeições para vizinhos doentes, hospedar um estudo bíblico, visitar alguma mulher idosa de sua igreja. Ela até tinha tempo para ser uma esposa divertida de novo. Os encontros românticos não tinham mais que consistir em ir a uma loja para comprar algum item para coisas que precisavam de conserto. De fato, ela descobriu que gostava bastante de ter seus fins de semana de volta — nada de ter de sair aos sábados para resolver coisas, com dois pequenos corpos presos nos assentos traseiros do carro o dia todo.

Certo dia, seu filho de cinco anos entrou no quarto e abraçou a cintura da mãe. “Mamãe, eu amo você agora”.

"Agora?", Megan retrucou, sorrindo.

"Sim, agora. Eu amo você agora porque você está muito mais feliz e isso me deixa mais feliz." Ele apertou sua cintura bem forte e então correu de volta para o porão.

Megan começou a chorar, uma mistura de culpa e felicidade. As crianças eram tão pequenas; ela não pensou que tinham notado.

Alguns anos mais tarde, Megan teve a oportunidade de dar seu testemunho para uma classe da escola dominical para recém-casados. Em sua fala, ela desafiou os jovens casais a renovarem seu pensamento acerca do lar a partir da perspectiva da Bíblia:

> Sabe, eu cresci pensando que o cuidado da casa não era grande coisa. Eu não gostava daquelas tarefas, então pensei que podia me virar contratando quem pudesse fazer tudo. A certa altura, tive uma faxineira e uma cozinheira particulares. Eu estava ocupada demais para limpar ou cozinhar. E isso funcionou por um tempo. Precisávamos de muito malabarismo, mas na minha mente valia a pena.
>
> Mas quando o nível de estresse se tornou demasiado, realmente precisei reconsiderar minhas decisões com cuidado. Estava eu vivendo a vida que Deus traçou para mim em sua Palavra?

Levei tempo para descobrir a importância do cuidado do lar a partir de uma perspectiva bíblica. E descobri que cuidar da casa não se trata de coisas, nem de tarefas domésticas. É mais do que a forma como você cuida de seu espaço pessoal. É o que Tito 2 fala — como você cumpre seu papel na igreja e nos relacionamentos com outras pessoas, e como você aprende com elas e discípula outras. O ponto não é ficar em casa, isolar-se e ter uma casa bem decorada e arrumada. Eu posso compreender porque as pessoas são críticas quanto a isso.

Mas estar em casa envolve todo o gerenciamento prático — compra de alimentos, fazer o orçamento, manter as calhas limpas, certificar-se de que o sistema de aquecimento está funcionando. Também me certifico de que todos vão ao médico, têm o remédio correto, que todos comem e têm roupas limpas. Mas estar em casa também envolve oferecer hospitalidade, cuidar dos vizinhos, ajudar como babá de outras crianças, preparar refeições para alguém, hospedar pessoas de outros países ou igrejas. Tudo se trata de pessoas. Cuidar da casa não tem a ver com o espaço físico; mas tem a ver com as pessoas que estão indo e vindo desse lugar.

Mas serei honesta. Há momentos em que sinto falta de trabalhar fora. Há duas coisas de que sinto falta especificamente. Uma: você pode sair para almoçar ou tomar um café apenas porque quer uma pausa. E a outra: é fácil conversar com outras pessoas — conversas compridas e não interrompidas. Um dia, posso voltar à minha carreira, mas por enquanto eu não trocaria nossos horários mais tranquilos em família por coisa alguma!

E, de verdade, não se trata de seu esposo e você. Nunca serão vocês dois apenas. Sempre há outras pessoas. Você quer abençoar seu esposo e torná-lo sua prioridade, mas ele não é o único objeto de sua vida. Isso é tolice e lhe rouba de todas as bênçãos que vêm de semear de acordo com os propósitos de Deus para o corpo de Cristo. Temos que lembrar que Deus tem um chamado para as nossas vidas, e o negócio de Deus tem sempre a ver com pessoas.

Agora, quando Megan lava as roupas, ela frequentemente olha para o amassado em sua secadora e sussurra uma oração de agradecimento a Deus. Não se engane — sempre há roupas para lavar. Mas agora ela tem tempo para desfrutar de sua família também.

E isso é inestimável.

Capítulo 6:

A GUERRA DAS MÃES

Este é um capítulo que mulheres sem filhos ou mulheres com filhos crescidos podem ser tentadas a pular. Não faça isso! No momento em que escrevo, também sou uma mulher sem filhos, mas este é o meu capítulo favorito do livro e também aquele pelo qual sou mais apaixonada. É provável que você tenha algumas ideias sobre filhos, contracepção e maternidade que têm suas raízes no feminismo. Todas nós fomos afetadas por esse movimento — é difícil evitar. A maternidade sofreu fortes ataques nos séculos passados, mas os filhos têm sido atingidos mais duramente. Se você não sabia que o fundador do movimento pelo controle da natalidade se identificava com o movimento de eugenia da Alemanha nazista, ou que há uma estimativa de 100 milhões de meninas perdidas no mundo, ou que sua janela de fertilidade é mais limitada do que a mídia retrata, então continue lendo. A verdadeira guerra das mães é muito maior do que você pode imaginar!

"Há algo na expressão 'Guerra das Mães' que me faz querer arrancar meus próprios olhos com garfos, ao invés de ter de lê-la de novo", escreveu uma blogueira depois de ler mais um novo artigo polêmico sobre o assunto.[1]

Vinte anos de agitação midiática indubitavelmente provocam essa reação. O termo foi criado no fim dos anos 1980 pela revista *Child* para descrever a tensão que existia entre mães que trabalhavam fora e as que ficavam em casa.[2] Desde então, numerosos livros e artigos têm sido publicados sobre a então chamada guerra das mães, alimentando o circuito de programas de TV e incendiando a blogosfera.

Por que esse assunto permanece? Por causa da atitude já há muito conflitante de nossa nação em relação à importância e à função das mães. A jornalista Ann Crittenden capturou a reação, ao mesmo tempo doce e amarga, que as mulheres frequentemente recebem quando adicionam o papel de mãe às várias identidades que elas tinham antes de os filhos virem. Na introdução do seu livro *The Price of*

---

1 Mir Kamin, publicado em 15 mar. 2008, http://www.blogher.com/more-mommy-wars-leslie-bennetts-and-secret-life-soccer-mom-raising-hackles.

2 Helaine Olen, "A Truce in the 'Mommy Wars'", Salon.com, 15 mar. 2006, http://www.salon.com/mwt/feature/2006/03/15/mommy_wars/index.html.

Motherhood: Why the Most Important Job in the World is Still the Least Valued [O Preço da Maternidade: Por Que o Trabalho Mais Importante do Mundo Ainda é o Menos Valorizado], Crittenden escreve:

> Descobri que ser uma mãe boa o suficiente exigia mais paciência e força interior — sem mencionar inteligência, habilidade, sabedoria e amor — do que a minha vida antes jamais exigira. Nutrir e guiar uma criança em constante mudança não era como cuidar da casa, uma lista de tarefas domésticas, mas sim um trabalho que exigia grande habilidade, informado pelo mesmo espírito que inspira os melhores professores, sacerdotes, conselheiros e terapeutas.
>
> A segunda surpresa veio quando percebi quão pouco meu mundo anterior parecia entender, ou se importar, com a realidade complexa que eu estava desbravando. A cultura dominante da qual eu fazia parte considerava a criação de filhos um trabalho que não necessitava de habilidades, se é que o considerava como criação. E ninguém afirmava o óbvio: se as aptidões humanas são a fonte última do progresso econômico, como muitos economistas concordam hoje, e se aquelas aptidões são nutridas ou tolhidas nos primeiros anos de vida, então as mães e outros cuidadores dos pequenos são os produtores mais importantes da economia. Eles têm, literalmente, o trabalho mais importante do mundo.

Nunca esquecerei o momento em que percebi que quase ninguém mais concordava com isso. Foi numa festa em Washington D. C., quando alguém perguntou: "O que você faz?" Eu respondi que tinha acabado de me tornar mãe, e a pessoa logo desapareceu. Eu era a mesma pessoa que esse estranho teria considerado digna do seu tempo se eu tivesse mencionado que eu era uma correspondente internacional para a *Newsweek*, uma repórter financeira para o *The New York Times*, ou uma nomeada para o prêmio *Pulitzer*, e tudo isso era verdade. Mas como uma mãe, eu tinha me despido do *status* como uma cobra na troca de pele.

Eu gradualmente percebi que as mães — e todo mundo que passa muito tempo com crianças — estavam ainda no mesmo barco onde as mulheres estiveram apenas alguns anos atrás. Depois de lutar duramente para ganhar respeito no mercado de trabalho, elas ainda tinham que lutar para receber respeito pelo seu trabalho em casa.

Mas o momento da verdade veio alguns anos depois quando pedi demissão do *The New York Times*, a fim de ter mais tempo para o meu filho pequeno. Esbarrei com alguém que me perguntou: "Você não costumava ser a Ann Crittenden?".

Foi aí que notei que eu tinha que escrever este livro.[3]

---

3 Ann Crittenden, The Price of Motherhood (New York: Henry Holt, 2001), 11-12.

Eu ri quando li sobre esse cenário irônico, porque ele tanto tem a ver com as culturas cínica e de autopromoção de cidades como Nova Iorque e Washington D.C., quanto com qualquer estima pela maternidade. Mas Crittenden toca num ponto crucial com essa ilustração.

Eu concordaria: a maternidade tem sofrido muito em termos de respeito. Mas os filhos, na verdade, têm sido mais atingidos, como discutirei mais adiante neste capítulo. E nenhum dos dois fenômenos é contemporâneo. Como vimos no capítulo anterior, culturalmente, as raízes da "guerra das mães" vêm de quase duzentos anos.

Mas *espiritualmente*, a guerra tem início na primeira mãe, Eva. Sua designação, ao lado de seu esposo Adão, era de ser "frutífera e multiplicar-se" (Gn 1.28). Então, quando o Senhor Deus amaldiçoou a serpente que a enganou, ele mostrou como a batalha seria travada contra esse mandamento de ser frutífero e multiplicar-se. "Porei inimizade entre ti e a mulher, entre a tua descendência e o seu descendente. Este te ferirá a cabeça, e tu lhe ferirás o calcanhar" (Gn 3.15).

Desde então, Satanás tem trabalhado para destruir a descendência daqueles que são feitos à imagem de Deus. *A verdadeira guerra de mães não é contra a carne e o sangue — outras mães e métodos de criação de filhos —, mas contra aquele que busca destruir a próxima geração daqueles que se levantariam para louvar a Deus.* Podemos debater todos os tipos de filosofias, métodos e práticas de criação de filhos, mas o conflito real não é com os proponentes de ideias opostas. Com toda certeza, *há* uma guerra, e o custo é alto. Mães (e pais) são chamadas para ser fortes guerreiras nessa batalha. Mas, como já expomos antes neste livro, Efésios 6.12 nos diz que os verdadeiros oponentes não são carne e sangue, mas as forças espirituais do mal nesta presente escuridão.

E, nessa batalha, as baixas são numerosas.

Vamos explorar o porquê.

O Imposto Contra as Mães

Como mencionei no capítulo anterior, as questões da domesticidade e da criação de filhos estão frequentemente interligadas. Quando a escritora feminista e advogada Linda Hirshman afirmou que as mulheres estariam cometendo um grande erro se elas deixassem seus empregos para ficar em casa e cuidar de seus filhos, ela apoia seu argumento com a seguinte análise:

> Maus negócios vêm de duas formas: economia ou economia doméstica. A tentação econômica é atribuir o custo da criação de uma criança à renda da mulher. Se uma mulher que ganha US$ 50.000 por ano, e o esposo ganha US$ 100.000, decide ter um bebê, e o custo de uma babá de tempo integral é de US$ 30.000, o casal raciocina que, depois de pagar 40 por cento em impostos, a mulher ganhará US$ 30.000, o que é apenas o

> suficiente para pagar a babá. Então ela poderia ficar em casa. Isso ignora totalmente a perda futura demonstrável de renda, poder e estabilidade para a mulher que deixa o trabalho e o fato de que ambos os adultos estão no negócio juntos. Ao invés disso, calcule que os dois pais ganham um total de US$ 150.000 e levam para casa US$ 90.000. Pagando uma babá de tempo integral, eles têm US$ 60.000 restantes com o qual viver.[4]

O que está faltando na análise de Hirshman é o estresse adicional sobre uma família que têm duas pessoas tentando gerenciar carreiras e supervisionando seus vários fornecedores (babá, serviço de limpeza, cuidador de cães, etc.), ao mesmo tempo que tentam criar seus filhos. Além disso, ela cai na mesma mentalidade sobre a economia de um filho que Ann Crittenden discute em *The Price of Motherhood* — não importa como você precifica, as mães — e seus substitutos — são duramente desvalorizadas em qualquer discussão econômica. Na ilustração de Hirshman, a babá, presumivelmente mulher, vale apenas uma porção dos salários que os adultos estão rendendo.

Por outro lado, Crittenden, que é feminista, não cai no pensamento feminista tradicional de que o sucesso no trabalho e na vida deve imitar um modelo masculino. De fato, ela está profundamente decepcionada que as organizações feministas tradicionais ainda desvalorizam a mater-

4 Hirshman, "Homeward Bound", The American Prospect.

nidade e o papel de uma mulher na família. "O que é preciso é um completo reconhecimento — no mercado de trabalho, na família, na lei e na política social — de que alguém tem de fazer o trabalho necessário de criar filhos e sustentar famílias, e que a recompensa desse trabalho vital não deveria ser a marginalização profissional, a perda de um *status* e um risco crescente de pobreza", ela escreve.[5] Esse aglomerado de problemas e a resultante perda de sua renda para toda a vida, ela denomina de "imposto contra as mães" — um imposto que ela, como muitas mães, está mais que disposta a pagar quando pensam em seus próprios filhos. Mas ela ainda argumenta que essa é uma má política.

A Dona de casa Não Produtiva

Crittenden diz que a origem do "imposto contra as mães" pode ser traçada de volta ao século XIX com a invenção da "dona de casa não produtiva":

> Como a história da família é convencionalmente contada, virtualmente todas as atividades econômicas sérias deixaram o lar por volta de meados do século XIX, quando a produção manufaturada migrou das fazendas para as fábricas. O lar evolui de local de trabalho, onde a maioria dos bens necessários era produzida, para um lu-

5 Christopher Farrell, "The High Cost of the Mommy Tax", BusinessWeek, 2 mar. 2001, http://www.businessweek.com/bwdaily/dnflash/mar2001/nf2001032_060.htm.

> gar de tempo livre, consumo e reabastecimento emocional; um "abrigo num mundo cruel". Ostensivamente, a industrialização pôs as famílias, e as mulheres dessas famílias, para "fora dos negócios".
>
> De fato, a família permaneceu como parte intrínseca da economia. Houve uma simples transformação do tipo de bens e serviços produzidos em casa. O novo produto doméstico era a criança intensamente educada. De acordo com a antropóloga Wanda Minge-Klevana: "Durante a transição da sociedade pré-industrial para a industrial, a família passou por uma mudança qualitativa enquanto unidade laboral — de uma que produzia comida para aquela cuja principal função era socializar e educar trabalhadores para um mercado de trabalho industrial".[6]

Aqui nós temos a Maternidade Republicana, lembra? Apesar de todas as suas mais sinceras intenções, essa doutrina de esferas separadas se tornou a razão subjacente de donas de casa e mães que de repente eram rebaixadas em seu valor econômico. Na nova economia, o trabalho importava somente se você pudesse precificá-lo. Mas a única forma pela qual os homens poderiam ter sucesso no mercado de trabalho industrial era se eles delegassem as funções familiares e domésticas às esposas. Então, maridos de

6 Crittenden, The Price of Motherhood, 51.

sucesso e crianças extremamente educadas se tornaram o produto valioso do trabalho não remunerado das mulheres casadas — mulheres que ainda estavam impedidas pelo rebaixado *status* legal de esposas sob cobertura. (Em seu senso mais estrito, cobertura significava que a esposa não poderia se envolver em processos judiciais e contratos, ter seus próprios ativos, nem executar documentos legais sem a colaboração de seu esposo. Tampouco ela era responsável por si mesma em questões legais e civis — seu esposo era o responsável).[7] Portanto, ao precificar o valor econômico das mulheres, as pioneiras feministas da primeira onda lutaram por uma interpretação literal, legal da doutrina das esferas separadas. Crittenden resume o pensamento delas desta forma: "Se o trabalho das mulheres em casa é tão exaltado, elas perguntavam, por que ele não é valorizado como o trabalho dos homens? Em virtude de seu trabalho, elas argumentavam, as esposas deveriam ter direito conjunto a todas as propriedades acumuladas durante o casamento".[8]

Esse argumento pode ter funcionado, mas dois eventos conspiraram para acabar com essa ideia e impulsionaram a definição no sentido da "dona de casa não produtiva". O primeiro foi em 1870 — o mesmo ano em que a Quinta Emenda[9] foi ratificada, garantindo aos homens negros, mas não às mulheres, o direito de votar —, quando a

7 Nancy F. Cott, Public Vows: A History of Marriage and the Nation (Cambridge: Harvard Univ., 2000), 11-12.

8 Crittenden, The Price of Motherhood, 55.

9 N. da T.: emenda à Constituição dos Estados Unidos.

economia estadunidense alcançou um marco significativo. Pela primeira vez na história do país, mais homens estavam ganhando salários do que produzindo seu próprio sustento. Como Crittenden escreve, na nova economia do dinheiro, a unidade econômica principal já não era a família, mas o indivíduo, uma mudança que foi refletida na forma pela qual o censo estadunidense recolheu suas informações. Antes, o censo federal tinha medido a atividade econômica pelo número de *famílias* engajadas numa certa empreitada. Mas pelo censo de 1860, a profissão, a ocupação ou o negócio de cada *indivíduo* acima da idade de quinze anos foram anotados.

Com esse tipo de sistema de classificação baseado no salário, foram necessários apenas mais quarenta anos para que o censo classificasse oficialmente as esposas/mães e filhas sem trabalhos remunerados como "dependentes".[10] O primeiro ataque na "guerra das mães" moderna foi desferido.

O segundo veio na forma do darwinismo social. Em seu livro de 1898, *Women and Economics: A Study of the Economic Relation between Men and Women as a Factor in Social Evolution* [Mulheres e Economia: Um Estudo da Relação Econômica entre Homens e Mulheres como um Fator na Evolução Social], a feminista Charlotte Perkins Gilman disse: "o fato evidente nesta discussão é que, seja qual for o valor econômico da indústria doméstica das mulheres, elas

10 Ibid., 58, 60.

não o obtêm".[11] Assim, Gilman tentou remediar essa situação aplicando princípios científicos e de negócios baseados no darwinismo ao lar e à criação de filhos. Afirmando que as mulheres precisariam de "milhares de anos e várias gerações para se adaptar" à independência econômica dos homens, e que "as linhas da relação social hoje são principalmente industriais", Gilman sugeriu muitas reformas, incluindo a premissa de que a criação de filhos deveria se tornar profissionalizada como uma atividade coletiva: "Toda a vida humana em sua própria natureza é aberta a melhorias, e a maternidade não é exceção a isso".[12]

Nos seus escritos e falas, Gilman defendeu que a vasta maioria das mulheres estadunidenses não apenas eram não produtivas como também indolentes. "É a ala feminina de nossa raça que possui um lugar parasitário, dependente da ala masculina", ela escreveu.[13] Sua solução era coletivizar o trabalho doméstico e "quebrar aquela relíquia da era patriarcal — a família como uma unidade econômica". Gilman desmantelaria o lar privado e o substituiria por apartamentos com áreas profissionalmente gerenciadas para alimentação, limpeza, lavagem de roupas e cuidado de crianças.[14] Ela concluiu que "as mulheres nunca passariam por um progresso evolutivo se permanecessem isoladas no ambiente pré-científico do lar".[15]

---

11 Charlotte Perkins Gilman, Women and Economics (Boston: Small, Maynard & Co., 1900), 14.

12 Ibid., 270-272.

13 Charlotte Perkins Gilman, "Females", Suffrage Songs and Verses (New York: Charlton, 1911), 10-11, http://digital.library.upenn.edu/women/gilman/suffrage/su-females.html.

14 Crittenden, The Price of Motherhood, 62.

15 Pearcey, Total Truth, 342.

Gilman construiu sua própria vida o mais próximo possível de suas teorias. Em 1884, ela se casou com um artista chamado Charles Walter Stetson e deu à luz sua única filha, Katherine Beecher Stetson, um ano depois. Quatro anos depois de se casar, Gilman se separou de seu esposo; eles se divorciaram em 1894. Naquele mesmo ano, ela enviou Katherine para morar com seu ex-esposo e a segunda esposa dele, uma mulher que era uma de suas amigas mais próximas. Em suas memórias, ela escreveu que estava feliz de ter feito isso, porque a segunda mãe de Katherine era "completamente tão boa quanto a primeira".[16]

Como Crittenden explica, Gilman representou a direção futura do movimento das mulheres:

> Na virada no século XX, o movimento das mulheres tinha duas linhas contraditórias: uma que denegria o papel das mulheres dentro da família e outra que exigia reconhecimento e remuneração por ele. A primeira argumentava que somente um caminho poderia levar à emancipação feminina, e ele apontava diretamente para fora de casa, para o mundo do trabalho remunerado. A segunda buscava a igualdade para as mulheres dentro da família e desafiava a ideia de que uma esposa ou uma mãe era inevitavelmente uma "dependente" econômica de seu esposo.

---

16 Charlotte Perkins Gilman, The Living of Charlotte Perkins Gilman: An Autobiography (Salem, NH: Ayer Co, 1987, reimpressão), 163.

> Pelo resto do século XX, o movimento das mulheres seguiu o primeiro caminho, e ele levou a inúmeras grandes vitórias. Mas ao escolher aquele caminho, muitos defensores das mulheres aceitaram a contínua desvalorização da maternidade, garantindo assim que o feminismo não ressoasse com milhões de esposas e mães.[17]

Crittenden é generosa em sua avaliação de "inúmeras grandes vitórias" para as mulheres. Mas ela avalia corretamente o caminho do movimento moderno feminino.

"Os Obstáculos e Destruidores da Civilização"

Com a maternidade tão desvalorizada no final do século XIX, não é de se surpreender que as crianças se tornaram o alvo das ativistas do século XX. O que deve surpreender muitas pessoas é saber que o ataque foi liderado exclusivamente por uma mulher, ela mesma mãe de três filhos. Esse é o terceiro — e mais sério — ataque na guerra das mães.

Margaret Sanger foi a fundadora do movimento moderno pelo controle da natalidade e uma franca proponente da eugenia — a teoria do aperfeiçoamento da raça que foi a pedra angular da Alemanha nazista. Sanger acredi-

17 Crittenden, Price of Motherhood, 63.

tava que todos os males advinham das famílias numerosas, especialmente daqueles que ela considerava inaptos. Como ela escreveu em seu livro de 1920, *Woman and the New Race* [A Mulher e a Nova Raça]: "A coisa mais misericordiosa que uma família numerosa faz a um de seus membros infantes é matá-lo".[18]

Não consigo nem entender como alguém diria tal coisa, mas a história pessoal de Sanger sem dúvida influenciou seu pensamento. Ela nasceu em 1879 em Corning, estado de Nova Iorque, a sexta de onze filhos sobreviventes. O pai dela era um pedreiro e defensor de causas socialistas radicais. A mãe de Sanger sucumbiu à tuberculose aos quarenta e nove anos de idade. Sanger disse mais tarde que o esforço excessivo de dezoito gestações foi o que acabou com a saúde de sua mãe.[19]

Sanger estudou enfermagem e se casou em 1902. Sua primeira gravidez foi difícil e a deixou num sanatório de reclusão para restabelecimento. Mas ela recuperou sua saúde e deu à luz mais dois filhos. Em 1910, ela começou a trabalhar como parteira e enfermeira particular na região sudeste da cidade de Nova Iorque. Um ano depois, ela se juntou a um movimento radical de trabalhadores e participou de várias greves.

---

18 Margaret Sanger, Woman and the New Race (New York: Brentano's, 1920), 63.

19 Deborah G. Felder, The 100 Most Influential Women of All Time (New York: Citadel Press, 1996), 12.

Em 1912, Sanger começou a escrever uma série de artigos sobre a sexualidade feminina e a contracepção, na publicação socialista *The Call*, em ousada provocação às leis da época contra a disseminação de informação sobre doenças sexualmente transmissíveis e contracepção. Dois anos mais tarde, já então separada de seu esposo, de quem se divorciaria depois, ela fundou a revista mensal *Woman Rebel [Rebelde Mulher]*, sob o lema "Sem deuses; sem mestres!".[20] Em 1914, ela fugiu para a Europa depois de ser denunciada por violar as leis estadunidenses contra obscenidade postal. Porém, dois anos depois, tendo evitado a prisão, ela estava de volta aos Estados Unidos para abrir a primeira clínica de controle de natalidade, no Brooklyn, Nova Iorque. Depois de dez dias de operação, ela foi detida e colocada na prisão. O julgamento a tornou uma figura nacional e deu aos médicos o direito de prescrever orientação para o controle de natalidade.

Em 1921, Sanger organizou a *American Birth Control League [Liga Americana de Controle de Natalidade]*, que mais tarde se tornou a *Planned Parenthood Federation of America [Federação Americana de Filiação Planejada]*. Para Sanger, o movimento de controle de natalidade foi fundado com dois objetivos: limitar a reprodução dos "inaptos" e desafiar o ensinamento cristão ao criar uma "nova moralidade". Ela fez propagandas contra mulheres que "com espantosa rapidez" estavam procriando "essas crianças numerosas e in-

20 Ibid., 13.

desejadas que se tornavam os obstáculos e destruidores da civilização".[21] A escrita em tom de "terra arrasada" de Sanger não deixou dúvidas sobre suas visões:

> Ao mesmo tempo que inconscientemente deitando fundamentos para tiranias e provendo o combustível humano para incêndios raciais, a mulher também estava inconscientemente criando bairros pobres, enchendo asilos com loucos e instituições com outros deficientes. Ela estava reabastecendo os postos de prostitutas, fornecendo munição para as cortes criminais e prisioneiros para as cadeias. Se ela tivesse deliberadamente planejado obter esse total trágico de restos humanos e misérias, ela dificilmente o teria conseguido de forma mais efetiva.[22]

> O problema mais urgente de hoje é como limitar e desencorajar a superfertilidade de deficientes mentais e físicos. Possivelmente, métodos drásticos e espartanos possam ser forçados na sociedade estadunidense se ela continuar complacentemente a encorajar a procriação acidental e caótica, a qual tem resultado de nosso sentimentalismo estúpido e cruel.[23]

---

21 Estelle Freedman, The Essential Feminist Reader (New York: Modern Library, 2007), 214.

22 Ibid., 213.

23 Margaret Sanger, The Pivot of Civilization (Whitefish, MT: Kessinger Publishing, 2004), 15.

Ela era igualmente mordaz com relação ao cristianismo e ao ensino da Bíblia acerca da sexualidade:

> Já é notório que esta criação de novos ideais sexuais é um desafio à igreja. Sendo um desafio à igreja, ela é também, num grau menor, um desafio ao Estado. A mulher que assume a destemida posição pelos ideais sexuais futuros deve esperar ser criticada por reacionários de todos os tipos. Imperialistas e exploradores lutarão com mais força publicamente, mas a igreja lutará a maior parte do tempo às ocultas. Ela é quem melhor entende a situação; ela sabe que reação deve temer do comportamento das mulheres que alcançaram liberdade. Pois, que seja repetido, a igreja sempre soube e temeu as potencialidades espirituais da liberdade da mulher.[24]

> Quando as mulheres tiverem alterado os padrões dos ideais sexuais e purgado a mente humana de seu conceito impuro acerca do sexo, a fonte da raça terá sido purificada. As mães gerarão, em pureza e alegria, uma raça que é moral e espiritualmente livre.[25]

Penso que é seguro dizer que, com a perspectiva de quase um século após esses fatos, nós não alcançamos uma raça humana purificada que é moral e espiritualmente livre. Esperar esse tipo de salvação a partir das mulheres não é

---

24 Sanger, Woman and the New Race, 174.

25 Ibid., 185.

sábio, nem bíblico e é completamente impossível. Como veremos no capítulo seguinte, as mulheres *não* conseguiram alterar o padrão sexual — de fato, o feminismo da terceira onda deu origem à "cultura da vulgaridade" feminina que vivemos hoje. Mesmo assim, Sanger estava tão confiante sobre os frutos do controle da natalidade e da nova raça, que ela previu exatamente o *contrário* do que veio a acontecer:

> Quando a maternidade se tornar o fruto de um desejo profundo, não o resultado da ignorância e do acidente, seus filhos se tornarão o fundamento de uma nova raça. Não haverá mortes de bebês ainda no ventre por aborto, nem através da rejeição em lares de crianças abandonadas, e não haverá infanticídio [...].
>
> Os esforços incansáveis da autoridade reacionária para suprimir a mensagem do controle de natalidade e da maternidade voluntária são inúteis. Os poderes de reação não podem impedir o espírito feminino de quebrar suas cadeias. Quando o último grilhão cair, os males que resultaram da supressão do desejo da mulher por liberdade passarão. A escravidão infantil, a prostituição, a estupidez, a deterioração física, a fome, a opressão e a guerra desaparecerão da terra [...]. Quando o ventre se tornar fértil através do desejo de um amor anelante, outro Newton surgirá para descobrir ainda mais os segredos da terra e das estrelas. Haverá um Platão que será compreendido,

> um Sócrates que não beberá a cicuta e *um Jesus que não morrerá na cruz*. (ênfase da autora)[26]

Que Deus não permita! Que Deus *não permita*!

Eu digito aquela citação com lágrimas no rosto. Sem a cruz, nós estamos perdidos. Não há esperança de novos céus e nova terra, livres dos efeitos da queda, sem a expiação de nosso Salvador imaculado. Não há esperança de que a misericórdia triunfe sobre o juízo a não ser aos pés da cruz. Não há esperança de que "a escravidão infantil, a prostituição, a estupidez, a deterioração física, a fome, a opressão e a guerra [desapareçam] da terra" se a justa ira do Pai contra esses pecados terríveis não for satisfeita. Como haveria justiça se tais pecados fossem ignorados? Não, pelo contrário, nossa única esperança é a cruz! Se Jesus não tivesse sido obediente a esse plano de salvação, quem poderia ser nosso mediador?

E quem poderia expiar a matança que eventualmente surgiria dessa "nova moralidade"? Somente Jesus Cristo, nosso Salvador!

Então não permitamos nos distrair com uma cortina de fumaça. Eu não contesto a observação de Sanger de que numerosas gestações podem ser muito ruins para o corpo de uma mulher, nem que famílias pobres com muitos filhos podem sofrer enormes dificuldades financeiras. *Mas uma observação correta nem sempre leva a uma interpretação*

26 Ibid., 232-234.

correta. Sanger viu a falta de saúde, a pobreza, o pecado, a raiva, o abuso e muitos outros desafios, e sua interpretação foi que as crianças "indesejadas" eram a raiz do problema — ou mesmo que algumas pessoas não deveriam se reproduzir de forma alguma. Assim, ela foi capaz de fazer a revoltante declaração de que "a coisa mais misericordiosa que uma família numerosa pode fazer a um de seus membros infantes é matá-lo". Isso é o completo oposto da misericórdia! Mas o pensamento dela influenciou nossa cultura. Portanto, a contracepção não é a *verdadeira* questão. (No entanto, abortivos são. Precisamos claramente distinguir entre prevenção e aborto.) Entender Sanger nos ajuda a entender porque as crianças são hoje descartáveis — vistas como inconveniências ou parasitas —, ao invés de serem recebidas como presentes de Deus.

Margaret Sanger viveu para ver o desenvolvimento da primeira pílula anticoncepcional em 1960 — algo pelo qual ela trabalhou. Ela morreu em 1966, ano em que a administração de Johnson[27] incorporou o "planejamento familiar" em sua política externa e nos programas de saúde doméstica e bem-estar social nos Estados Unidos.[28] Sua vida interligou a primeira e a segunda onda do feminismo, mas suas filosofias foram o impulso para os efeitos mais profundos da segunda onda do feminismo.

27 N. da T.: Lyndon Baines Johnson, presidente que assumiu o cargo após o assassinato de John Fitzgerald Kennedy.

28 Felder, 100 Most Influential Women, 14.

Confusão sobre Intrusão

Das inúmeras mudanças criadas pela segunda onda do feminismo, a mais notória seria o compromisso inabalável do movimento com o aborto. É aí onde a segunda onda do feminismo mais se separa da primeira, visto que as ativistas pelos direitos das mulheres no século XIX eram geralmente pró-vida. Elizabeth Cady Stanton, por exemplo, chamava o aborto de infanticídio e escreveu: "Quando consideramos que as mulheres são tratadas como propriedade, é degradante para elas que nós tratemos nossas crianças como propriedade da qual podemos dispor como quisermos".[29]

Aqueles que cresceram à sombra do caso *Roe vs. Wade*[30] podem se surpreender ao descobrir que o aborto era até mesmo uma preocupação para Stanton e outras mulheres no século XIX. De acordo com Marvin Olasky, autor de *Abortion Rites [Rituais do Aborto]*, o aborto se faz presente nos Estados Unidos desde pelo menos 1629. Apesar de ser ilegal, as taxas de aborto acabaram crescendo em meados do século XIX, alcançando — em termos de proporção populacional — as taxas de hoje. Olasky diz que três fatores foram responsáveis por essa tendência em meados dos anos

---

29 Carta a Julia Ward Howe, 16 out. 1873, registrado no diário de Howe na Harvard University Library, http://www.feministsforlife.org/history/foremoth.htm.

30 N. da T.: Roe versus Wade é o nome do caso judicial pelo qual a Suprema Corte dos Estados Unidos reconheceu o direito ao aborto ou interrupção voluntária da gravidez nos Estados Unidos.

1800: o advento da Revolução Industrial, o anonimato nas novas cidades que provocou o aumento da prostituição e a popularidade de "um importante movimento de Nova Era no século XIX (então chamado de "espiritismo"). "Uma grande diferença entre hoje e antes é que a maioria dos abortos do meado do século XIX ocorreu entre prostitutas, provavelmente numa média de quatro por ano", Olasky escreve.[31] Ele concorda com outros historiadores que dizem que os remédios e procedimentos usados para esses abortos podem ter sido a causa primária para a expectativa de vida reduzida delas.[32]

Esse movimento espírita, que teve seu auge em 1860, predisse o movimento do amor livre do fim dos anos 1960 mais de um século antes. Baseado na crença de que os vivos podem se comunicar, e se comunicam, com os espíritos dos mortos através de sessões e médiuns, o espiritismo também antecipou o lema "questione a autoridade" dos anos 1960 e 1970. Assim, seus praticantes rejeitavam as convenções de sua época, incluindo a monogamia e a maternidade.

De acordo com B. F. Hatch, um médico que escreveu sobre o espiritismo em 1859: "as mulheres que abandonaram seus esposos [...] e que estão vivendo em adultério com seus amantes, realizam aborto, e se erguem de sua culpa e

31 Marvin Olasky and Lynn Vincent, "Choosing Children Over Choice", World, 26 jan. 2008, http://www.worldmag.com/articles/13709.

32 Marvin Olasky, Abortion Rites (Wheaton: Crossway Books, 1991), 57.

ficam de pé diante de grandes audiências como médiuns de anjos". Ele escreveu que os espíritas daquele tempo "falavam orgulhosamente de sua liberdade do que chamavam de convencionalismo social e das superstições do cristianismo". Tendo sido proeminente nesse movimento até que começou a testemunhar seus resultados, Hatch escreveu sobre as crenças intensamente egoístas do movimento, dizendo que os espíritas "ardentemente contendem que nenhuma autoridade externa e nenhum código de leis humanas podem justamente limitar suas afeições, nem interferir em sua liberdade de seguir o impulso de suas afinidades pessoais".[33] Um encontro de espíritas no estado de Vermont aprovou um conjunto de resoluções que afirmavam que "a autoridade de cada alma individual é absoluta e final na decisão de questões em relação ao que é verdadeiro ou falso em princípio, e certo ou errado na prática"; e que "o direito mais sagrado e importante da mulher é seu direito de decidir quão frequentemente e sob quais circunstâncias ela assumirá as responsabilidades e se sujeitará aos cuidados e sofrimentos da maternidade [...]".[34]

Avance um século e você encontra o mesmo pensamento. O grupo *Planned Parenthood*, de Sanger, estava trabalhando ativamente nos anos 1950 e após para a descriminalização do aborto. Grupos pró-aborto começaram a

33 Ibid., 62-63.

34 Proceedings of the Free Convention, Rutland, Vermont, July 25-27, 1858 (Boston:J. B. Yerrinton, 1858), 9, como citado em Abortion Rites, 67.

ganhar terreno legal no fim dos anos 1960 e no início dos anos 1970. Em 1969, Betty Friedan e Dr. Bernard Nathanson estavam entre os fundadores da *National Association for Repeal of Abortion Laws* [Associação Nacional para Revogação de Leis do Aborto], (que mais tarde se tornou a *National Abortion Rights Action League* [Liga Nacional de Ação dos Direitos ao Aborto] e que agora é conhecida como *NARAL Pro-Choice America* [NARAL Pró-Escolha America]). Em abril de 1970, um quinto dos estados norte-americanos tinham aprovado medidas permitindo o aborto, mas somente em condições extremas. Leis mais liberais existiam nos estados de Nova Iorque, Califórnia, Havaí e Alasca. Um artigo resume a história do caso *Roe vs. Wade* desta forma:

> Em 1973, a Suprema Corte dos Estados Unidos entregou sua decisão no caso *Roe vs. Wade*. A mulher no centro do processo, Norma McCorvey ("Jane Roe"), tinha desafiado as leis de aborto do Texas em 1969. Naquele tempo, ela estava grávida e queria um aborto — o que era ilegal. De acordo com McCorvey, oportunistas políticas se apegaram ao caso dela numa tentativa de avançar seu objetivo pró-aborto.
>
> A decisão da corte em favor de Roe se apoiava em duas premissas: o "direito à privacidade" da mulher e a crença de que o início da vida não poderia ser apontado com precisão. O Ministro Harry Blackmun escreveu sobre a decisão da maioria

> no caso *Roe v. Wade*, afirmando: "Não precisamos resolver a difícil questão de quando a vida começa. Quando aqueles treinados nas respectivas disciplinas da medicina, filosofia e teologia são incapazes de chegar a qualquer consenso, o judiciário, a esta altura do desenvolvimento do conhecimento humano, não está numa posição para especular sobre a resposta".[35]

As palavras do Ministro Blackmun foram o mantra da posição pró-aborto daquele tempo. No entanto, com o lançamento comercial da máquina de ultrassom em 1979, aquele argumento não era mais praticável. De fato, isso levou o Dr. Bernard Nathanson, um dos fundadores da *NARAL* e ex-diretor da maior clínica de aborto de Nova Iorque, a retratar-se de sua posição no fim dos anos 1970 e se tornar um oponente declarado do aborto. Nathanson afirma que ele foi responsável por mais de 75.000 abortos em sua carreira, incluindo de seu próprio filho. Ele é provavelmente mais conhecido pelo documentário *The Silent Scream [O Grito Silencioso]*, de 1984, o qual usou a tecnologia de ultrassom para revelar o que acontece durante um aborto.

Visto que os avanços científicos empurraram a "difícil questão de quando a vida começa", do Ministro Black-

35 Jessica Wadkins, Trudy Chun, and Catherina Hurlburt, "The History of Abortion" publicado por Concerned Women for America, 1º dez. 1999, http://www.cwfa.org/articledisplay.asp?id=1416&department=CWA& categoryid=lif.

mun, para um ponto de referência além da "viabilidade" do feto, as ativistas feministas somente tinham o "direito à privacidade" da mulher para promover o pensamento pró-aborto. "Mantenha suas leis longe do meu corpo" se tornou um lema feminista popular. A partir daí, a ideologia feminista desenvolveu ideias *bizarras*, tal como o argumento feito em 1996 por Eileen McDonagh de que precisamos mudar nossa atenção "do que o ovo fertilizado 'é', à medida que ele se desenvolve em um feto e finalmente em um bebê, para o que o ovo fertilizado '*faz*', pois causa a gravidez ao se implantar no corpo de uma mulher e mantendo aquela implantação por nove meses". Como ela escreve:

> O feto é a causa direta da gravidez, e se ele torna uma mulher grávida sem seu consentimento, ele viola severamente a integridade e a liberdade de seu corpo. Nossa cultura, nossas cortes e o Congresso, todos ignoraram o feto como o agente da gravidez, com uma exceção importante: quando o feto ameaça a vida da mulher [...]. Mesmo numa gravidez normal em termos médicos, o feto se introduz massivamente no corpo de uma mulher e a desapropria de sua liberdade. Se uma mulher não consente com essa transformação e esse uso de seu corpo, a imposição do feto constitui dano suficiente para justificar o uso de força mortal para impedi-la. Embora não seja comum pensar na gravidez como um dano, é exatamente assim que a lei já a define quando ela

> é imposta a uma mulher sem seu consentimento. Por exemplo, quando os homens ou médicos expõem as mulheres ao risco de gravidez por meio de estupro ou esterilização incompetente, e uma gravidez se segue, a lei claramente reconhece que as mulheres foram seriamente prejudicadas. Esse livro expande o conceito de uma gravidez indesejada para incluir o que o óvulo fertilizado faz a uma mulher quando a torna grávida sem seu consentimento. Ele é a única entidade que pode tornar uma mulher grávida, e quando ele assim o faz sem seu consentimento, ele impõe os sérios danos de uma gravidez indesejada mesmo se a gravidez em questão for medicamente normal.[36]

A "lógica" é espantosa, não é?! McDonagh escreve como se o óvulo fertilizado fosse capaz de uma ação independente e ignora o fato de que a atividade sexual das mulheres (geralmente voluntária) é o que contribui para a gravidez.

Feticídio Feminino

Ainda mais espantoso — em termos de direitos das mulheres — é que o aborto é mais perigoso para fetos *femininos* que masculinos. De fato, os abortos seletivos têm

36 EileenMcDonagh, Breaking the Abortion Deadlock: From Choice to Consent (New York: Oxford University Press, 1996), 6-7.

custado *milhões e milhões* de vidas femininas. Casais em nações populosas como China ou Índia, usam rotineiramente tecnologia ultrassom para determinar se estão esperando um menino. Devido à forte preferência cultural por um filho homem, o feto feminino é abortado. De acordo com um relatório de 2007 do jornal britânico de medicina *Lancet*, ao redor do mundo, há 100 milhões de "meninas ausentes" que deveriam ter nascido, mas não puderam. Cinquenta milhões delas seriam chinesas e 43 milhões seriam indianas. As demais teriam nascido no Afeganistão, na Coreia do Sul, no Paquistão e no Nepal. Em 2007, numa série de publicações sobre as implicações da seleção de sexo e do aborto, o *Washington Times* escreveu:

> Um centro de pesquisa em Genebra, em 2005, atualizou o fenômeno, denominando-o de "a chacina de Eva".
>
> "O que estamos vendo agora é genocídio", diz Sabu George, um ativista de Nova Deli.
>
> "Logo ultrapassaremos a China na perda de 1 milhão de meninas por ano".
>
> A dia talvez já tenha chegado. Num relatório publicado em 12 de dezembro, a *UNICEF* disse que a Índia está "perdendo" 7.000 meninas por dia ou 2,5 milhões por ano.

> Embora a Índia tenha aprovado leis proibindo abortos seletivos, legiões de médicos condescendentes e oficiais de governo permissivos, envolvidos na indústria de seleção de sexo de US$ 100 milhões na Índia, têm se certificado de que tais leis sejam raramente cumpridas.
> Várias empresas, notavelmente a *General Electric Corp.*[37], têm lucrado grandemente com o caso amoroso da Índia com a máquina de ultrassom.
>
> Como resultado, uma nova classe de homens sem esposas está vasculhando o leste da Índia, Bangladesh e Nepal por mulheres disponíveis. A Índia, já líder mundial em tráfico sexual, está absorvendo um novo negócio de meninas sequestradas ou vendidas de seus lares e enviadas por todo o país.[38]

De acordo com o *Washington Times*, o "feticídio feminino" é uma indústria de US$ 100 milhões na Índia. Mas há evidências de que o evangelho está fazendo algumas incursões por lá. O *Times* cita um oficial de governo em Hyderabad, uma cidade no sul da Índia, que notou uma divisão religiosa nas proporções entre os sexos, como registrado no censo nacional de 2001. Esse oficial relatou que os cristãos

---

37 N. da T.: mais conhecida como "GE", a empresa é famosa no Brasil pela produção de eletrodomésticos.

38 Julia Duin, "India's Imbalance of Sexes", Washington Times, 26 fev. 2007.

têm as melhores proporções entre os sexos, e em áreas altamente cristianizadas nascem mais mulheres que homens.[39]

"O Nome do Meu Papai é Doador"

Em 1915, Charlotte Perkins Gilman escreveu o livro *Herland*, um romance sobre uma utopia feminina, um mundo povoado por mulheres que não precisam de homens — nem mesmo para procriar. A maternidade é um tema central, mas os homens são desnecessários para essa função. Gilman, como vimos antes, mais uma vez está surpreendentemente certa sobre o futuro. Pois nem mesmo um século depois, um bebê usando uma camiseta com a frase "O nome do meu papai é Doador" apareceu na mídia nacional. Ele era o filho de um casal de lésbicas que queriam "empoderar" seu filho ao derrubar a vergonha de uma concepção por doador.

Aquele ponto de vista preocupou a escritora Elizabeht Marquardt, uma pesquisadora do *Institute for American Values*, que mais tarde escreveu um livro sobre as questões éticas da tecnologia reprodutiva. "O que me preocupa é que as crianças hoje estão sendo criadas numa era de definições cada vez mais flexíveis de paternidade e maternidade, definições que frequentemente servem aos interesses de adultos sem consideração pelas crianças", ela disse. "Nós não podemos supor que a descendência de um doador pode facilmente esquecer seus pais biológicos simplesmen-

39 Julia Duin, "GE Machines Used to Break the Law", Washington Times, 28 fev. 2007.

te porque os adultos em suas vidas querem que ela esqueça. Banir o anonimato do doador é um bom passo, mas não é suficiente. Nossa cultura precisa de um sério debate sobre as implicações das tecnologias usadas para formar muitas das famílias alternativas de hoje, um debate que coloque os interesses das crianças resultantes na linha de frente e no centro".[40]

Sem dúvidas. As ramificações legais numa época de famílias fluidas são imensas. Num programa de TV transmitido em 2000, Bernard Nathanson recontou um caso legal na Califórnia de proporções salomônicas:

> O problema com a tecnologia de reprodução assistida é que ela está virando de ponta-cabeça todos os nossos relacionamentos uns com os outros. Por exemplo, há doação de óvulo e de esperma, barrigas de aluguel, transplante de embriões e embriões congelados. O absurdo disso tudo vem à tona num caso ocorrido na Califórnia em que uma menina de oito anos de idade compareceu diante de um juiz. Um casal que queria ter um bebê (a mulher não podia gerar filhos e o homem produzia esperma com baixa taxa de espermatozoides) autorizou um técnico em reprodução assistida a unir o esperma de outra pessoa, o doador, com o óvulo de uma outra. Eles pagaram por isso. Eles criaram um embrião, o embrião foi posto em uma mulher que funcio-

40 Catherine Bruton, "My Daddy's Name Is Donor", Times Online, 13 dez. 2007, http://women.timesonline.co.uk/tol/life_and_style/women/families/article3041127.ece.

> nou como barriga de aluguel, a qual deu à luz um bebê nove meses mais tarde. Então surgiu a questão sobre quem eram os pais, e justamente quando essa dúvida foi levantada, o casal ingressou com pedido de divórcio. Então veio a pergunta: o casal original eram os pais dessa criança, ou seriam o doador de esperma e a esposa, ou ainda a doadora do óvulo e o esposo, ou ainda a mulher que gestou e o esposo? O juiz concluiu que havia literalmente oito pais biologicamente falando, mas a criança não tinha pais e foi colocada num abrigo de órfãos. Quer dizer, as permutas e combinações desse tipo de tecnologia são assustadoras.[41]

Mas o que fazer com a criança viva é apenas uma parte da história. Para cada sucesso no nascimento de uma criança por meio da tecnologia reprodutiva, há vários irmãos congelados — os embriões que não foram implantados naquela gravidez em particular. Alguns casais, despreparados para esse dilema moral, mantêm aqueles embriões congelados indefinidamente (pagando os altos preços de armazenamento). Outros colocam seus embriões para adoção ou os doam para a pesquisa científica. Alguns destroem os embriões. E ainda outros se enredam em batalhas judiciais para a custódia dos embriões.

41 "Bio-ethical Challenges for the 21st Century", transcrito de uma entrevista de TV com a série EWTN de Fr. Frank Pavone, Defending Life, levado ao ar em 2000, http://www.priestsforlife.org/media/nathansoninterview.htm.

O horizonte legal está mudando diariamente nessa questão, à medida que a ciência avança mais rapidamente que as determinações legais e éticas de nossa cultura quanto à tecnologia reprodutiva. Posso apenas apresentar algumas questões aqui, visto que elas estão fora do escopo deste livro. Elas não estão, todavia, fora do escopo da Bíblia, como logo examinaremos.

O Relógio Biológico

Para a maioria das jovens, o maior — e mais sutil — impacto da ideologia feminista se apresenta na fertilidade postergada. As mulheres jovens são preparadas para carreiras profissionais, mas não para a maternidade. Elas acreditam que é possível às mulheres "terem isso tudo". Aquelas de nós que tentaram sabem, no entanto, que isso não é verdade. *Pode* ser possível ter tudo, mas *não* ao mesmo tempo. Mesmo com a tecnologia reprodutiva, há limites para a vida natural dos óvulos de uma mulher. As escolhas que as mulheres fazem quando jovens podem afetar sua habilidade de ter filhos mais tarde.

É isso que a escritora Sylvia Ann Hewlett inadvertidamente descobriu quando decidiu, em 1998, fazer um estudo sobre a "geração da conquista" — mulheres que quebraram barreiras profissionais e tiveram sucesso em ocupações tradicionalmente masculinas. Enquanto fazia suas entrevistas, Hewlett descobriu que nenhuma das entrevistadas tinha filhos, e nenhuma tinha realmente *escolhido* não ter filhos. Isso era apenas um resultado da dedicação delas à carreira.

Essa descoberta mudou o tema de seu projeto de livro; em 2002, ela publicou *Creating a Life: Professional Women and the Quest for Children [Criando uma Vida: Profissionais Mulheres e a Busca por Filhos]*. O livro tratou da "escolha não desejada" de não ter filhos. Uma das mulheres de sucesso que Hewlett entrevistou ofereceu este conselho sábio: "Pergunte a si mesma do que você precisa para ser feliz quando tiver quarenta e cinco anos de idade. E faça a si mesma essa pergunta cedo o suficiente para que você tenha oportunidade de obter o que quer. Aprenda a ser tão estratégica com sua vida pessoal quanto você o é com sua carreira".[42]

No feminismo "moderado" que é vendido todos os dias nas revistas para mulheres, poucos escrevem sobre a pequena janela de fertilidade ótima na vida das mulheres. De acordo com a *American Society of Reproductive Medicine* (*ASRM*), "o pico de eficiência no sistema reprodutivo feminino ocorre nos primeiros anos após completar a idade de vinte anos, com um declínio contínuo daí em diante".[43] E essa é exatamente a fase em que a maioria das jovens está alegremente despreocupada com casamento

42 Sylvia Ann Hewlett, Creating a Life: Professional Women and the Quest for Children (New York: Talk Miramax Books, 2001), 9.

43 Lukas, Politically Incorrect Guide to Women, Sex, and Feminism, 114.

ou maternidade.

Como resultado, em 2001, a *ASRM* lançou uma campanha publicitária para promover a conscientização sobre os fatos que afetam a fertilidade das mulheres. As propagandas focaram em quatro riscos: o fumo, as doenças sexualmente transmissíveis, o sobrepeso e a idade, todos esses afetam a habilidade das mulheres de conceber. Mas apenas um fator de risco — a idade — ofendeu o grupo feminista *National Organization for Women* (*NOW*). Apesar das reclamações sobre a pressão e a culpa geradas por essas propagandas, um porta-voz da *ASRM* explicou "que a organização queria divulgar essas propagandas porque os médicos estão cansados de ter mulheres nas faixas de trinta e quarenta anos chocadas, frustradas e de coração partido ao descobrirem que seus sonhos de ter filhos não poderiam ser realizados".[44]

Quão predominante é a ausência de filhos? De acordo com informações do *U. S. Census Bureau* a partir de uma pesquisa de 2002, há 26,7 milhões de mulheres entre as idades de quinze e quarenta e quatro anos que não têm filhos. "Isso são 44 por certo de todas as mulheres naquela faixa etária — um número recorde, e 10 por cento mais que em 1990".[45] Algumas escolheram não ter filhos, se é que os registros da mídia são corretos, mas muito mais mulheres

44 Ibid., 108-109.

45 Publicação da Associated Press, "Rising Number of Childless Women", 24 out. 2003, http://www.cbsnews.com/stories/2003/10/24/national/main579973.shtml.

inadvertidamente perderam a oportunidade de ter filhos ao tentarem imitar o ciclo de vida dos homens. A fertilidade é uma oportunidade limitada para as mulheres, e ela deveria ser valorizada.

Há milhões de mulheres que não se identificam com as visões extremas do feminismo radical e gostariam de ter filhos — eventualmente. O que elas precisam saber é que se a maternidade é importante, ela é importante o suficiente para ser planejada.

Vista Toda a Armadura de Deus

Você pode ser uma mãe e estar na fase mais difícil da criação dos filhos agora. Talvez você tenha levado muitas semanas para ler este capítulo, graças às constantes interrupções das crianças pequenas. Sua vida diária pode consistir em dezenas de tarefas repetitivas que parecem tão ordinárias e irrelevantes. Você beija machucados, faz o jantar, lava a louça, responde ao dever de casa, leva as crianças para o treino de futebol, lê boas historinhas de dormir, lava roupas, faz o jantar de novo. Tarefas diárias sem *glamour* e desimportantes no fim das contas, você pensa.

Isso absolutamente não é verdade! *Você está engajada em uma luta espiritual*, batalhando contra crenças e filosofias que difamam o nome de Deus e mancham seus dons para nós. Você está se levantando contra aqueles que creem em mentiras abomináveis, como "a coisa mais misericordiosa que uma família numerosa pode fazer a um de seus membros infantes é matá-lo". Ao gerar e nutrir a vida, você está refletindo as características mantenedoras da vida de nosso santo Deus! Feita à imagem dele, você o está refletindo quando cuida das vidas que ele criou.

Penso que é fácil para as mães perderem de vista o que realmente importa quando são consumidas pelo "ordinário" da vida diária. Espero que este capítulo tenha ajudado você a ver quão incansáveis os ataques contra a geração e a criação de filhos podem ser. Espero que ele tenha ajudado você a ter uma visão de longo prazo do que você está fazendo para treinar a próxima geração a ser adoradora de Deus. Nenhuma de nós pode fazer com que isso aconteça — essa é a obra regeneradora do Espírito Santo em cada um de nós —, mas somos chamadas a plantar e regar as sementes do evangelho e esperar com esperança que Deus dê o crescimento.

Isso se aplica àquelas de nós que não têm filhos também. Se você ainda não é casada, ou é casada mas ainda não está grávida, ou é solteira, ou viúva e além da idade de ter filhos — qualquer fase da vida em que esteja, você ainda faz parte da grande comunidade de crentes, que são chamadas a testemunharem a majestade de Deus: "Uma geração louvará a outra geração as tuas obras e anunciará os teus poderosos feitos" (Sl 145.4). Pode ser bastante amargo neste momento não ter seus próprios filhos, mas eu peço que considere quão estratégica você pode ser mesmo agora. Onde você pode se opor aos esquemas do diabo e investir nas crianças que Deus já colocou em sua vida? Existem tantas crianças feridas e ainda muitas outras sendo descartadas. Na guerra das mães, cada mulher crente deve se alistar.

No início deste capítulo, referenciei o tema da batalha espiritual de Efésios 6.12. Observemos aquele versículo no contexto da passagem inteira.

> Quanto ao mais, sede fortalecidos no Senhor e na força do seu poder. Revesti-vos de toda a armadura de Deus, para poderdes ficar firmes contra as ciladas do diabo; porque a nossa luta não é contra o sangue e a carne, e sim contra os principados e potestades, contra os dominadores deste mundo tenebroso, contra as forças espirituais do mal, nas regiões celestes. (Ef 6.10-12)

Isso merece ser repetido: nossos verdadeiros inimigos não são os homens e mulheres mencionados neste capítulo, nem aqueles que defendem o pensamento deles hoje. Eles se opõem a Deus e ao seu povo — isso é verdade. Eles estão avançando os esquemas do diabo — *isso* é verdade. Precisamos tomar uma posição, mas precisamos atentar para como Deus nos diz para fazermos isso. Somos chamados para sermos fortes *no Senhor*, não em nós mesmos.

> Portanto, tomai toda a armadura de Deus, para que possais resistir no dia mau e, depois de terdes vencido tudo, permanecer inabaláveis. Estai, pois, firmes, cingindo-vos com a verdade e vestindo-vos da couraça da justiça. Calçai os pés com a preparação do evangelho da paz; embraçando sempre o escudo da fé, com o qual podereis apagar todos os dardos inflamados do Maligno. Tomai também o capacete da salvação e a espada do Espírito, que é a palavra de Deus; com toda oração e súplica, orando em todo tempo no Espírito e para isto vigiando com toda perseverança e súplica por todos os santos. (Ef 6.13-18)

Duas vezes nessa passagem é nos dito para vestir a armadura protetora de Deus. A armadura de Deus não é o esforço autoprotetor que fazemos para preservar nossa reputação, nosso orgulho e nossa carne. Nossa armadura começa com o conhecer de sua verdade e o viver com ela presa em nós. Ela protege o nosso coração, a fonte da vida, com a justiça que vem da obra concluída de Cristo na cruz. Ela é o viver preparado para compartilhar o evangelho da paz — em palavras e obras — em todos os momentos.

Mais importante, ela significa erguer aquele escudo da fé — as confissões de nossa boca e os pensamentos de nosso coração — contra os dardos inflamados do Pai da mentira. Ela significa ir à batalha equipado com um conhecimento correto das Escrituras. E ela significa oração *constante*. Essas não são tarefas superficiais e rápidas. Elas requerem investimento intencional nas disciplinas espirituais a fim de estarmos armados eficazmente, prontos para a batalha.

A Estima Bíblica

A história da ideologia feminista é manifestamente antimãe, antifilho e antiJesus. O que é menos claro é o quanto cada uma de nós tem sido afetada, ou mesmo infectada, por esse propósito. É bom conhecer, por exemplo, a visão de mundo por trás dos instrumentos que hoje tomamos como certos, tais como a contracepção. Quais desses instrumentos podem ser recebidos com gratidão e usados com ações de graças é uma questão para a liberdade e a sabedoria cristãs, temperadas com fé para com Deus. Mas nós devemos suspeitar o quanto temos sido influenciadas por nossa cultura. Por exemplo, os filhos são uma bênção e um dom, como a Bíblia diz, ou uma inconveniência ou mesmo uma intromissão não desejada? A Bíblia diz que é Deus quem abre a madre, então estamos dispostas a receber um filho a qualquer tempo como um dom de sua mão?

A Bíblia claramente estima as crianças; mesmo Jesus deu a elas uma atenção especial. Ele as curou, ele as recebeu, ele encorajou seus discípulos a imitarem a confiança e a fé das crianças. Como Andreas Köstenberger escreve em *God, Marriage, and Family [Deus, Casamento e Família]*:

Jesus não lidou com as crianças meramente no nível daquilo que elas deveriam fazer ou pensar, mas no nível de quem elas eram aos olhos de Deus. Estudar como Jesus entendia as crianças pode nos ajudar a saber como devemos vê-las e como devemos nos relacionar com as nossas e outras crianças. O ministério terreno de Jesus foi cruzado por crianças em várias ocasiões. Como mencionado, Jesus mais de uma vez *restaurou crianças aos seus pais através de cura miraculosa*. Em um exemplo, Jesus colocou uma criança no meio dos discípulos como um exemplo da natureza do discipulado, afirmando: "Trazendo uma criança, colocou-a no meio deles e, tomando-a nos braços, disse-lhes: Qualquer que receber uma criança, tal como esta, em meu nome, a mim me recebe; e qualquer que a mim me receber, não recebe a mim, mas ao que me enviou" (Mc 9.36-37 e paralelos). Isso deve ter sido surpreendente para a audiência de Jesus, visto que em seu tempo teria sido incomum para os adultos pensarem que poderiam aprender qualquer coisa de uma criança.

O pronunciamento do clímax: "Em verdade vos digo: Quem não receber o reino de Deus como uma criança de maneira nenhuma entrará nele" (Mc 10.15) une os exemplos registrados anteriormente da receptividade de Jesus para com as crianças com uma característica importante do

> reino, uma humilde desconsideração pelo suposto *status* de alguém [...]. Para Jesus, não há melhor forma de ilustrar a graça gratuita, imerecida de Deus senão apontando para uma criança.[46]

A Bíblia é também claramente "pró-vida" no sentido de valorizar e proteger a vida. Quando uma criança é usada pelas culturas antigas para promover sua idolatria egoísta, Deus vociferou contra isso. Ele detestou a prática dos amoritas de sacrificar os filhos no fogo para agradar o falso deus Moloque (2Rs 23.10), dizendo: "Edificaram os altos de Baal, que estão no vale do filho de Hinom, para queimarem a seus filhos e a suas filhas a Moloque, o que nunca lhes ordenei, nem me passou pela mente fizessem tal abominação [...]" (Jr 32.35).

As Escrituras apresentam essa posição "pró-vida" como evidência de temer a Deus mais do que a autoridades e poderes humanos. Quando os hebreus estavam no Egito, eles se tornaram tão numerosos que o faraó se preocupou com a possibilidade de se tornarem muito poderosos e lutarem contra os egípcios, então ele ordenou a matança dos bebês homens hebreus, em uma tentativa vã de controlá-los.

> O rei do Egito ordenou às parteiras hebreias, das quais uma se chamava Sifrá, e outra, Puá, dizendo: Quando servirdes de parteira às he-

46 Köstenberger, God, Marriage, and Family, 112-113.

> breias, examinai: se for filho, matai-o; mas, se for filha, que viva. As parteiras, porém, temeram a Deus e não fizeram como lhes ordenara o rei do Egito; antes, deixaram viver os meninos. Então, o rei do Egito chamou as parteiras e lhes disse: Por que fizestes isso e deixastes viver os meninos? Responderam as parteiras a Faraó: É que as mulheres hebreias não são como as egípcias; são vigorosas e, antes que lhes chegue a parteira, já deram à luz os seus filhos. E Deus fez bem às parteiras; *e o povo aumentou e se tornou muito forte. E, porque as parteiras temeram a Deus, ele lhes constituiu família.* (Êx 1.15-21, ênfase da autora)

Essas mulheres não obedeceram a uma das autoridades mais poderosas na terra porque elas honravam a Deus mais do que a opinião ou o poder humanos. Elas não mataram crianças inocentes, e, como resultado, o Senhor lhes deu seus próprios filhos para cuidarem e nutrirem. Elas estavam dispostas a enfrentar o ataque do mal contra a próxima geração.

Nos dias em que você experimentar o que Ann Crittenden experimentou — que como mãe você "se despiu de *status* como uma cobra na troca de pele" —, lembre-se de que seu papel como mãe é importante para Deus. O mandamento de honrar seu pai *e sua mãe* é preservado nos Dez Mandamentos (Dt 5.16) e é o único a vir com uma promessa de bênção. E Provérbios celebra o ensinamento e a sabedoria tanto de um pai como de uma mãe.

Por fim, eu faço um apelo àquelas cujos filhos são crescidos e independentes. Nossa cultura diz que vocês têm um "ninho vazio". Eu prefiro muito mais o termo que uma amiga criou: "ninhos abertos". Seu ninho está agora aberto para ministrar para uma variedade de pessoas. Você também tem um lugar estratégico na guerra contra as mães e os filhos. Sua tarefa vem de Tito 2.3-5: "Quanto às mulheres idosas, semelhantemente, que sejam sérias em seu proceder, não caluniadoras, não escravizadas a muito vinho; sejam mestras do bem, *a fim de instruírem as jovens recém-casadas a amarem ao marido e a seus filhos*, a serem sensatas, honestas, boas donas de casa, bondosas, sujeitas ao marido, *para que a palavra de Deus não seja difamada*" (ênfase acrescida).

O feminismo busca ultrajar o nome e a Palavra de Deus. Ele tem plantado muita discórdia e falso ensinamento, e as mulheres jovens hoje estão colhendo o fruto ruim. De fato, muitas estão colhendo como sonâmbulas. Elas não estão sequer cientes do que estão fazendo ou pensando — ele parece apenas ser natural. Elas precisam da perspectiva de vida das mulheres mais velhas — elas precisam dos seus testemunhos da fidelidade de Deus, os vários relatos de louvor dos anos que você tem andado com Deus. As mulheres mais novas precisam de sua instrução tanto em aspectos práticos quanto espirituais da maternidade. De fato, a necessidade é tão grande que o mercado está intervindo para atendê-la, cheirando a oportunidade de lucro. Quando as mentoras de Tito 2 não estão disponíveis, as mães não têm escolha senão voltarem-se para consultoras comerciais, gastando US$ 250 por um encontro inicial com uma especialista em desfralde e US$ 175 para cada visita adicional, ou US$ 250 a US$ 500 por consulta com uma especialista em sono[47]. O seu conselho é obviamente valoroso para questões práticas. Quanto mais em termos de questões espirituais para mães e filhos?

A "guerra das mães" é real. E ela é mais importante e custa mais que a maioria de nós jamais pode contemplar. Que nós não sejamos desencorajadas ou diminuídas pela opinião de nossa cultura para que possamos manter nossos olhos no alto chamado da maternidade encontrado na Bíblia.

---

47 "Beyond Bottles and Diapers", Washington Post, 8 mar. 2008.

Graça Materna

Amo colecionar histórias da fidelidade do Senhor. Penso que todas nós precisamos ouvir vários relatos de como Deus respondeu às orações, mas tenho uma queda em meu coração por mulheres que estão fazendo o investimento de longo prazo em outro ser humano. Cobrimos muito material sério no capítulo da guerra das mães. Para oferecer uma perspectiva encorajadora, aqui estão as histórias de várias mulheres que tiveram encontros profundos com Deus na concepção, na gestação, na criação e na adoção de crianças. Essa é a coleção mais longa de histórias pessoais neste livro, porque espero que cada uma de vocês encontre algum elemento de esperança ou ajuda no meio desses relatos. Conheço todas essas mulheres e seus filhos — eles são troféus da graça de Deus.

Grávida Novamente

Elke está esperando seu segundo filho. Enquanto conta sobre seu passado, ela inconscientemente toca sua barriga, acariciando o bebê de trinta e duas semanas dentro dela.

“Vou ter um menino”, ela diz com um sorriso brilhante. “Ele está chutando bastante hoje.”

Ela faz uma pausa, e seu sorriso começa a

desaparecer. "Eu não me senti assim com minha primeira gravidez."

Elke cresceu na Bélgica e veio para os Estados Unidos quase dez anos atrás. Ela veio para um emprego de curta duração, esperando ficar menos de um ano. Mas em poucos meses, ela tinha um novo namorado... E nenhum desejo de ir embora. Quando ele foi morar com ela, ela começou a vomitar. Para a surpresa deles, Elke estava grávida — e passando por dificuldades nesse início. Apesar do vômito constante, ela estava animada com a gravidez e desejosa de manter a criança. Mas suas grandes esperanças para o futuro não duraram muito. Enjoada e exausta, ela não respondeu bem quando seu namorado perdeu mais um emprego. Então ela o expulsou de sua casa.

Talvez tenha sido aquele "brilho de grávida" que levou Elke a rapidamente começar a namorar de novo. Seu novo namorado era um policial em processo de divórcio. Ele já tinha um filho e havia deixado claro que não queria mais crianças no futuro próximo. Inicialmente, Elke não contou sobre sua gravidez, temendo perdê-lo. Mas, finalmente, o curso da natureza a forçou a relevar.

"Levou um tempo para eu dizer ao meu segundo namorado que estava grávida", ela relembra. "Então quando eu contei, ele ficou chocado. Eu não queria perdê-lo por causa desse bebê, então eu disse a ele que estava me perguntando se deveria mantê-lo. Ele me encorajou a abortar — dizendo coisas como 'Bem, você é nova e precisa de sua liberdade'."

Estava óbvio para Elke que seu namorado não aceitaria sua criança. Além disso, o pai do bebê era negro, e seu novo namorado era branco. "Eu pensava, não tem como ele ser feliz com esse bebê porque será óbvio que o bebê não é dele", Elke conta. "Minha mente estava definitivamente focada em ser o mais feliz possível. Enxerguei minha estrada para a felicidade e isso estava no meio do caminho. Era preciso mudar para que eu continuasse feliz. Mesmo entregando o bebê para a adoção — isso nunca foi uma opção. Isso envolveria muito constrangimento pessoal e muitas perguntas. Era trabalhoso demais para mim. O aborto era o conserto rápido e fácil".

Então Elke buscou o conselho de uma mulher no trabalho, a qual falava abertamente de seus três abortos.

A primeira coisa que Elke ficou sabendo foi que ela já tinha passado do tempo para um aborto no seu estado. Ela teria que ir para uma cidade no estado vizinho para abortar, porque ela estava no segundo trimestre. Por causa do estágio avançado, o aborto também seria mais caro — cerca de 3 mil dólares. Então ela ligou para sua mãe para pedir o dinheiro emprestado, mentindo sobre haver algo de errado com o bebê e que então precisaria abortar.

"Acho que a coisa mais difícil para mim quanto ao aborto — além do fato de ter tido um — é como ele aconteceu. Isso me persegue às vezes", diz ela chorando com a lembrança. "Foi um processo de dois dias. Tive que chegar um dia antes para que eles pudessem inserir algo em meu colo de útero para dilatá-lo. Então tive um dia para pensar sobre o caso, mas minha cabeça estava feita. Não pensei em mudar de ideia depois que recebi a recomendação. Também não me recordo de alguém jamais me perguntar sobre as alternativas. Eles me deram alguns tipos de pílulas de antemão, e o médico tinha me falado que eu sentiria alguma dor. Não fiz muitas perguntas. Eu não queria saber.

Tive contrações antes de entrar para o procedimento. Durante o procedimento, deram-me alguma medicação intravenosa. Lá dentro era muito luminoso, e a enfermeira me manteve ocupada fazendo perguntas sobre minhas férias favoritas ou memórias positivas. Ela estava tentando me distrair do que estava acontecendo e tentando criar uma memória positiva. Havia sacudidelas e movimentos constantes. Havia algumas vezes em que o médico pegava um instrumento, e o introduzia, e fazia algo — o que significava cortar um membro ou quebrar alguma parte, porque não caberia na mangueira de sucção. Mas eu sabia que o crânio não seria tão pequeno quanto aquela mangueira — eles teriam de partir o crânio antes de tirar o bebê. É tão macabro; é simplesmente horrível. E é *muito* doloroso. Olhando para trás, é um trabalho de açougueiro. Mas eu queria que ele o fizesse. Então não posso culpar o médico.

Depois, senti muitas dores abdominais e sangrei muito. Eles me disseram para chamar alguém para ficar comigo ao longo da noite, porque eu poderia ter febre. Tive mais alguns dias de repouso e tomei antibióticos por cinco dias. Você chega até pensar que será algo simples, como o exame papanicolau. Leva muito mais tempo do que você imagina, e não há emoção presente por parte de nenhum dos envolvidos. Então, é comum ter um abatimento emocional posteriormente. Eu me lancei no trabalho para que não tivesse tempo de pensar. Não queria pensar se era uma pessoa real ou apenas um ovo. Eu tinha essa sensação crescente de que tinha feito algo errado, mas não queria pensar sobre isso. Acho que você pode ter uma experiência real das consequências do seu pecado, mesmo sem saber nada sobre pecado — porque isso foi o que aconteceu comigo."

Envergonhada de seu aborto, Elke disse às pessoas que simplesmente tinha "perdido" o bebê. O namorado dela lhe trouxe comida e cuidou dela nos dois primeiros dias, mas logo se distanciou. Muitos crimes estavam acontecendo, e sua unidade policial era chamada frequentemente. Mas depois que aquilo se resolveu, ele se tornou menos e menos acessível. Eles, por fim, se separaram.

Nessa mesma época, um homem cristão no trabalho começou a aproximar-se de Elke e de outra colega do trabalho. Ele começou um estudo bíblico e as convidou para participar. Então, depois de algumas semanas, ele se ofereceu para levá-las à igreja. Elke e sua amiga começaram a frequentar e acabaram se juntando a um pequeno grupo focado em evangelismo. Semana após semana, ela ouvia a verdade sobre Jesus, o pecado, o inferno, a salvação, a igreja e muito mais numa atmosfera relacional. Ao fim desse curso, Elke se arrependeu de seus pecados e colocou sua confiança na obra salvadora de Jesus Cristo na cruz.

Como nova cristã, ela estava ansiosa para aprender sobre Jesus e a Bíblia. Em seus estudos, ela se convenceu de que seu aborto foi pecaminoso porque ele violou o mandamento de Deus de não matar. Ela também viu que Deus era o Criador da vida e Aquele que provê para todas as suas criaturas. Mesmo tendo se arrependido de seu pecado e de seu egoísmo diante de Deus, ela ainda sofreu com o sentimento de condenação e culpa. "No início, em meu grupo pequeno, lembro-me de realmente me sentir condenada. Eu continuava dizendo

'Mas eu matei alguém!'. Senti como se não pudesse estar debaixo da mesma graça que os outros. Então o líder do meu grupo olhou para mim e disse: 'Sabe, nós *todos* matamos alguém'. E naquele momento, eu finalmente entendi: foi o nosso pecado, o de todos nós, que enviou Jesus para a cruz — o meu pecado... E o de todo mundo. E ainda assim esse foi o caminho para eu ser perdoada".

Seis anos depois, ela se casou com um homem que conheceu na igreja e engravidou de seu primeiro filho mais ou menos um ano depois. Ela estava admirada de que Deus pudesse ser tão bom com ela depois de tudo o que havia feito.

"Quando fiquei grávida, uma de minhas amigas perdeu o bebê", Elke diz. "Pensei que era eu quem merecia aquilo — não ela. Ela não tinha feito um aborto. Meu esposo teve de me ajudar a entender que sou agora uma nova criatura em Cristo. Não sou a mesma pessoa que fez o aborto. Fui perdoada daquele pecado. Mas pelos quatro primeiros meses da gravidez, em cada fase, continuei pensando sobre como eu já tinha vivido tudo aquilo antes."

Elke faz uma pausa, ainda massageando a barriga. "Eu posso sentir seu bumbum bem aqui".

Ela olha para cima, com lágrimas transbordando nos olhos. "A vida é realmente um milagre".

Uma Criança Especial

Cheryl esperou um longo tempo para se casar e ter filhos. Ela já tinha passado dos quarenta anos quando ficou grávida pela primeira vez. Seu primeiro filho foi um menino, Josh. Ela ficou grávida de seu segundo filho, Billy, quase imediatamente. Seu terceiro filho não foi planejado.

"Tínhamos acabado de nos mudar para esta casa", Cheryl recorda, sentada numa tarde no quintal. "Eu tinha quarenta e três anos de idade e dois filhos abaixo dos dois anos. Quando fiz o teste de gravidez, tinha certeza de que seria negativo. Uma das crianças estava chorando, então deixei o teste de lado e me esqueci dele por cerca de trinta minutos enquanto trocava fraldas. Fiquei chocada quando voltei e vi que tinha dado positivo."

As gestações anteriores de Cheryl foram difíceis — repletas de enjoo matinal e outras provações. Ela fez cesárea em ambos os partos, com isso estava preocupada com o impacto de uma terceira gravidez sobre seu corpo. Mas ela relembra que a terceira foi a mais fácil de todas.

"Tudo estava indo muito bem até que fiz uma ultrassonografia rotineira aos cinco meses. Quando entrei no carro, eu pensei que o Senhor estava dizendo para mim: 'Hoje você vai descobrir que esta criança tem síndrome de Down'. Eu estava sozinha; meu esposo não pôde ir. Então estava meio que preparada quando a ultrassonografia acabou levando um longo tempo. A técnica disse que era uma menina, o que foi uma coisa que me deixou feliz, porque meu esposo realmente queria uma menina. Mas então ela não conversou mais, apenas analisando de um lado para o outro da barriga. Depois, ela foi chamar o médico, dizendo que era rotineiro. Quando o doutor entrou, ele, também, ficou um longo tempo examinando. Ele continuou olhando para as mãos da bebê. Então ele me disse que ela tinha três indicadores de síndrome de Down."

A expectativa de alguns seria que, com essa notícia, Cheryl abortaria. Mas isso não era uma opção que ela e seu esposo, Paul, levariam em consideração. Eles prosseguiram com a amniocentese e outros testes pré-natal, para que pudessem se preparar corretamente para a chegada do bebê.

"Eu queria que todos soubessem sobre tudo o que pudessem sobre ela antes que ela nascesse, para que fosse tranquilo na sala de parto e para que todos aqueles que fossem necessários na equipe médica estivessem presentes. Descobrimos que o coração dela estava bem, seu trato gastrointestinal estava bem, ela tinha dois braços e duas pernas, etc.", ela relembra. "Naquela época, estávamos numa igreja pequena onde cinco ou seis famílias — algo totalmente aleatório — tinham filhos deficientes. Todas elas responderam do mesmo jeito: 'Haverá desafios, mas Deus ajudará você. Não é algo tão difícil assim'. Eles queriam dizer que a minha vida não iria acabar, meu casamento não iria acabar, que eu encontraria muitas bênçãos em lugares inesperados e que Deus estaria comigo. As únicas pessoas que ficaram tristes ou preocupadas foram aquelas que não tinham filhos deficientes — o que me revelou muita coisa.

"Paul, para o seu próprio mérito, não titubeou quando ouviu a notícia. Ele tinha uma confiança tal na soberania de Deus que simplesmente recebeu a notícia com determinação e disse: 'Certo, vamos ver o que Deus tem para nós'. Para ele, era tudo sobre Deus, mas no meu caso, infelizmente, era tudo sobre mim. Quando descobri, pensei em coisas como *O que as outras pessoas pensarão de mim? Como vou parecer? E se eu ficar velha e tiver uma filha com síndrome de Down me seguindo para todos os lados, segurando a minha mão? O que as pessoas vão dizer?* E então alguém realmente me disse: 'Eu não ligaria de ter um filho com síndrome de Down, mas eu não o levaria para o restaurante. As pessoas ficariam olhando.' Então, o que eu poderia fazer com aquela opinião?".

Cheryl ri à vontade com aquela lembrança e pausa para fechar o zíper de sua jaqueta enquanto o frio do outono aparece.

Enquanto eu lidava com esses pensamentos —

com ainda várias semanas antes do parto —, peguei uma estrada certo dia e senti o Senhor dizer para mim: 'Se eu enviasse para você um gênio, então ele seria alguém especial, não é?'. Percebi que minha maior preocupação era sobre como as pessoas me veriam. Para ser honesta, quando tive meus dois primeiros filhos, houve vezes em que pensei: 'Consegui. Tenho um esposo maravilhoso. Consegui reproduzir. Entrei para o clube!'. Então Deus estava usando esta criança para expor e abalar minhas preocupações com a minha autoglorificação".

Quando Lori nasceu, a equipe do hospital se esforçou para que Cheryl se sentisse como uma rainha, dando até mesmo um quarto privado para ela. Todas as enfermeiras designadas para ela tinham parentes deficientes também. Uma enfermeira era cristã e tinha uma filha com uma síndrome que afeta sua aparência física, embora ela não tivesse problemas mentais. Aquela menina tinha treze anos na época e, como toda adolescente, preocupava-se com sua aparência. Ela perguntava por que Deus a havia feito daquele jeito.

"Essa enfermeira simplesmente disse para a sua filha, a Bíblia diz que você é 'formada de modo assombrosamente maravilhoso' e isso é o que sabemos sobre essa situação. Isso me fez pensar, *Bem, essa passagem não oferece quaisquer exceções*", Cheryl diz. "Sempre tentei ver Lori dessa forma e precisei de muita graça para isso.

Não conseguimos nos imaginar sem a Lori — ela é parte de nós."

Lori tem agora sete anos, uma menina alegre que ama seus irmãos e gosta de brincar com eles sempre que pode. Ela tem muita satisfação em ter visitas para o jantar e ama colocar a mesa. Ela gosta muito de pintar as unhas. É uma grande fã de sapatos femininos e é bem criteriosa com suas roupas. Ela aprendeu a fazer ligações telefônicas e ansiosamente pede que seus amigos venham para sua casa brincar.

"Lori está nos ensinando a aproveitar o hoje e a sermos gratos pelo que estiver acontecendo no momento. Ela está disposta a trabalhar duro para aprender a escrever e a ler. Os meninos reclamam por ter de fazer leituras ou contas matemáticas, mas ela se esforça muito porque quer fazer bem as coisas", Cheryl diz. "Ela é um grande exemplo para nós."

Lori está atualmente numa turma para aprender a falar corretamente, com algumas crianças um pouco mais velhas que ela. Quando ela começou, os estudantes maiores a provocavam e tiravam sarro dela. A professora avisou Cheryl sobre isso, então no caminho de volta para casa, ela perguntou a Lori o que tinha acontecido. "Sua resposta foi: 'Eu os amei'. O que ela quis dizer foi: 'Eles foram maus comigo, mas eu tentei amá-los'. Eu fui tão abençoada com aquilo. Ela não disse coisa alguma negativa sobre eles. Embora ela não seja sempre capaz de articular alguns pensamentos ou compreender certas ideias, ela entende o que meu esposo quer dizer quando ele diz para as crianças: 'Vocês têm que amar as pessoas mesmo se elas não puderem amar vocês em troca.'

Há uma frase que li em algum lugar — mas não sei quem a disse. A ideia é que o evangelho é tão transcendente que as mentes mais brilhantes do mundo poderiam passar a vida inteira o estudando e ainda assim elas nunca o compreenderiam totalmente. O evangelho pode ser um grande problema intelectual para algumas pessoas realmente inteligentes, mas Lori o entende, ela realmente entende. Ela entende que é pecadora e que Jesus morreu pelos seus pecados, e que ele é uma ajuda sempre presente nos momentos de dificuldade, e que ela pode fazer todas as coisas por meio de Cristo que a fortalece.

E, de verdade, precisamos saber de mais o quê?" Cheryl diz, rindo.

"É Exatamente o Que Eu Queria"

Assim como Cheryl, o terceiro filho de Irene também foi uma surpresa. Seus outros filhos já tinham oito e sete anos quando Irene descobriu que estava grávida novamente. Ela tinha apenas trinta e seis anos à época, então não estava preocupada com riscos de defeitos congênitos. Por isso ela esperava que sua segunda ultrassonografia fosse apenas rotineira.

Mas o médico bruscamente lhe anunciou: "Vi muitas coisas na ultrassonografia que me preocupam. Seu bebê tem rins grandes e longos ossos do fêmur, os quais podem ser indicadores de síndrome de Down ou outros problemas com seus cromossomos. Se essa criança sobreviver durante a gravidez, penso que ela morrerá logo depois em seus braços. Recomendo que você busque aconselhamento genético e pense sobre a possibilidade de colocar um fim a essa gravidez."

Irene permaneceu olhando em choque, despreparada tanto para esse anúncio insensível da notícia quanto para suas sérias implicações. Então ela começou a chorar, emitindo um profundo e gutural lamento de aflição. Seu médico foi indiferente, até mesmo impaciente. Ele a guiou para fora de seu consultório e rapidamente fechou a porta.

Cega pelas lágrimas, Irene mal conseguiu dirigir com segurança para casa. Ela telefonou para seu esposo, que estava no trabalho, e apenas conseguia soluçar alto no telefone. Quando Richard percebeu o que ela estava tentando dizer, ele correu para casa para confortá-la e ajudá-la a reaver a calma antes que as crianças voltassem da escola.

Nas semanas subsequentes, Irene suportou vários testes. Os resultados foram sempre expressados em termos de "uma alta porcentagem", ou "muito provavelmente", ou "uma forte possibilidade". Mas ninguém poderia dar qualquer garantia de que esses testes estavam infalivelmente corretos. Mesmo assim, o aborto foi mencionado numerosas vezes. "Isso não vai acontecer", Richard dizia toda vez.

O dia em que Irene entrou em trabalho de parto, muitas correntes de oração aconteceram. Num dia quente de primavera, ela deu à luz Dean, um menino animado, de olhos azuis brilhantes, cabelos loiros, um senso de humor arteiro... E um rim um pouco maior que o normal. E isso é tudo, a soma total de seus problemas.

De fato, pode até acontecer de Dean superar seu irmão e sua irmã, que já estão matriculados no programa de talentos da escola. Aos três anos, seu vocabulário rotineiramente inclui palavras de três sílabas; ele pode soletrar seu nome completo e contar até dez; e consegue subir até o computador, clicar no ícone do navegador e então no ícone do seu jogo, clicar para pular as propagandas e brincar com o jogo desenvolvido para crianças com mais de o dobro de sua idade.

"Obviamente, ele é o prazer de nossa família", Irene diz. "Ele é bastante comunicativo e gosta de nos contar o quanto ele ama cada um de nós. Apreciamos muito as lembranças do último Natal por causa dele. A cada presente que ele abria — não importava o que fosse —, ele anunciava o item e então acrescentava bem alto: 'É exatamente o que eu queria!'. E quando penso nisso, lembro-me daqueles que supunham que nós não iríamos *querê-lo*. Os médicos estavam tão certos de seus diagnósticos, que eles presumiam que era melhor matá-lo. Às vezes, tenho vontade de levá-lo ao consultório do primeiro médico e mostrar àquele homem quão bonito e saudável Dean é — e quão errado ele estava ao me dar tais diagnósticos horríveis."

Adotado, Não Abortado

Marty se casou depois dos trinta anos e não tentou engravidar logo. Quando ela e seu esposo, Mike, decidiram que era hora de ter filhos, eles tentaram por seis meses. Visto que o tempo não estava a favor deles, imediatamente começaram a ir a um médico especializado em infertilidade. De fato, eles visitaram muitos especialistas por três anos. Por fim, o médico perguntou à Marty: "Você quer ficar grávida ou quer ter um filho?". E ele lhe recomendou a adoção.

Eles tentaram mais uma vez. "Estávamos decididos que, se não funcionasse, iríamos adotar", ela disse.

Eles estavam a caminho de suas férias na praia

quando o médico telefonou e disse que ela não estava grávida. "Eu chorei muito durante aquelas férias", ela diz. "Eu acreditava que Deus poderia me fazer ficar grávida — li na Bíblia que Deus abriria a madre. Então cheguei à conclusão de que Deus tinha fechado minha madre porque havia crianças que ele queria que eu adotasse."

Mike e Marty adotaram seu primeiro menino, Lucas, da Romênia; a filha deles, Sandy, foi uma adoção nacional; Anton veio três anos mais tarde da Rússia; e Saveta chegou logo depois, também da Rússia. Alguns de seus filhos vieram de circunstâncias difíceis.

Mike e Marty tiveram a guarda de Sandy por três anos antes de conseguir adotá-la. A mãe dela era moradora de rua e lutava com deficiências mentais. Ela vivia em Lafayette Park, no lado contrário à Casa Branca, antes de desaparecer e nunca mais ser encontrada.

A mãe biológica de Lucas estava em seu quinto mês de gravidez, prestes a realizar um aborto. Mas numa noite, ela teve um sonho, no qual lhe foi dito: "Não aborte o menino". Ela não sabia o sexo de sua criança, mas o sonho a preocupou o suficiente para que ela imediatamente cancelasse o aborto e decidisse entregá-lo para adoção.

Isso foi significativo para Marty. "Desde quando era solteira, eu ia para a Marcha pela Vida que acontecia anualmente em Washington D. C. Eu era apaixonada pelas questões pró-vida naquele tempo, mas fiquei ainda mais apaixonada quando enfrentei a infertilidade".

Lucas tinha dois anos de idade em 1992, quando Marty o levou para sua primeira Marcha pela Vida. "Enquanto caminhávamos, deparei-me com um grande grupo de feministas pró-aborto", Marty relembra. "Elas estavam irritadas e antagonizavam a marcha. Então fui até elas — segurando Lucas — e disse: 'Eu o adotei. Olhem para ele. Ele poderia ter sido abortado'. Eu pensei que elas fossem se sensibilizar com esse menininho lindo, mas isso não as afetou nem um pouco. Elas gritaram palavrões de volta. Fiquei horrorizada com a reação delas".

Lucas e seus irmãos têm comparecido a todas as Marchas pela Vida desde então, carregando cartazes dizendo: "Fui adotado, não abortado". Eles são frequentemente aplaudidos. Algumas vezes são zombados. Numa marcha recente, seu irmão, Anton, foi confrontado por um grupo que se autoproclamava ateu e gritava contra Marty por ela ter trazido seus filhos, acusando-a de forçá-los a vir e a carregar esses cartazes. Anton imediatamente foi até eles e os corrigiu, dizendo que ele queria vir: "Eu acredito nisso. Minha vida foi poupada! Eu definitivamente quero estar aqui".

Então ele testemunhou para eles, compartilhando as boas-novas da vida, da morte e ressurreição de Jesus.

"Penso que para os meus filhos é bastante significativo estar nessa marcha", Marty diz. "Eles viram fotos de bebês que foram abortados. Eles estão bem cientes do quanto foram poupados. Cada um de meus filhos adotados poderiam ter sido abortados. Mas todas as suas mães biológicas escolheram a vida e me deram a chance de adotá-los. Deus tem um propósito para eles. Eu sou grata. Sempre digo para os meus filhos: 'Suas mães eram pobres e não tinham dinheiro para cuidar de vocês. Elas poderiam ter abortado vocês, mas elas não o fizeram. Vocês podem agradecer a elas por terem enfrentado o parto e terem dado vocês à luz.' Deus diz que precisamos defender a vida. A Bíblia diz que devemos lutar por aqueles que não podem lutar — e é isso o que estamos fazendo."

Um Coração Inclinado à Adoção

Roseanne cresceu numa numerosa família ítalo-americana, então quando ela e suas irmãs eram crianças, elas frequentemente brincavam de ser mães. Sua irmã mais nova colocava um travesseiro debaixo de sua camiseta e fingia estar grávida. Roseanne sempre fingiu que estava adotando.

Roseanne conheceu e se casou com Anthony aos vinte e poucos anos de idade, e logo se tornou mãe de quatro meninos. Eles tinham planejado adotar desde o início. Mas depois de dar à luz seu quarto filho, Roseanne contraiu uma doença séria que a colocou de cama pelo resto do ano. Então toda a conversa sobre adoção foi suspensa.

Quando seu filho mais novo tinha quatro anos, a família deixou Nova Iorque e se mudou para uma cidade menor por causa do trabalho de Anthony. Quando ela se recuperou, Roseanne continuou a ter um forte desejo de adotar, mas seu esposo queria esperar até que os meninos fossem mais velhos e ela tivesse mais forças. Roseanne ficou tentada a manipular seu esposo, mas a graça de Deus a ajudou a ser paciente e a confiar no Senhor. Então ela orou... E esperou.

Providencialmente, Anthony trabalhava ao lado de uma agência de adoção. Dois anos depois de se mudarem, ele disse que era hora de começar a papelada.

"Eu estava tão animada. Nós dois queríamos adotar uma filha — as pessoas brincavam que nós 'compramos' uma filha —, mas a adoção já estava em nossos corações antes de termos qualquer dos meninos. E, de fato, eles estavam todos orando por uma irmã também", Roseanne recorda. "Quando orávamos, sempre imaginávamos uma menina mestiça, e foi isso o que Deus providenciou".

Emilia se juntou à família dois anos depois de iniciado o processo de adoção. A sua mãe biológica era branca e seu pai biológico, um afro-americano; Emilia puxou à mãe, a qual tinha pedido especificamente por pais cristãos para a menina.

"Recebemos Emilia quando ela tinha apenas cinco semanas de vida, e levou cerca de um ano para adoção ser completada — mas valeu a pena esperar por ela", Roseanne diz. "Emilia e eu nos conectamos imediatamente, uma bênção que considero imensa. Ela sempre foi minha filha, desde o começo."

Seu primeiro nome era Elizabeth, mas esse também era o nome da avó de Roseanne, uma mulher que frequentemente expressava seu preconceito racial. Roseanne sabia que seria melhor para todo mundo mudar o nome de sua filha.

"Quando minha avó ouviu pela primeira vez sobre a adoção, disse-me para comprar uma boneca. Ela pensava que isso, de alguma forma, satisfaria esse meu desejo de ter uma filha", Roseanne diz, sorrindo. "Meus próprios pais tentaram me proteger do profundo preconceito dela — o qual, aliás, era um preconceito contra muitos outros grupos étnicos, não apenas afro-americanos. Minha mãe me disse que essa adoção foi, de início, uma dificuldade para a minha avó, mas eu vi essa dificuldade. De fato, um dia minha avó segurou Emilia, e eu a vi beijá-la na testa. Eu estava surpresa. Minha avó não gostava nem de tocar em pessoas de raças diferentes, mas ali estava ela beijando minha menininha. Deus usou minha filha para quebrar o preconceito de noventa anos de minha avó, e acredito que ela morreu uma pessoa melhor por causa disso."

Por mais que Anthony e Roseanne tivessem orado e esperado por uma criança mestiça, eles ainda enfrentaram vários aprendizados inesperados.

"Eu lembro que com meus outros filhos, eu os banhava diariamente e lavava seus cabelos. Como uma mãe desinformada, fazia o mesmo com Emilia. Um dia, uma bondosa mulher afro-americana veio até mim e me perguntou o que eu estava fazendo com o cabelo de Emilia. Quando eu contei a ela, ela ficou horrorizada. Ela disse: 'Você não pode lavar o cabelo crespo com tanta frequência, senão ele vai ficar seco demais e vai quebrar'. Mas eu não sabia!" ela diz, rindo dessa lembrança.

Emilia é agora pré-adolescente, mas ainda recebe olhares curiosos e perguntas desconfortáveis às vezes. "Ela se pergunta por que atrai tanta atenção. Quando saímos de férias e viajamos para o Sul, as pessoas apontam e olham para nós nos restaurantes. Ou quando vamos ao médico, nos perguntam sobre nosso parentesco. À medida que ela fica mais velha, isso a incomoda mais, o que leva a boas discussões. Tivemos que explicar para Emilia que, embora tenhamos aparências diferentes, nós somos a família que Deus uniu."

Roseanne também aprecia a franqueza de outros adultos, especialmente seus amigos afro-americanos, que inicialmente estavam preocupados que a família conformasse Emilia à cultura dos brancos e não a expusesse à sua ascendência negra. "Eu gostei da honestidade deles", Roseanne diz. "Nós realmente queremos nos certificar de que ela tenha amigos de muitas etnias, especialmente aqueles com quem ela tenha o elo comum da aparência semelhante. Queremos expô-la a muitos tipos de pessoas."

Ao longo dos anos, Roseanne tem enfatizado para sua filha que a adoção é parte do plano de Deus. "Através de Jesus, nós fomos declarados justos à vista de Deus e somos adotados em sua família. É um privilégio ser chamado filho de Deus! Então tentamos fazer Emilia compreender que a adoção é algo muito precioso para Deus", ela diz. "A adoção é parte da mensagem do evangelho — e o evangelho é a coisa que une todos nós."

Dor e Graça

Pense em alguém passando por impressões confusas. Elizabeth tinha cinco anos quando seu pai foi embora. Os pais dela se divorciaram pouco tempo depois.

Ela não se lembra muito do divórcio, mas tem memórias claras da sua infância dividida depois disso.

"Minha mãe teve que trabalhar depois do divórcio. Nós não nos divertíamos muito em casa. Eu me lembro de muito estresse", Elizabeth diz. "Mas meu pai era uma pessoa divertida, embora na metade das vezes ele não aparecesse como prometido, nem pagasse a pensão. Minha irmã e eu suportávamos a decepção porque nós o amávamos. Suas ações não se alinhavam com suas promessas, mas nós continuamos tratando-o bem."

Quando Elizabeth e sua irmã mais nova passavam tempo com seu pai, elas recebiam uma forte mensagem do que era de fato importante para ele.

"Meu pai tinha uma namorada diferente cada vez que ficávamos com ele, e eles obviamente estavam se relacionando intimamente", ela recorda. "Ele se preocupava bastante em manter a forma e ter uma boa aparência. Tudo que importava era o sexo, basicamente, e a sua aparência. Não havia qualquer influência moral sobre ele. Com ele, aprendi que uma mulher precisava ter um corpo perfeito e ser boa de cama para manter um homem. Eu não me lembro de pensar muito sobre o cuidado com o lar ou aprender a cozinhar como forma de agradar um homem."

Elizabeth tinha doze anos de idade quando sua mãe se casou novamente. Seu novo padrasto era o exato oposto do pai dela. Ele era militar e aplicava a disciplina e a ordem regimentais à sua casa. Sua mãe e seu padrasto eram ambos cristãos comprometidos, mas Elizabeth se rebelou contra eles e sua fé, e se tornou quase que incontrolável — até o ponto de fugir de casa.

Quando ela estava no primeiro ano do ensino médio, ela conheceu Tony. Ele tinha deixado os estudos e estava trabalhando. Eles se conheceram através de um amigo em comum, e Elizabeth ficou imediatamente deslumbrada. "Ele era o cara rebelde, de aparência durona — muito parecido com meu pai", ela diz, "mas completamente não confiável, dado à mentira. Ele me traía muito e depois queria reatar — e eu geralmente o aceitava de volta. Eu pensava que o amava. Ele suplicava e chorava, e eu queria acreditar que o que ele dizia era verdade".

Quando tinha dezesseis anos, ela ficou grávida. Ela foi até uma clínica da *Planned Parenthood* para fazer um teste de gravidez, e eles imediatamente lhe apresentaram a opção do aborto. "Quando saí de lá, estava assustada. Eu sabia que Tony ficaria bravo por saber que eu estava grávida. Acho que estávamos em um dos nossos momentos de separação naquela época e por isso senti que tinha que lidar com a situação sozinha".

A primeira pessoa a quem ela contou foi a sua tia, que a encorajou a contar aos seus pais. Seu pai imediatamente recomendou um aborto. E Tony fez o mesmo quando ela finalmente contou a ele. Mas sua mãe e seu padrasto ajudaram Elizabeth a tomar sua própria decisão. Por fim, ela decidiu contra o aborto — para a surpresa e preocupação de seu pai. Ela decidiu entregar a criança para um casal cristão adotá-la. "Apesar de eu não estar vivendo a fé cristã, eu queria que essa criança tivesse pais cristãos", ela diz.

Então a mãe de Elizabeth telefonou para um advogado que ela conhecia e que lidava com adoções privadas. Enquanto aguardava ao telefone, uma mulher chamada Lisa estava conversando com esse advogado na outra linha. Ele estava dando as más notícias de que a criança que Lisa queria seria adotada por outra família — e que sua lista para futuras adoções tinha acabado.

"Esse advogado não tinha outras fontes. Mas Lisa respondeu: 'Deus é minha fonte'. E, claro, ele era, pois enquanto isso minha mãe estava na outra linha para perguntar sobre a possibilidade de adoção do meu bebê. Lisa estava totalmente certa em confiar em Deus", ela recorda.

"Eu era muito nova e estava muito assustada, mas eu prossegui com a adoção. Eu sabia que Tony ficaria indo e voltando em minha vida e que meu filho experimentaria o mesmo que eu vivenciei com meu pai. Claro, Tony sumiu até o fim da minha gravidez. Quando dei à luz Michael, ele apareceu bêbado e nem sequer ficou e segurou o bebê. Eu fiquei muito abalada, mas estava muito grata por ter minha mãe lá. Imediatamente depois, ele fez todo tipo de ameaça sobre contratar um advogado, mas como eu esperava, tudo não passou de ameaças vazias."

Elizabeth tinha criado uma afeição tão grande pelo bebê, que foi difícil entregá-lo. Apesar de ela saber que era a coisa certa a se fazer, mais tarde, alguns filmes ou eventos provocariam uma onda de emoções. "Mas eu diria que, no todo, eu tinha paz quanto a isso. Pareceu a coisa certa a se fazer. Sempre senti que ele estava sendo bem cuidado", ela diz.

Mas sua afeição por Tony era ainda mais forte, e eventualmente eles reataram. Os anos seguintes foram repletos de turbulência relacional — eles namoravam, terminavam e se reconciliavam outra vez. O próprio drama era viciante. Finalmente, o relacionamento se firmou. Eles estavam juntos há um ano quando noivaram. Elizabeth tinha vinte e um anos, mas não tinha qualquer pressa de se casar. Ela queria esperar cinco anos, mas Tony estava pressionando pelo casamento logo em seguida. Isso causou outra ruptura no relacionamento deles, mas Elizabeth já estava esperando que isso acontecesse de qualquer forma.

Não muito depois, um amigo lhe contou que Tony havia se casado. "Eu fiquei chocada. Digo, nós estávamos tendo um pouco de problemas, mas nós éramos *noivos*! A questão era que, quando tínhamos problemas, ele voltava para sua antiga namorada. E foi com ela que ele impulsivamente se casou escondido de mim."

Então veio um segundo teste de gravidez positivo.

"Eu simplesmente não podia fazer tudo de novo", Elizabeth conta com um suspiro pesado. "Especialmente com Tony agora casado com outra pessoa."

Em *Planned Parenthood* foi onde ela realizou seu aborto. Ela ainda estava no seu primeiro trimestre. "Foi horrível. Doeu muito, e eu estava assustada durante todo o procedimento. Foi muito diferente da primeira vez quando fiquei grávida, quando minha mãe estava comigo durante o parto e me deu bastante apoio. A coisa toda foi muito suja e vergonhosa."

Elizabeth estava decidida a quebrar esse ciclo e então se mudou para o outro lado do país, para longe de Tony. Depois de um tempo, ela foi morar com sua irmã, que tinha se divorciado de seu esposo. As duas tinham sido influenciadas pela fé da mãe, mas nenhuma professava qualquer crença quando jovens adultas. Então quando sua irmã, Alesia, começou a voltar para a igreja, Elizabeth viu uma profunda mudança nela.

"Foi uma completa virada em Alesia. Eu estava fascinada. Então comecei a ir para a igreja também. Eu tinha que ver o que estava acontecendo", ela diz. "Numa manhã, ouvi um sermão sobre o propósito de Deus para a salvação, e algo mudou em minha mente. Num momento, eu não acreditava; no outro — bum! — eu cria. Eu soube que todos os meus pecados, inclusive o aborto, foram cobertos pelo sangue de Cristo no momento em que me arrependi e coloquei minha confiança nele. Senti-me tão leve e livre, foi maravilhoso!"

Elizabeth tinha vinte e oito anos naquele tempo, ansiosa para deixar seu passado para trás e viver como nova criatura em Cristo. Ela também foi testemunha da restauração do casamento de sua irmã — um marco que Elizabeth entesourou porque ela sabia que Deus realmente poderia redimir escolhas pecaminosas. Pelo menos as escolhas pecaminosas de outras pessoas — ela secretamente nutria dúvidas de que um homem piedoso fosse querer se unir a *ela* por causa de seu passado.

Muitos anos se passaram, mas eventualmente um homem de Deus realmente apareceu. Eles estavam namorando por um ano quando Jack começou a conversar seriamente sobre casamento. Elizabeth sabia que precisava contar a ele sobre seu passado, mas ela não sabia como nem quando.

"Eu ouvi uma mensagem de que aqueles que haviam sido muito perdoados também amavam muito. Eu me sentia maravilhada com o perdão de Deus para comigo, e sabia que glorificaria a Deus se eu contasse a Jack. O risco era que ele terminasse nosso relacionamento. Isso estava pesando em meu coração numa manhã na igreja, e Jack percebeu que eu estava diferente. Estávamos a caminho de nos encontrar com alguém para almoçar quando ele perguntou se eu queria cancelar. Comecei a chorar, e ele imediatamente estacionou o carro. Eu não sabia como ele lidaria com isso e não o culparia se ele não conseguisse", ela diz, chorando com a lembrança.

"Ele foi muito gentil, muito gracioso. Ele orou por mim, realmente ministrando sobre mim. Eu apenas gemia. Vinha do profundo da minha alma. Eu estava chorando alto, mas isso não o incomodou; ele apenas foi gentil e muito carinhoso. Ele me trouxe de volta à cruz e ao perdão que recebi lá. Ele me lembrou de que lá era onde todos nós estávamos — igualmente pecadores diante de um Deus santo."

Jack relembra que ele sentiu que algo grande aconteceria naquela conversa, mas não sabia o que seria. No entanto, ele sentiu uma imediata determinação de apoiar Elizabeth não importasse o que ela lhe dissesse.

"Algumas coisas na vida você tem a oportunidade de reverter, consertar ou corrigir, mas outras coisas não, mas o perdão de Deus está sobre tudo isso", ele diz. "Eu me lembro de nós dois lamentando pela criança abortada e regozijando pela que ainda estava viva. Foi uma experiência muito forte, definitivamente. Havia dor, mas também havia graça."

Menos de seis meses depois, Jack e Elizabeth estavam casados. Sendo obedientes a Deus, sua lua de mel foi a primeira vez em que eles se relacionaram intimamente. A experiência toda foi bela e redentora para Elizabeth.

"É maravilhoso ser perdoada. Eu ainda me impressiono com a bondade de Deus em tudo isso — incluindo nosso casamento. Não sei se Deus nos concederá nossos próprios filhos, mas nós teremos a chance de adotar. Estou aberta para essa possibilidade há anos.

Que final maravilhoso isso seria para esse testemunho."

Capítulo 7:

O ENGANO DA CULTURA DA VULGARIDADE

Se você tem menos de trinta anos de idade, talvez esteja experimentando um cenário de mudança imperceptível. O que está acontecendo em nossa cultura hoje pode parecer normal para você. Mas não é! As coisas mudaram tão rapidamente apenas durante a minha vida que é difícil compreender. Meu coração se parte por aquilo que algumas de vocês enfrentam como resultado do impacto da terceira onda do feminismo na sexualidade feminina. A atual cultura da vulgaridade é um completo engano para as mulheres. Esse capítulo trata do surgimento do que é conhecido como feminismo "sexo-radical" ou "sexo-positivo", e então examina a celebração do real positivismo do sexo tal como encontrado na Bíblia. Se você é sensível a esses temas, eu providenciei um resumo no início deste capítulo, para que você não tenha de ler maiores detalhes, embora eu tenha me empenhado para ser a mais discreta possível. E, obviamente, esse não é um capítulo adequado para a leitura de meninas.

Era o escândalo político mais recente: um governador conhecido pelo combate ao crime é surpreendido levando uma prostituta de luxo para outro estado. A imprensa explora todas as notícias depreciativas e indispensáveis. A esposa do político é forçada a miseravelmente aparecer ao lado de seu esposo enquanto ele admite o que estava fazendo ao ser surpreendido. Após alguns dias de tensão, ele renuncia. À medida que a indústria pornográfica faz a oferta de um milhão de dólares por aparição na mídia para a agora chamada garota de má fama, a notícia parece já ter esfriado na imprensa.

Fecham-se as cortinas; espere pelo próximo escândalo.

Isto é, até que um membro de equipe de um daqueles distribuidores de pornografia perceba que ele poderia ter economizado o dinheiro de seu patrão — pois o produtor de *Girls Gone Wild [Meninas Selvagens]* já tinha imagens íntimas dessa garota quando ela era uma adolescente de dezoito anos de férias no estado da Flórida. Ela perde sua oferta de um milhão de dólares; ele compara a descoberta do arquivo com o "encontrar um bilhete de loteria nas almofadas de seu sofá".[1]

E milhões de pessoas que nunca tinham visto ou ouvido falar de *Girls Gone Wild* são de repente informadas de um dos principais exemplos da "cultura da vulgaridade feminina" que surgiu na terceira onda do feminismo.

Eu somente tinha ouvido falar do programa alguns anos antes, quando uma crítica intitulada *Female Chauvinist Pig: Women and Raunch Culture* [Porco Chauvinista Feminino: Mulheres e a Cultura da Vulgaridade], de Ariel Levy, foi publicada em 2005. Eu estava intrigada porque não tinha encontrado ninguém de *dentro* do movimento feminista se levantando para dizer que as mulheres estavam fazendo escolhas horríveis em nome da liberação sexual. Então eu li a prévia do livro na Amazon, em que o capítulo destacado falava sobre a experiência da autora com o time de câmeras de *Girls Gone Wild*. Assombrada pela descrição do programa, fechei meu navegador de internet. Eu não compraria o livro de forma alguma. Teria de obter minhas informações sobre o pensamento de Levy a partir de resumos em revistas e outras fontes secundárias.

Esse também é o desafio deste capítulo. Vivemos numa cultura de sexualidade feminina hiperagressiva, a qual é possivelmente a pior de todas já registradas na história. Aqueles que promovem essa visão frequentemente pu-

1 Matéria da Associated Press, "'Girls Gone Wild' Founder Joe Francis: Spitzer Call Girl in Video Archives; $1 Million Offer Pulled", 19 mar. 2008, http://www.foxnews.com/story/0,2933,339075,00.html.

blicam livros e artigos de revista com títulos e referências vulgares, afirmando que eles estão "reivindicando" essas palavras em nome do feminismo. Percebo que não posso ir à fonte original para minha pesquisa porque também não quero encher minha mente e meus olhos com essas ideias e descrições. Já me expus a isso uma vez antes — enquanto universitária feminista — e não quero cometer esse erro de novo. Sendo já familiarizada com o assunto, por assim dizer, pensava que não ficaria chocada.

Eu estava errada.

Então tentarei ser tão discreta quanto possível neste capítulo (o que é um desafio!), mas se você quiser ler um resumo deste trabalho, aqui está: Deus criou o sexo. O sexo é muito bom dentro do plano dele. Fora do plano de Deus, ele inevitavelmente causa problemas. Estamos vivendo as consequências disso todos os dias. Jovens mulheres que são assaltadas com a ideologia "sexo-positivo" da terceira onda do feminismo estão exaustas, desconfiadas, infectadas e frequentemente com baixa estima quanto a essas "liberdades". Elas estão prontas para ouvir sobre o plano de Deus para a sexualidade delas. Como cristãs, não devemos nos abster de tratar com elas esse assunto e de ousadamente demonstrar e proclamar o evangelho. Precisamos ser capazes de discutir a sexualidade de maneira franca, porém redentora. Precisamos ser claras quanto a *não* sermos antissexo; ao invés disso, somos a favor da paixão, da confiança e do prazer do sexo matrimonial tal qual descrito em toda sua celebração incandescente em Cantares de Salomão. A perspectiva judaico-cristã celebra a sexualidade feminina; portanto, temos toda a razão para alçar a voz quando a sexualidade feminina for distorcida e abusada em nossa cultura.

Então se você está se perguntando por que motivo meninas vestem camisetas de "*estrela pornô*", por que os *paparazzis* oferecem cobertura ininterrupta dos últimos escândalos sexuais das celebridades que tiveram suas vidas devastadas, por que a academia local oferece "*pole dance*" e por que é quase impossível encontrar roupas atraentes e ainda assim modestas para você mesma e para suas filhas — você está experimentando os efeitos, em grande parte, do feminismo da terceira onda. Teorias do "sexo-positivo" ou "sexo-radical" são uma grande parte do feminismo de terceira onda. As feministas desta fase fizeram uma reviravolta, abolindo a oposição, da segunda onda, à pornografia e ao trabalho do sexo, afirmando que as profissionais do sexo ou pornografia podem ser "empoderadas". As feministas da terceira onda também abraçaram um conceito fluido de gênero e rejeitaram qualquer definição universal de feminilidade.

Portanto, neste capítulo, nós traçaremos brevemente o surgimento da cultura da vulgaridade, as mensagens conflitantes sobre beleza e imodéstia, e a graça maravilhosa que Jesus assegurou para os nossos próprios pecados sexuais — e os pecados de outros contra nós.

Girls Gone Wild

Vários anos atrás, a escritora Ariel Levy — que nasceu em 1974 em meio ao feminismo da segunda onda e cresceu sob sua lógica — começou a notar "algo estranho". Em todo lugar aonde ia, parecia que a pornografia tinha se tornado normal, infestando a mídia convencional televisiva, as revistas, a moda e o entretenimento. A "vulgaridade" tinha se tornado sinônimo de "liberdade" — uma tendência que Levy achou muito confusa:

> Algumas coisas estranhas estavam acontecendo em minha vida social também. Pessoas que eu conhecia (mulheres) gostavam de ir a clubes de *strip-tease* (com *strippers* mulheres). Era sensual e divertido, elas explicavam; era libertador e rebelde. Minha melhor amiga de faculdade, que costumava ir às marchas *Take Back the Night* no *campus* (marchas feministas contra violência sexual), tinha sido cativada pelas estrelas pornográficas. Apenas trinta anos atrás (o que mal é a minha idade), nossas mães estavam queimando sutiãs e fazendo manifestações contra a *Playboy* e, de repente, estamos aqui colocando implantes e vestindo o logotipo do coelhinho como símbolo de nossa libertação. Como pode a cultura ter mudado tão drasticamente em um período tão curto de tempo?[2]

---

2 Ariel Levy, "Ariel Levy on 'Raunch Culture'", The Independent UK, 4 dez. 2005, http://www.independent.co.uk/news/uk/this-britain/ariel-levy-on-raunchculture-517878.html.

Então Levy decidiu pesquisar essa tendência, o que incluiu passar três dias com o time de filmagem de *Girls Gone Wild*. Em poucas palavras, os câmeras da *GGW* visitavam festas como o *Mardi Gras*[3] ou destinos de férias, onde eles encorajavam jovens bêbadas a se exporem e a participarem de cenas sexuais. As mulheres que participavam e os homens que as incentivavam recebiam camisetas do *GGW* ou bonés. Isso é tudo o que recebiam — enquanto o fundador de *GGW*, Joe Francis, ganhava milhões com essa filmagem. Em um artigo, Levy cita Mia Leist, vinte e cinco anos de idade, diretora de viagens de *GGW*, dizendo: "as pessoas se exibem[4] por causa da marca".[5]

Embora homens heterossexuais sejam a audiência óbvia de *GGW*, Levy diz que já não faz mais sentido culpar apenas os homens. As mulheres não estão apenas diante das câmeras, elas também estão por trás das cenas, tomando decisões e ganhando dinheiro:

> A revista *Playboy* é um exemplo disso. A imagem da *Playboy* tem tudo a ver com seu fundador, o septuagenário, vestido de pijamas e sedutor de mulheres Hugh Hefner, e o surreal mundo das celebridades, múltiplas "namoradas" e incessantes festas do biquíni que ele promove ao seu

3 N. da T.: festa popular estadunidense, em que é comum mulheres ganharem colares para exibir os seios e outras partes íntimas.

4 N. da T.: no original em inglês, o verbo é "to flash", que é usado informalmente significando "exibir partes íntimas do corpo".

5 Ariel Levy, "Dispatches from Girls Gone Wild", Slate.com, 22 mar. 2004, http://www.slate.com/id/2097485/entry/2097496/.

> redor. Mas, na verdade, a *Playboy* é uma companhia dirigida principalmente por mulheres. A filha de Hefner, Christie, é a presidente e a chefe administradora executiva da *Playboy Enterprises*. A diretora financeira é uma mãe de meia-idade chamada Linda Harvard. A Fundação *Playboy* (que apoiou a *ERA*, o direito ao aborto e outras causas progressistas) é liderada por Cleo Wilson, uma afro-americana, ex-ativista pelos direitos civis. Uma mulher chamada Marilyn Grabowski produz mais da metade das fotos publicadas na revista [...]. O que essas mulheres estão fazendo a nós mesmas não é uma espécie de triunfo; é deprimente.[6]

Após passar três dias com o time de *GGW*, Levy estava mais confusa do que nunca. "Meu argumento é que as mulheres se esqueceram de que o poder sexual é apenas uma versão muito limitada de poder, e que essa espécie de férias e esse exibicionismo "fio-dental e implantes" são apenas uma versão muito limitada da sexualidade", ela escreve.

A propaganda desse tipo de sexualidade feminina começa bem cedo. Wendy Shalit, autora de *Girls Gone Mild: Young Women Reclaim Self-Respect and Find It's Not Bad to Be Good [Garotas Discretas: Jovens reivindicam respeito próprio e descobrem que não é ruim ser boa]*, diz que mesmo meninas de seis anos são afetadas pela sexualidade intencional das bonecas *Bratz*, das roupas íntimas muito decotadas

6 Levy, "Ariel Levy on 'Raunch Culture'", The Independent UK.

da *Hello Kitty* e da vestimenta insinuante do departamento infantil feminino. Como ela escreve, esse tipo de sexualização precoce de meninas é assustador mesmo para os seus defensores:

> Por todo o espectro político, muitos têm expressado consternação com o fato de que o legendário astro pornô Ron Jeremy tinha sido rodeado por famílias na Disneylândia que queriam tirar fotos com ele, ou que garotas de treze anos tenham dito à estrela pornô Jenna Jameson, num evento de autógrafos de livros, que elas a viam como um "ícone". Conta-se que ambos Jeremy e Jameson ficaram chocados em saber que tinham fãs tão jovens.
>
> Mas se não queremos que esse tipo de coisa aconteça, então parece que precisamos de novos modelos. E precisamos logo. Para que as meninas tenham boas opções e esperança genuína, a "garota selvagem" ou "garota má" não podem ser suas únicas opções de empoderamento.[7]

Infelizmente, muitas jovens sentem que não têm outra opção em seus relacionamentos. Donna Freitas, professora na Universidade de Boston e autora de *Sex and the Soul: Juggling Sexuality, Spirituality, Romance and Religion on America's College Campuses* [Sexo e Alma: Equilibrando Se-

7 Wendy Shalit, Girls Gone Mild (New York: Random House, 2007), xxiv-xxv.

xualidade, Espiritualidade, Romance e Religião nos Campus Universitários da América], diz que muitas de suas estudantes estão infelizes com seu próprio comportamento no que se refere ao namoro, romance e sexo. Na sua pesquisa nacional em uma faculdade de mais de dois mil e quinhentos alunos, Freitas descobriu que 41 por cento daquelas que relataram estar "ficando" (uma gama de atividades sexuais íntimas não vinculadas a qualquer tipo de relacionamento com compromisso) estavam "profundamente infelizes com seu comportamento". Os 22 por cento das participantes que escolheram descrever uma experiência de "ficar" (a questão era opcional) usaram palavras como "suja", "usada", "arrependida", "vazia", "miserável", "enojada", "envergonhada", "enganada" e "abusada" em suas respostas. Um adicional de 23 por cento expressou ambivalência sobre o "ficar", e os 36 por cento restantes estavam mais ou menos "bem" com isso, ela relata.[8]

Em sua matéria, "Espiritualidade e Sexualidade na Cultura Jovem Estadunidense", Freitas indicou o livro de Wendy Shalit, *A Return to Modesty [Um retorno à Modéstia]*, realmente esperando que suas estudantes o rejeitassem. Ao invés disso, ela relatou que elas estão "fascinadas" com a descrição de Shalit de modéstia como uma virtude, especialmente no contexto da fé religiosa.

---

8 Donna Freitas, "Sex Education", Wall Street Journal, 4 abr. 2008, W11, http://online.wsj.com/article/SB120728447818789307.html?mod=taste_primary_hs.

> A turma ficou igualmente atraída por alguns manuais evangélicos sobre namoro, como "Eu Disse Adeus ao Namoro", de Joshua Harris, e "*Real Sex*" [Sexo Real], de Lauren Winner, que pedi que lessem. Elas pareciam chocadas com o fato de que em algum lugar nos Estados Unidos havia comunidades inteiras de pessoas de sua idade que realmente estavam "se guardando" até o casamento, que se engajavam em namoros fora de moda, com flores, e jantar, e talvez um beijo de boa-noite. Elas reagiram como se esses autores descrevessem uma maravilhosa terra encantada. "É mais fácil apenas fazer sexo com alguém do que pedir para sair num encontro de verdade", disse uma estudante, num tom de brincadeira.[9]

Essa atitude descompromissada para com o sexo vem com um preço alto. Em março de 2008, os *Centros de Controle de Doenças* publicaram um estudo que chocou muitas pessoas: uma estimativa de uma em cada quatro (26 por cento) jovens mulheres entre a idade de catorze e dezenove anos nos Estados Unidos — ou 3,2 milhões de garotas adolescentes — está infectada com pelo menos uma das doenças sexualmente transmissíveis mais comuns (vírus do papiloma humano [HPV], clamídia, vírus do herpes simples e tricomoníase). O estudo descobriu também que meninas afro-americanas são mais seriamente afetadas. Quase

9 Ibid.

metade das jovens afro-americanas (48 por cento) foram contaminadas com uma doença sexualmente transmissível, comparado aos 20 por cento das jovens brancas.[10]

A geração do "ficar" não apenas tem sua saúde sexual e sua fertilidade futura sob risco, como também estão apostando num artigo passageiro: a atratividade sexual tal como definida pela indústria pornográfica. As líderes do feminismo da terceira onda estão agora em seus trinta, quase quarenta anos de idade, e essas jovens devem logo apreciar o conselho da geração a frente delas:

> Numa conferência na primavera de 2008 na *University of Baltimore School of Law*, acadêmicos, ativistas e estudantes de todo o país se reuniram para conversar sobre feminismo e mudança na sociedade. Houve alguma discussão sobre o que distingue as seguidoras da segunda onda daquelas da terceira. Quando uma jovem formanda em estudos femininos perguntou qual era o problema em se valer de sua sexualidade para ganhar poder sobre os homens, uma de suas "veteranas" a lembrou de que tal poder era, na melhor das hipóteses, temporário, e que a educação e um bom emprego poderiam oferecer um poder mais duradouro.[11]

---

10 Nota à imprensa divulgada pelos CDC na 2008 National STD Prevention Conference, 11 mar. 2008, http://www.cdc.gov/STDConference/2008/media/release-11march2008.htm.

11 Jane C. Murphy, "The Third Wave", Baltimore Sun, 24 mar. 2008, http://www.baltimoresun.com/news/opinion/oped/bal-op.women24mar24,0,500379.story.

A Era do Sexo nos EUA

Observando o meio social de jovens adultos, um colunista do *St. Louis Mirror* chamou esta época de "a era do sexo nos EUA".

Lendo isso, você suporia que o colunista estava se referindo a hoje? Aos anos 1990? Aos 1970? Que tal 1950? Ou a Era do *Jazz* de 1920?

Você acreditaria que era ao ano de 1914?[12]

Muitas das mesmas tendências que caracterizaram os anos finais do século XX também estavam presentes em seus primeiros anos. O casamento estava em declínio, e o divórcio aumentava. Entre 1880 e 1913, a taxa de casamentos nos Estados Unidos atingiu seu ponto mais baixo na história do país até então. O divórcio também era crescente. Em 1870, havia 1,5 divórcios para cada mil casamentos. Por volta de 1910, a taxa de divórcio subiu para 5,5 divórcios para cada mil casamentos — a maioria iniciados por mulheres.[13] A sexualidade feminina era um tema quente no meio acadêmico e na mídia.

Por esse período, a séria "Nova Mulher" do período sufragista estava sendo substituída pela antecessora da jovem petulante da Era do *Jazz*. O sexólogo britânico Havelock Ellis já tinha publicado mais de uma dúzia de livros sobre sexualidade, incluindo seis volumes de *Studies on the*

---

12 Betsy Israel, Bachelor Girl (New York: William Morrow, 2002), 120.

13 Ibid., 116.

Psychology of Sex [Estudos sobre a Psicologia do Sexo]. O volume 3 tratava do impulso sexual nas mulheres, no qual Ellis repreendeu o século XIX por atribuir assexualidade às mulheres. "Em tempos antigos, os homens culpavam as mulheres pela concupiscência ou as louvavam pela castidade, mas parece ter sido reservado ao século XIX declarar que as mulheres são congenitamente incapazes de experimentar completa satisfação sexual e são especialmente passíveis de anestesia sexual. Essa ideia parece ter sido quase desconhecida no século XVIII".[14]

Embora estejamos indubitavelmente felizes de estarmos livres da perspectiva do século XIX sobre a sexualidade feminina, Ellis e seus contemporâneos prepararam o terreno para muitos de nossos atuais conflitos de cultura.

Em sua franca autobiografia, Ellis documentou sua própria impotência prematura e seu casamento aberto com a feminista e lésbica Edith Lees Ellis. Sua autobiografia foi um de seus quase 30 livros publicados acerca da sexualidade. Ele também defendeu o movimento de eugenia e serviu como vice-presidente para a *Eugenics Education Society* [Sociedade Educacional sobre Eugenia]. Seu livro sobre eugenia, *The Task of Social Hygiene* [A Tarefa da Higiene Social], promovia a educação sexual nas escolas, dizendo que essa reforma — a qual ele chamava de higiene sexual — "pode muito bem transformar a vida e alterar o curso da civili-

---

14 Havelock Ellis, Studies on the Psychology of Sex, Vol. 3, originalmente publicado em 1913; ed. rev. 1926 arquivada no e-book do Project Gutenberg, http://www.gutenberg.org/files/13612/13612-h/13612-h.htm#3_THE_SEXUAL_IMPULSE_IN_WOMEN.

zação. Não se trata meramente de uma reforma na sala de aula, mas sim de uma reforma no lar, na igreja, nas cortes judiciais, no poder legislativo".[15]

Quão certo ele estava, infelizmente. Nesse livro, ele menciona Frau Maria Lischnewska, que promoveu a ideia de que a escola não é apenas a melhor forma de introduzir a higiene sexual, como também é a única forma para isso, "visto que somente através desse canal é possível empregar um antídoto às más influências do lar e do mundo".[16] Ellis precede os conflitos atuais sobre educação sexual em quase um século.

Foi durante os anos a caminho da Era do *Jazz* que Ellis e outra apoiadora da eugenia, a defensora do controle de natalidade, Margaret Sanger, tiveram um caso amoroso. De acordo com o artigo sobre *Margaret Sanger*, "Sanger se separou de seu esposo, William, em 1914, e alinhada com suas visões pessoais sobre a liberação sexual, ela começou uma série de casos amorosos com vários homens, incluindo Havelock Ellis e H. G. Wells".[17]

As visões de Ellis e Sanger — e proponentes similares — são parte da razão por que hoje temos *Girls Gone Wild* e faculdades oferecendo a matéria de "estudos pornográficos". De acordo com a escritora Nancy Pearcey:

---

15 Havelock Ellis, The Task of Social Hygiene (Boston: Houghton Mifflin, 1912), 257.

16 Ibid., 248.

17 Margaret Sanger Biographical Sketch, cortesia do Margaret Sanger Papers Project da New York University, como arquivado em http://www.nyu.edu/projects/sanger/secure/aboutms/index.html.

"a divisão entre direita e esquerda na política estadunidense costumava ser acerca de questões econômicas, tais como a distribuição de riqueza. Mas hoje a divisão tende a ser acerca de questões relativas ao sexo e à reprodução: direito de aborto, direitos para os homossexuais, divórcio sem causa, definição de família, experimentos com fetos, pesquisas com células-tronco, clonagem, educação sexual, pornografia".[18] Pearcy diz que a liberação sexual por si mesma se tornou nada menos que uma ideologia completamente desenvolvida:

> Sanger retratou o drama da história como uma luta para libertar nossos corpos e mentes das restrições da moralidade — o que ela chamou de a "cruel moralidade da autonegação e do pecado". Ela promoveu a liberação sexual como "o único método" para encontrar "paz interior, segurança e beleza". Ela até mesmo a ofereceu como a maneira de superar problemas sociais. "Remova as restrições e as proibições que hoje impedem a liberação das energias internas [seu eufemismo para energias sexuais], [e] a maioria dos grandes males da sociedade irá acabar".
>
> Por fim, Sanger ofereceu esta completa profecia messiânica: "Através do sexo, a humanidade alcançará a grande iluminação espiritual que transformará o mundo, e clareará o caminho para um paraíso terreno".[19]

18 Pearcey, Total Truth, 142-143.

19 Ibid., 143.

Sanger viveu para ver o início da "pornificação" dos Estados Unidos. Ela morreu em 1966, muitos anos depois de a *Playboy* começar com suas publicações (em 1953) e Gloria Steinem ter escrito sua famosa exposição sobre ser uma coelhinha da *Playboy* (em 1963). Esse recado aos homens era muitíssimo diferente daquele que foi distribuído apenas um século antes. Como Glenna Matthews escreve: "Deve ser dito que o contraste com a literatura dirigida aos homens nos anos [pré-Guerra Civil] não poderia ser maior. Naquele tempo, os leitores masculinos tinham sido advertidos de que o esforço moral seria exigido antes que eles pudessem ser dignos dos anjos com quem eles se casariam. O teor do conselho aos homens depois da Segunda Guerra Mundial era que eles tinham o direito de ser centrados em si mesmos e autoindulgentes"[20]. E a *Playboy* era a mensagem mais egoísta de todas.

A Pornografia Se Torna Convencional

Hugh Hefner lançou a *Playboy* a partir da cozinha de seu apartamento em Chicago, em 1953. Ele vendeu mais de cinquenta e três mil cópias por cinquenta centavos de dólar cada — o início de um empreendimento multimilionário. A *Playboy* alcançou o auge de sua circulação nos Estados Unidos no início dos anos 1970, pouco depois de ter passado pelo escrutínio da Comissão sobre Obscenidade e Porno-

20 Matthews, "Just a Housewife", 213.

grafia, a qual foi estabelecida pelo Presidente Johnson em 1968. A comissão publicou seu relatório em 1970, afirmando que não encontrou evidência de que a pornografia gerava crimes ou delinquência entre adultos e jovens. Embora defendesse leis proibindo a venda de materiais pornográficos para crianças, ela também recomendava eliminar todas as restrições legais ao uso de livros, revistas, fotos e filmes explicitamente sexuais por adultos em consentimento.

Ao mesmo tempo, um assassino em série chamado Ted Bundy começou uma orgia assassina horrível pelo país. De, pelo menos, 1974 a 1978, ele atacou sexualmente e matou dezenas de jovens mulheres em cinco estados, esquartejando e destruindo seus corpos de maneiras indizíveis. Alguns dizem que ele foi responsável por mais de cem de tais homicídios. Ele foi sentenciado em 1979 e passou dez anos no corredor da morte antes de ser executado em 1989. Ele foi um dos mais famosos bandidos do século XX — tão infame pela extensão e pela severidade de seus crimes quanto pelo seu conhecimento da lei e pela sua aparência de bom-moço.

Enquanto Bundy estava no corredor da morte, outra comissão nacional sobre pornografia foi formada em 1985 sob o Presidente Reagan. Liderado pelo Advogado-Geral Edwin Meese III, e informalmente conhecido como a Comissão Meese, esse grupo incluía vários líderes cristãos proeminentes, incluindo o fundador de *Foco sobre a Família*, James Dobson. Nos dezesseis anos entre essas duas comissões, a sociedade e a tecnologia tinham mudado. O aparelho de fitas cassete introduziu filmes pornográficos nas casas, mas a *internet* ainda não estava amplamente disponível. Mesmo assim, houve uma grande diferença no modo como a sociedade viu a pornografia desde a comissão de 1970 até a Comissão Meese:

> Por volta desse tempo, a sociedade havia mudado de várias formas. A pornografia havia se tornado ainda mais disponível; uma nova geração de estudos de ciências sociais sugeriu uma ligação entre a exposição à pornografia violenta ou degradante e a agressão masculina contra mulheres em laboratórios; e novos movimentos conservadores e feministas estavam unindo forças para atacar a pornografia. Ademais, o corpo de membros da nova comissão era decididamente mais conservador que aquele de 1970. Não surpreendentemente, a Comissão sobre Pornografia do Advogado-Geral, também conhecida como Comissão Meese, chegou a conclusões contundentemente diferentes que a de sua antecessora. Em seu relatório de 1986, a comissão concluiu que a pornografia violenta ou a pornografia degradante (pornografia mostrando "degradação, dominação ou humilhação" de mulheres) causavam violência e discriminação contra as mulheres e uma erosão da moralidade sexual.[21]

21 Donald A. Downs, contribuidor, "Pornography", Microsoft® Encarta® Online Encyclopedia 2007, http://encarta.msn.com.

Aqui está a reviravolta incomum: a linguagem nesse relatório de uma comissão "decididamente mais conservadora" carregava uma semelhança marcante com muitas das declarações de líderes feministas da época. O que me fascina pessoalmente é que claramente me lembro desse período. Eu tinha acabado de me formar na faculdade quando a Comissão Meese foi constituída. Nas minhas aulas de estudos femininos, fui ensinada sobre a posição feminista de que a pornografia degrada as mulheres. Esqueci-me de muitas coisas da faculdade, mas a palestra sobre pornografia ainda está clara em minha mente por causa da clareza daquele argumento.

A Guerra contra a Pornografia

O grupo *Mulheres Contra a Pornografia* se formou no fim dos anos 1970, a partir de várias organizações feministas, e era espontaneamente liderado pela escritora Susan Brownmiller, que escreveu *Against Our Will: Men, Women, and Rape* [Contra a Nossa Vontade: Homens, Mulheres e Estupro], e pela militante ativista Andrea Dworkin, entre outras.

Dworkin ganhou destaque na mídia em 1980 por colaborar com a jurista e feminista Catherine MacKinnon em favor de Linda Lovelace, estrela do filme pornográfico *Garganta Profunda*, cujos direitos civis elas estavam convencidas de que tinham sido violados. Dworkin fez frequente campanha sobre o tema, ajudando a elaborar uma lei em 1983 que definiu a pornografia como uma violação dos direitos civis contra as mulheres. A lei foi mais tarde anulada por um tribunal de apelação por ser considerada inconstitucional. Dworkin até mesmo testificou diante da Comissão Meese e de um subcomitê do Comitê Judiciário do Senado, tal como relatado em um artigo de 1979 na revista *Time*:

> Talvez a questão básica seja se a pornografia realmente incita os homens à violência contra as mulheres, ou se ela faz o oposto — permite-lhes canalizar suas fantasias sexuais agressivas de uma maneira que não gere danos. O relatório de 1970 da Comissão do Presidente sobre Obscenidade e Pornografia implicava que ela realmente servia como uma saída social útil. Mas, desde então, pelo menos um dos autores do estudo está mudando de ideia. Diz Marvin Wolfgang, sociólogo da *University of Pennsylvania*: "O peso da evidência [agora] sugere que o retrato da violência tende a encorajar o uso de agressão física entre pessoas que estão expostas a ela". Apoiada por tal fundamento, Brownmiller e outras feministas têm toda intenção de reforçar sua luta, esperando recrutar ainda mais convertidos à sua causa.[22]

O assassino em série Ted Bundy poderia ter sido seu símbolo principal. Nas horas finais de sua vida, antes

22 Autor não atribuído, "Women's War on Porn" Time, 27 ago. 1979, http://www.time.com/time/magazine/article/0,9171,920580-1,00.html.

da execução em 1989 na Flórida, Bundy deu uma controversa entrevista em vídeo ao membro da Comissão Meese, James Dobson. Nela, ele enfatizou, vez após vez, a influência da mídia violenta e da pornografia sobre o seu pensamento, e sobre o pensamento e os impulsos de outros homens que compartilhavam a prisão com ele. "Estou na prisão por um longo tempo agora e encontrei vários homens que foram motivados a cometer violência, assim como eu. E, sem exceção, cada um deles estava *profundamente* envolvido com a pornografia — sem dúvidas, sem exceção. Profundamente influenciados e consumidos por um vício em pornografia. Não há dúvidas quanto a isso. O próprio estudo do *FBI* sobre assassinatos em série mostra que o interesse mais comum entre os homicidas é a pornografia".[23] Bundy afirmou que queria fazer dessa advertência sobre a pornografia sua mensagem final, porque ele tinha visto a mídia predominante da pornografia e estava preocupado com as futuras gerações.

A oposição à pornografia foi a ligação entre dois grupos que tipicamente tinham pouco em comum: a direita cristã e as ativistas feministas. Por um breve período nos anos 1980, eles se viram assumindo a mesma posição. Não era uma aliança confortável para as feministas. Ela começou quando Dworkin e MacKinnon escreveram uma determinação legal sobre direitos civis, introduzida em Mineápolis em 1983, a qual permitiu que qualquer mulher desse início a

23 "Fatal Addiction: Ted Bundy's Final Interview", Focus on the Family Films, 1989.

um processo civil contra os produtores e distribuidores de pornografia. Esse projeto foi aprovado pelo conselho municipal de Mineápolis, mas foi vetado pelo prefeito.

No ano seguinte, esse projeto de lei foi levado ao conselho municipal de Indianápolis por um republicano conservador que tinha contratado MacKinnon como sua conselheira. Durante as audiências de Indianápolis, as feministas antipornografia foram apoiadas pelos grupos cristãos conservadores *Moral Majority* e *Eagle Forum*. Como um historiador notou, "O movimento antipornografia estava agora alinhado, embora não estivesse feliz, nem tivesse as mesmas razões que as forças conservadoras pró-família que tinham sido ativas em causas antifeministas desde meados dos anos 1970".[24] Nem todos que se identificavam como feministas apoiavam o ativismo antipornografia.

> O movimento logo se envolveu em problemas. Em 1983, os membros do *Mulheres Contra Pornografia* conseguiram impor o banimento da pornografia em Mineápolis, a qual eles esperavam que servisse de modelo nacional. De repente, o apoio delas caiu drasticamente. Para muitos, as defensoras começaram a se parecer com puritanas que estavam levando as coisas longe demais, e ativistas da liberdade de expressão se levantaram em brado.

24 Barbara Ryan, Feminism and the Women's Movement: Dynamics of Change in Social Movement Ideology and Activism (New York: Routledge, 1992), 115.

> Por fim, algumas jovens surgiram com notícias chocantes: elas gostavam de pornografia.[25]

A guerra contra a pornografia foi o último suspiro do feminismo da segunda onda. Na medida em que a mensagem da liberação sexual colidia com a mensagem da vítima, a contradição resultante levou a sérias lutas internas. Como Ariel Levy explica, a facção entre líderes feministas antipornografia "parecia que estava libertando as mulheres dos estereótipos sexuais degradantes e de uma cultura de dominação masculina e — consequentemente — abrindo espaço para um maior prazer sexual feminino. [Suas] oponentes criam que estavam lutando contra um novo tipo de repressão interna [...]. Todas estavam lutando por liberdade, mas no que se refere ao sexo, a liberdade significava coisas diferentes para pessoas diferentes".[26]

Com o passar do tempo, a pornografia estava se tornando mais difundida — primeiro através das fitas VHS e então pela *internet*. Assim como as filhas da Era do *Jazz*, descendentes das sufragistas do movimento da Nova Mulher, rebelaram-se contra a seriedade incansável de suas mães e suas causas, assim fizeram as filhas do "o patriarcalismo é o problema", descendentes das feministas da segunda onda. O resultado foi o feminismo "sexo-positivo" ou

---

25 Eliza Strickland, "Just Desserts", SFWeekly.com, 29 mar. 2006, http://www.sfweekly.com/2006-03-29/news/just-desserts/.

26 Ariel Levy, Female Chauvinist Pigs: Women and the Rise of Raunch Culture (New York: Free Press, 2005), 63.

"sexo-radical" que surgiu na terceira onda do início dos anos 1990. Ele se baseia na ideia de que a liberdade sexual é essencial para a liberdade das mulheres, e se opõe a todos os esforços legais ou sociais de controlar ou limitar atividades sexuais. De acordo com uma definição, as feministas sexo-positivas rejeitam o vilipêndio da sexualidade masculina, o qual elas atribuem a muitas feministas radicais da segunda onda, e, ao invés disso, "aceitam toda a gama da sexualidade humana", incluindo a sexualidade *gay*, lésbica, bissexual e transgênera.

"As Mulheres Reais Não São Excitantes"

Alguns argumentam que a cultura atual da vulgaridade é uma reação à onipresença da pornografia. A fim de conseguir e manter a atenção de um homem, as mulheres sentem que devem agir como estrelas pornô e se parecer com elas. De acordo com um artigo da revista *New York*, uma terapeuta sexual de Manhattan diz que tem visto muitos homens jovens vindo conversar sobre problemas relacionados à pornografia na *internet*. "É tão acessível, e, agora, com coisas como transmissão de vídeo em tempo real e *webcams*, os rapazes estão sendo sugados para um comportamento compulsivo", ela diz. "O que é mais lamentável é que isso pode realmente afetar relacionamentos com mulheres. Tenho visto ultimamente homens jovens que não conseguem se sentir excitados por mulheres, mas não têm qualquer problema quando interagem com a *internet*. Penso que um grande perigo é que os homens que estão constantemente expostos a essas mulheres falsificadas e sempre dispostas comecem a ter expectativas irreais sobre as mulheres reais, o que faz com que eles tenham fobia a relacionamentos".[27]

A escritora feminista Naomi Wolf concorda. "A ubiquidade de imagens sexuais não liberta o *eros*, mas sim o dilui", Wolf escreve. 'Hoje, mulheres reais nuas não são excitantes".[28]

Vinte anos depois da guerra contra a pornografia do feminismo de segunda onda, Wolf nota que parte do que foi previsto se tornou verdadeiro hoje — e parte estava errado. Num artigo intitulado "*The Porn Myth*" [O Mito da Pornografia], Wolf escreve sobre seu encontro com a feminista antipornografia Dworkin num evento de caridade, o que a levou a refletir sobre o que Dworkin havia previsto.

> Se não limitarmos a pornografia, ela argumentava — antes da tecnologia da *internet* transformar aquela predição numa impossibilidade técnica —, a maioria dos homens coisificarão as mulheres, assim como eles coisificam as estrelas pornô, e acabarão por tratá-las de acordo com isso. Num tipo de efeito dominó, ela previu, o estupro e outros tipos de desordens sexuais certamente se seguirão [...].

---

27 David Amsden, "Not Tonight, Honey, I'm Logging On", New York, 13 out. 2003.

28 Naomi Wolf, "The Porn Myth", New York, 20 out. 2003.

Ela estava certa quanto à advertência, mas errada quanto ao resultado. Como ela previu, a pornografia arrebentou a represa que separava uma busca marginal, adulta e privada da arena pública comum. O mundo todo, pós-*internet*, tornou-se pornificado. Homens e mulheres jovens são de fato ensinados pelo treinamento pornográfico sobre o que é o sexo, com o que ele se parece, quais são suas expectativas e etiquetas, — e isso está tendo um grande efeito sobre como eles interagem.

Mas o efeito não é tornar os homens em bestas loucas. Pelo contrário: o ataque violento da pornografia é responsável pelo amortecimento da libido masculina em relação às mulheres reais, e por levar os homens a verem menos e menos mulheres como "dignas de excitação". Longe de terem de se defender dos jovens homens enlouquecidos pela pornografia, as jovens estão se preocupando sobre como conseguir a atenção deles, enquanto simples mulheres de carne e osso, o que elas mal estão conseguindo manter.[29]

29 Ibid.

Manteiga de Amendoim e Geleia

Enquanto eu estava escrevendo este capítulo, encontrei uma garota de quinze anos que não tinha sido exposta ao pensamento cristão sobre a sexualidade. Suas experiências sexuais até então, em sua jovem vida, são de cair o queixo —, e meu conceito de deixar o sexo para depois do casamento é igualmente estranho para ela. Ela estava inicialmente atraída pela ideia de homens tratando mulheres com respeito e honra, mas quando descobriu que parte disso era devido à gratificação postergada da atividade sexual, ela não conseguia entender. Ela pensava que certamente algo estava errado com os homens que conseguiam exercitar esse tipo de autocontrole. E, visto que o casamento também não tem sido uma expectativa futura, ela não tinha qualquer motivo particular para recusar as ofertas mais vis de sexo em grupo e outras atividades sexuais descompromissadas.

Estive pensando muito sobre ela enquanto trabalhava neste material. Sua noção de sexualidade e relacionamentos parte o meu coração. Sua aceitação de como tem sido tratada pelos homens — os quais, eu poderia acrescentar, têm cometido um crime porque ela é menor de idade— parte o meu coração também. Embora ela seja um exemplo extremo, ela não é incomum. Para ela e suas amigas, o sexo é uma transação que você negocia e depois descarta. Eu não sei se terei oportunidade de conversar com ela de novo no futuro, mas oro para que sim. Há muitas coisas que quero conversar com ela, incluindo a perspectiva cristã sobre o sexo.

Como mencionei antes no livro, só me tornei cristã ao completar trinta anos de idade. Vivi um estilo de vida libertino, você poderia dizer, até aquele momento. Meu entendimento sobre a perspectiva cristã acerca do sexo era "apenas diga que não". Então fiquei agradavelmente surpresa, como recém-convertida, de ouvir pastores e palestrantes de ministérios de mulheres ensinarem abertamente sobre o bom dom de Deus para o sexo. Eles não falavam de maneira inapropriada, mas era inspirador ouvir uma celebração sem embaraços do sexo marital sendo apresentada para a igreja. Como C. J. Mahaney escreve em seu livro para maridos cristãos:

> É lamentável que, no que se refere ao sexo, a cultura secular veja o cristianismo como primariamente preocupado com proibições. Obviamente, o pecado frequentemente corrompe o bom dom de Deus para o sexo, divorciando-o da aliança do casamento e tentando criar uma experiência falsificada. Todo o mau uso da sexualidade é condenado na Escritura. Os alertas da Bíblia contra a imoralidade e o poder da luxúria nunca devem ser negados ou ignorados; então é correto que os mantenhamos bem claro em nossas mentes. Mesmo em Cantares de Salomão

encontramos admoestações repetidas contra a atividade sexual pré-matrimonial (2.7; 3.5; 8.4).

> Mas, uma vez unidos em casamento, as coisas mudam, rapazes! No início, Deus olhou para a união erótica do esposo e da esposa e viu que ela era boa. Sua opinião não mudou nem um pouco [...]. O sexo foi criado para o casamento, e o casamento foi criado em parte para o prazer do sexo.[30]

Essa é uma mensagem que precisa invadir a nossa mídia saturada pela pornografia. A solução atemporal é o modelo de aconselhamento um a um. A Bíblia instrui as mulheres mais velhas a ensinarem as mais novas a como amarem seus esposos, terem controle próprio e serem puras (Tito 2.4-5). A pureza não é somente para o tempo antes do casamento, mas também para o tempo posterior: "Digno de honra entre todos seja o matrimônio, bem como o leito sem mácula; porque Deus julgará os impuros e adúlteros" (Hb 13.4). Creio que os pastores deveriam estar ensinando à igreja, nos domingos, o que as Escrituras falam sobre o sexo, mas o formato um a um abre espaço para franqueza, perguntas e confissões que se perdem em grandes grupos.

Precisamos combater quaisquer noções falsas da sexualidade e da piedade, apresentando um retrato claro e sem embaraços da intimidade conjugal. Uma geração que

30 C. J.Mahaney, Sex, Romance and the Glory of God: What Every Christian Husband Needs to Know (Wheaton, IL: Crossway Books, 2004), 73.

está bem familiarizada com as variações físicas do sexo precisa ouvir sobre a segurança poderosa, a atração e a liberdade emocional presentes na fidelidade conjugal monogâmica. Jovens mulheres que são constantemente desrespeitadas pelos homens precisam ouvir como o casamento é construído sobre respeito e honra mútuos — e como isso deveria fazer uma esposa se sentir querida e estimada. Elas também precisam saber que Deus não está envergonhado do que ele criou. "Mesmo embora seja intensamente físico, não é nem um pouco não espiritual", Mahaney escreve. "Quando um casal em matrimônio está no meio do prazer das relações sexuais, eles podem não estar experimentando a santidade da mesma forma que eles experimentam quando estão orando ou adorando a Deus, mas não se engane — aquele é um momento muito santo. É desejo de Deus que todo casal cristão [...] regularmente desfrute das melhores, mais íntimas e mais satisfatórias relações sexuais de que os humanos são capazes".[31]

Na mídia popular, o sexo marital não recebe aplausos. Quando ele é mencionado, ele se torna o alvo de piadas tediosas. É por isso que o aconselhamento é importante. As mulheres mais velhas, que têm resistido com sucesso às várias fases do casamento, precisam dar conselhos sexuais práticos... Tais como fazer sanduíches de manteiga de amendoim para o jantar — uma dica atemporal da esposa de C. J. Mahaney, Carolyn:

31 Ibid., 14.

> Recentemente tive uma conversa com uma jovem mãe de primeira viagem. "Antes de nosso bebê nascer", ela explicou, "eu tinha muito tempo para romance com meu esposo, para limpar a casa e fazer refeições deliciosas. Mas agora, há dias quando ainda estou de pijama às três da tarde, porque passei toda a manhã cuidando do meu recém-nascido! Então como mantenho meu esposo como prioridade quando minha criança requer tanto tempo e atenção?", ela perguntou.
>
> "Querida", eu respondi, "faça sanduíche de manteiga de amendoim e geleia para o jantar e dê a ele uma ótima noite de sexo, e ele se sentirá estimado por você!"[32]

Quando mulheres mais velhas aconselham mulheres mais novas no plano de Deus para a sexualidade, isso também cria a oportunidade de voltar a questões básicas como modéstia no vestir e expressão emocional.

O Seu Estandarte sobre Mim é o Amor

Uma menina colocando um traje imodesto pensará que está bonita — porque é isso que a moda dita. Seu traje pode não ser um reflexo verdadeiro de seus valores, mas é o que ela pode comprar. Então ela continua a acrescentar à

32 Carolyn Mahaney, Feminine Appeal (Wheaton: Crossway, 2003), 83.

acumulação diária do impacto visual da cultura da vulgaridade. Da mesma forma, penso que muitas jovens imitam estrelas pornô (numa variedade de níveis — desde roupa, passando pelo cuidado pessoal, até os relacionamentos), porque é isso o que elas acreditam ser atraente para os homens. Se for sensual, então deve ser bom. Na ausência de outro ensinamento, há certa lógica perversa nisso.

É por isso que devemos proclamar, sem desculpas, a beleza da modéstia e do comedimento. Como um dos meus amigos homens tentou explicar para minha conhecida sexualmente ativa de quinze anos de idade: "O preço de um doce é um dólar, porque é isso que custa para obtê-lo. Você não paga dois dólares porque não tem que pagar; um dólar é o suficiente. Bem, o preço da minha esposa era tudo o que eu tinha e mais um pouco. Ela não compartilharia dos tesouros da sua sexualidade, de suas afeições, de seu romance e apoio sem que eu comprometesse a minha vida e o meu amor a ela até que a morte nos separe. Ela é impagável, pode-se dizer. E eu sabia disso desde o início — ela exigiu meu respeito e minha honra. E tem valido completamente a pena".

A escritora Wendy Shalit diz que a modéstia hoje é sempre tomada como vergonha, embora essas sejam duas palavras distintas e dois conceitos diferentes. "A visão prevalecente é que se você pensa que a sexualidade deveria ser privada ou especial", ela escreve, "então deve estar envergonhada dela. Você é uma puritana. Do mesmo modo, se você está 'confortável com sua sexualidade', então deve se sentir bem em levantar sua camiseta para estranhos ou encorajar seu parceiro enquanto ele desfruta de uma sessão de *strip-tease* com outra mulher. Se você for como eu, deve se perguntar como essa mentalidade de harém é libertadora para as mulheres".[33]

O poema de amor erótico da Bíblia, Cantares de Salomão, repudia a ideia de que a modéstia e uma falta de paixão sexual estão interligadas. Ao invés disso, o esposo nesse poema claramente está atraído fortemente pelo apelo sexual de sua esposa: "Arrebataste-me o coração, minha irmã, noiva minha; arrebataste-me o coração com um só dos teus olhares, com uma só pérola do teu colar. Que belo é o teu amor, ó minha irmã, noiva minha! Quanto melhor é o teu amor do que o vinho, e o aroma dos teus unguentos do que toda sorte de especiarias!" (Ct 4.9-10). Ainda assim, ele fala da pureza sexual e da modéstia dela antes do casamento: "Jardim fechado és tu, minha irmã, noiva minha, manancial recluso, fonte selada" (v. 12). Como Daniel Akin escreve em *God on Sex [Deus e Sexo]*, essa restrição sexual foi o que tornou sua relação marital tão apaixonada:

> Para outros homens, ela era fechada, reclusa e selada. Para seu esposo, ela era aberta, acessível e disponível. De fato, o amor dela é transbordante e fluía para ele. O que certa vez restringiu de outros, ela agora o dá a seu esposo com paixão sem

33 Shalit, Girls Gone Mild, 26-27.

> reservas e liberalmente. E por quê? Porque ela tinha se guardado para esse dia e esse homem. Ela não era uma casualidade de promiscuidade sexual. Ela não tinha as feridas de uma jovem de vinte e um anos que disse com dor e tristeza na sua voz: "Tive dezessete parceiros — parceiros demais, eu acho". Pureza e prazer andam de mãos dadas no que se refere ao sexo. Seja específica em sua disponibilidade. A espera vale a pena.[34]

Eu desejo que as jovens entendam esse princípio. É natural que queiramos cativar a atenção de um homem. Mas uma camiseta do programa *Girls Gone Wild* não é um símbolo de amor. É simplesmente um distintivo de uma realização enganosa. Ela não transmite qualquer segurança duradoura, nem honra, nem mesmo atração.

A noiva em Cantares de Salomão fala de algo muito mais precioso: "Leva-me à sala do banquete, e o seu estandarte sobre mim é o amor" (Ct 2.4). Essa noiva recebeu afirmação e aclamação públicas, e ela se veste do amor de seu esposo como uma bandeira. Ao invés de insegurança e desapontamento, essa mulher se deleita em seu *status*: "Sustentai-me com passas, confortai-me com maçãs, pois desfaleço de amor" (v. 5). Ela não é uma casualidade sexual nem uma parceira descartada. Ela é celebrada e estimada — e está intoxicada com a atenção sexual de seu esposo.

---

34 Daniel Akin, God on Sex (Nashville: Broadman & Holman, 2003), 149.

Essa é a mensagem que as jovens de hoje precisam ouvir. O plano original de Deus para o sexo ainda é o melhor.

O Salvador da *Sunset Boulevard*

Há muito mais questões a serem exploradas do que há espaço neste livro. O "sexo profissional" é uma delas. Mesmo antes de as "guerras pornô" dividirem o feminismo, havia um contingente tentando descriminalizar a prostituição para melhorar as condições das profissionais do sexo. Embora algumas delas, em países desenvolvidos, possam escolher entrar nessa ocupação, muitas milhares mais ao redor do mundo são vítimas de tráfico humano para o turismo sexual.

Há um testemunho de uma mulher que era prostituta durante o tempo em que algumas feministas da segunda onda começaram a fazer campanha para a descriminalização da prostituição. Ela de fato entrou na prostituição por sua livre vontade, mas não permaneceu nela voluntariamente. Essa é uma diferença importante — e uma que suspeito ser verdadeira para muitas outras mulheres como ela. A primeira vez que ouvi seu testemunho, fiquei chocada. Nunca em milhares de anos eu pensaria que essa mulher quieta e gentil, que amava atividades rurais e louvores tivesse certa vez andado pelas ruas de Hollywood. Mas essa é a maravilhosa obra transformadora da graça de Deus. Ele realmente nos faz novas criaturas em Cristo.

Jen tinha cerca de cinco anos de idade quando seus pais se divorciaram. Ela era a mais nova de cinco filhos, com duas irmãs e dois irmãos mais velhos. O divórcio dividiu a família; daquele momento em diante, ela nunca mais viveu com todos os seus irmãos.

Não demorou muito para que sua mãe se casasse novamente. O padrasto de Jen era muito parecido com seu pai biológico: ambos eram alcoólatras. Embora sua família fosse bastante desestruturada, como ela recorda hoje, Jen é grata por ninguém nunca ter abusado dela, física ou sexualmente.

Ela cresceu em Little Rock, Arkansas, alternando entre morar com sua mãe, seu pai e sua irmã mais velha. Ninguém na família tinha muito dinheiro, mas eles sempre tinham tempo para fazer festas. Observando o estilo de vida dos adultos ao redor dela, Jen decidiu que ela seria diferente.

"Eu era uma daquelas crianças que costumava dizer que nunca fumaria, beberia ou falaria palavrões", ela relembra. "Claro, aquelas foram as três coisas que acabei fazendo. Comecei a me drogar com a idade de doze ou treze anos. Então, de alguma forma, meus pais tentaram me direcionar para o caminho certo, mas eles mesmos não seguiam esse caminho, então o que poderiam fazer?"

Quando ela era muito nova, a família periodicamente visitava uma igreja pentecostal numa pequena cidade do Arkansas. Quando tinha mais ou menos doze anos, Jen visitou uma igreja batista com sua mãe e seu padrasto. "Eu me lembro de pensar, em diferentes momentos de minha vida, sobre: *Deus é real? Existe céu ou inferno?*"

Durante o terceiro ano do ensino médio, Jen estava morando com uma irmã mais velha e trabalhando durante meio período. Ela não gostava da escola, e suas notas tinham caído. "Não havia uma autoridade real em minha vida", ela diz. "Então eu simplesmente deixei a escola e comecei a trabalhar em jornada integral como garçonete".

Foi lá que ela conheceu Kevin, um cafetão bem conhecido. "Havia cafetões e prostitutas que vinham para aquele restaurante o tempo todo", Jen recorda. "Eu olhava de fora para tudo aquilo e via o 'brilho' — as roupas boas, os carros legais, o dinheiro fácil. Eu tinha um pouco de medo disso tudo, mas ainda assim isso me atraiu. Eu também estava um pouco familiarizada com o estilo de vida, porque minha irmã tinha sido prostituta por um tempo, embora não quando eu morava com ela. Então, no fim, o apelo se sobrepôs ao medo".

Na época em que Jen começou a namorar Kevin, ele já tinha uma prostituta trabalhando para ele. O pai de Kevin era um cafetão também, embora sua mãe não fosse prostituta e tivesse permanecido casada com seu pai. Nenhum desses fatos desencorajou Jen. "Eu já gostava dele de longe, antes de nos envolvermos", ela diz. "Kevin tinha charme. Ele era legal. Ele se vestia bem. Ele era atraente."

Namorá-lo levou à expectativa de trabalhar para ele. Jen estava atraída por Kevin e acreditava que o amava, então ela concordou. "A primeira vez foi no Texas. Havia uma área onde as garotas trabalhavam. Você acenava ou dizia: 'Você quer uma parceira?'. Eu estava com medo. Quando estava com esses homens, eu me preparava mentalmente contra isso porque não gostava. Eu não gostava de tê-los me tocando. Eu queria que acabasse o quanto antes. No Texas, eu tinha que entrar no carro com um homem e dirigir para algum lugar. Então tinha de ir com ele e esperar que ele não fizesse nada de estranho".

Jen ficou com Kevin por menos de um ano, mas foi detida e presa várias vezes por prostituição nos estados de Arkansas, Texas e Califórnia. "O departamento policial contra vícios vinha e colocava medo nas prostitutas. Eu me lembro de a polícia no Texas parecer realmente se importar, tentando nos convencer a deixar aquela vida".

Com dois meses de relacionamento, Kevin começou a abusar fisicamente de Jen. Ela queria deixá-lo, mas então sempre voltava por razões que não são claras para ela mesmo hoje em dia.

"Acho que o que mais me impulsionava era o medo que sentia do Kevin. Se eu não conseguia dinheiro o suficiente, ele ficava chateado. As coisas mais estranhas podiam provocá-lo", ela diz. "Na última vez que ele abusou de mim fisicamente, nós estávamos na Califórnia juntos. Ele pegou um ferro e me atingiu num dos lados da minha cabeça, eu tive de levar pontos na minha orelha e fiquei com os dois olhos roxos. Eu não trabalhei por cerca de uma semana. No dia que voltei, não estava bem. Não consegui muito dinheiro naquele dia. Não havia mais qualquer confiança. Eu realmente pensei que ele me mataria".

Jen nunca ficou com o dinheiro que fazia — ele ia todo para Kevin, apesar de todos os riscos que ela corria. Uma vez quando estava na rua, ela foi estuprada. Numa outra vez, um rapaz apontou uma arma para ela. Um terceiro homem de fato procurou por ela com uma arma. "Tudo isso aconteceu em menos de um ano nas ruas. Minha irmã esteve nas ruas por muitos anos — o que ela deve ter passado?", Jen questiona com tristeza.

Uma noite, Jen estava trabalhando na Sunset Boulevard, perto de Hollywood. Ela tinha ouvido falar sobre o *Centrum*, uma missão para prostitutas sem-teto, fugitivas, e outras mulheres de rua. Ela queria ir para lá para escapar de Kevin, mas estava imobilizada pelo medo do que ele poderia fazer. Em desespero, ela fez uma oração rápida: "Deus, envie alguém para me ajudar".

Naquela mesma noite, alguém do *Centrum* veio até ela, entregando folhetos sobre a missão. Jen não podia acreditar. Então ela pediu para ser levada. À idade de vinte e dois anos, ela estava pronta para deixar as ruas.

A noite seguinte no *Centrum* foi de testemunho e adoração. Durante aquele encontro, Jen não conseguiu parar de chorar. A mãe da casa, uma mulher em torno dos sessenta anos, notou a reação dela e a chamou para o seu escritório, a fim de compartilhar o evangelho. Elas acabaram orando juntas para que Jen se arrependesse de seus pecados e recebesse o Senhor.

O *Centrum* era afiliado aos Jovens com Uma Missão (JOCUM), que possibilitou que Jen deixasse a Califórnia depois de dois meses e se transferisse para um centro JOCUM em Colorado. Ela realmente queria ir para longe de tudo o que a fazia lembrar de Kevin e sua vida anterior. Ela não podia imaginar outra razão, senão a proteção de Deus, por Kevin ter sido mantido longe dela.

Eventualmente, Jen se mudou para outro centro JOCUM no Leste e ficou lá por vários anos, trabalhando em muitos centros de treinamento JOCUM. Ela eventualmente deixou a JOCUM para um emprego em tempo integral. Ao mesmo tempo, ela tinha se juntado a uma nova igreja e criado um novo círculo de amigos. Seu comportamento tranquilo e suas credenciais da JOCUM levavam muitos a supor que ela tinha crescido numa família cristã, ido para a igreja toda semana e levado uma vida relativamente protegida. Jen discretamente guardou segredo sobre sua história.

Num certo ano, ela foi convidada por uma família da igreja para passar o Natal com eles. Eles também convidaram outro adulto solteiro, um homem chamado Matt. Jen tinha notado Matt quando foi àquela igreja pela primeira vez, pensando que ele tinha olhos misericordiosos. Mas ela não esperou que ele a notasse. Matt era o bom garoto — aquele que se tornara cristão no ensino médio, através do evangelismo da *Young Life* e nunca tinha fumado, bebido ou usado drogas. Ele também era virgem, esperando pelo casamento para experimentar o sexo com sua esposa. Jen não poderia imaginar que ele continuaria interessado nela se ele soubesse a verdade sobre sua vida.

Surpreendentemente, eles se deram bem. Nas muitas semanas seguintes, eles tiveram vários motivos para ficar juntos — um passeio de solteiros, uma noite de filmes. Num dia muito quente de fevereiro, Matt a levou para um piquenique, num parque urbano que era conhecido por seus locais românticos. Jen segurou sua respiração quando ele começou a contar a ela sobre seus sentimentos — ela não podia acreditar que ele queria ter um relacionamento com ela.

Os próximos passos exigiriam grande sabedoria. Quando Matt deveria saber sobre seu passado? E quanto ele deveria saber? Jen fez uma visita ao seu pastor assistente e sua esposa para obter aconselhamento. Seu pastor disse que Matt deveria saber antes do noivado, mas ainda era cedo demais no relacionamento deles para ele ter ganhado a confiança dela. Ele ficaria observando Matt e avisaria a ela quando o tempo fosse apropriado.

Um dia, Matt recebeu uma ligação. "Eu me lembro de meu pastor me telefonando e dizendo: 'Jen tem algumas coisas que ela precisa contar a você. Vocês precisam se encontrar'", ele recorda. "Então telefonei para Jen, e ela disse: 'Eu não sei se você vai querer continuar depois de ouvir isso'. E então, obviamente, eu não consegui dormir depois de ouvi-la dizer *aquilo*, então fui visitá-la naquela mesma noite".

Jen estava calma, mas ela mal conseguia olhar diretamente para os olhos de Matt. Quando ela terminou, levantou os olhos para ele e disse: "Eu vou entender se você terminar comigo. Eu quero que você saiba disso. Você não tem que ficar comigo se não tiver fé para isso".

Matt ficou inicialmente chocado, mas levou apenas um momento para que ele a enxergasse com compaixão. "Eu nunca imaginaria nada disso", ele disse. "Deus mudou tanto você, Jen. Seu passado não é o que você é hoje. Portanto, se Deus lhe perdoou e aceitou, quem sou eu para pensar diferente? Seria uma honra para mim representar Cristo para você, e amar e servir você como Cristo faz".

Eles se casaram seis meses depois.

Quinze anos mais tarde, Matt e Jen são hoje pais de três crianças. Uma dúzia de rosas vermelhas estão sobre a mesinha de centro em comemoração ao aniversário de casamento deles. Jen se senta perto de Matt, sorrindo para ele enquanto ele fala de seu namoro e noivado.

"Matt nunca fica hesitante de me ouvir conversando sobre o meu passado", Jen diz. "Ele não se envergonha de mim. Ele quer que Deus seja glorificado".

Matt concorda enquanto ela diz isso. "Deus preparou meu coração — ele tinha me dado um sentimento de que ela era alguém que Deus tinha aceitado, e eu não tinha o direito de não fazer o mesmo. Algum tempo durante nosso namoro, eu tive a impressão de que Deus estava falando comigo. Basicamente era: 'Jen é minha filha e se você falhar com ela, você terá de lidar comigo'. E isso é algo que ainda se aplica hoje. Eu tenho uma responsabilidade diante de Deus de tratar bem sua filha".

Virando-se a fim de olhar para sua esposa, ele acrescenta com uma risada: "Então eu estou surpreso de que ele ainda não tenha vindo lidar comigo!"

Em sua história, Jen mencionou ter sido fisicamente abusada. Penso que é importante pontuar que esse é um pecado aos olhos de Deus, e a igreja precisa responder de forma bíblica e cuidadosa a essa questão. Embora o abuso físico e sexual sejam historicamente preocupações dentro de círculos feministas (e com razão!), eles não são um tema exclusivamente feminista, então eu não tratei muito deles neste livro. No entanto, eu realmente quero direcionar você para o apêndice, onde há dois breves artigos que claramente afirmam

uma perspectiva centrada no evangelho e fundamentada na Bíblia acerca de abuso.

Capítulo 8:

FÉ FEMININA

Este é realmente um capítulo de visão geral. Há muito mais informação a respeito do impacto do feminismo sobre a igreja do que eu jamais poderia incluir aqui. De fato, volumes inteiros têm sido escritos sobre esse tema. Recomendo que verifiquem as notas de rodapé, se quiserem uma lista de fontes para leitura adicional. Neste capítulo, apenas quero apresentar a vocês algumas questões e incentivá-las a se tornarem mulheres que são grandemente frutíferas para a glória de Deus! Como vocês verão, somente "uma coisa" é verdadeiramente necessária aos olhos de Jesus, e a mulher que a escolher não verá isto lhe sendo tirado.

Numa conferência recente para pastores, o teólogo e também pastor John Piper recebeu uma espontânea e carinhosa salva de palmas quando começou a pregar fervorosamente sobre o valor das mulheres fortes: "Eu amo mulheres fortes! Penso que elas são testemunhos magníficos para Cristo. Porque, se elas são complementaristas — o que eu espero que elas sejam em nossa igreja —, então elas combinam coisas que o mundo não consegue explicar. Elas combinam uma beleza doce, carinhosa, gentil, amorosa, submissa, feminina com esta *enorme* bigorna em suas costas e a teologia em seu cérebro!", ele disse. "Eu tento encontrar maneiras de celebrar e articular tal *magnificência* nas mulheres".

Das 5.300 pessoas reunidas, a grande maioria era formada por homens. E, ainda assim, poucas coisas na conferência despertaram uma resposta tão estrondosa quanto essa avaliação sobre mulheres fortes. Quando disse isso, Piper temperou seus comentários com uma observação brincalhona sobre o fato de as pessoas frequentemente não compreenderem essa perspectiva: "porque John Piper odeia mulheres, você não sabe disso?"[1]

Por que ele disse isso? Por causa do termo que ele usou, "complementarista", o qual se refere a homens e mulheres ocupando papéis complementares, embora sendo iguais em valor. Piper — como o restante dos pastores reunidos nessa conferência — acredita que a Bíblia deve ser

1 John Piper, Together for the Gospel 2008, Painel de Discussão 6, gravado em 17 abr. 2008 em Louisville, KY.

lida claramente e levada a sério quando diz que os homens devem liderar a igreja (e liderar suas famílias). Devido ao seu ensinamento sobre o tema, Piper tem sido um para-raios para críticas e mal-entendidos.

No século XXI, poucas coisas são mais controversas que o ensino claro da Bíblia acerca da sexualidade e dos papéis de gênero.

Há, em minha opinião, pelo menos três razões para essa controvérsia. Uma é que, dentro da igreja, temos nos esquecido de que o papel dos líderes é "com vistas ao aperfeiçoamento dos santos para o desempenho do seu serviço, para a edificação do corpo de Cristo" (Ef 4.12). Tornamo-nos consumidores dentro da igreja, exigindo serviço profissional de pastores que *nos* sirvam — ao invés de nos tornar um corpo mobilizado de servos que cuidam uns dos outros e daqueles fora da igreja. Quando a igreja está agindo biblicamente, todos são necessários para o propósito do ministério — não apenas a "classe profissional". Outra razão é a nossa cultura de celebridades: quem quer que esteja numa posição de falar publicamente está fadado a ter mais valor que aquele que está servindo discretamente atrás das cortinas — o oposto do que Jesus ensinou (Mt 20.25-27). Então se há qualquer restrição ao papel público, ela é vista como inerentemente errada, porque todos deveriam ser capazes de ter uma oportunidade nele, mesmo se a Bíblia deixa claro que somente alguns recebem esse dom e são qualificados para liderar a igreja (1Tm 3). A terceira razão é a influência do feminismo na vida e na teologia da igreja, o que é o foco deste capítulo.

Como vimos ao longo do livro, a ideologia feminista surgiu de observações parcialmente corretas, mas ofereceu interpretações erradas e soluções falhas. Infelizmente, ao avaliar e debater essas interpretações e soluções, aqueles que sustentam a posição complementarista não têm sempre respondido às observações válidas que as feministas têm feito. Como o teólogo Steven Tracy notou, essas preocupações deveriam ter estimulado uma ação imediata:

> Se as feministas identificaram preocupações válidas, então essas devem ser firmemente tratadas. Infelizmente, embora complementaristas bíblicos se oponham ao abuso da liderança masculina, eles têm sido extremamente lentos em tratar questões específicas do abuso masculino de uma maneira detalhada [...]. Devemos considerar completamente não bíblico que homens desonrem as mulheres, assim como consideramos completamente não bíblico negar a adoração a Cristo. Assim como ficaríamos ofendidos e nos oporíamos ao ensino de qualquer pessoa que negasse que o Pai levantou Cristo dos mortos e que escatologicamente o vingará, também devemos ficar profundamente ofendidos que qualquer um falhe em honrar e proteger as mulheres.[2]

2 Steven Tracy, "A Corrective to Distortions and Abuses of Male Headship", Journal of Biblical Manhood and Womanhood, vol. 8, no. 1, primavera 2003, http://www.cbmw.org/Journal/Vol-8-No-1/A-Corrective-to-Distortions-and-Abuses-of-Male-Headship.

Então, enquanto olhamos para a história da influência do feminismo sobre a própria igreja, quero reconhecer mais uma vez que onde quer que existam seres humanos, haverá pecado e imperfeição. A conclusão não é quão bem os seres humanos têm se comportado, mas o que Deus diz sobre si mesmo, sua igreja e seu plano para suas criaturas. Eu seria insensata em apontar para o histórico daqueles que abraçam papéis complementaristas como o padrão de comportamento e abordagem. Em humildade, devemos admitir que houve falhas nos dois lados — mas isso nunca negará a Palavra de Deus.

Portanto, precisamos abraçar o ensino da Bíblia acerca da masculinidade e da feminilidade de forma clara e ousada. "A igreja deve liderar o movimento, equipando o povo de Deus para pensar biblicamente sobre toda a vida, incluindo a perspectiva bíblica dos papéis de gênero e os relacionamentos", escrevem Ligon Duncan e Susan Hunt em seu livro sobre o ministério de mulheres. "Dezenas de mulheres evangélicas são feministas funcionais, porque o paradigma do mundo para a feminilidade é o único que elas ouviram".[3]

3 J. Ligon Duncan and Susan Hunt, Women's Ministry in the Local Church (Wheaton, IL: Crossway Books, 2006), 42.

Usando o Evangelho Incorretamente

Pode ser surpreendente olhar para trás, a partir de nossa cultura pós-moderna e religiosamente pluralista, e notar que a questão da liderança na igreja foi um dos maiores fatores para o surgimento do feminismo. Mas como vimos no capítulo 2, as primeiras feministas listaram queixas contra a igreja no mesmo documento das queixas contra instituições seculares.

Enquanto movimento, o feminismo tem suas raízes no período pós-iluminista que desafiou instituições, costumes e morais tradicionais. A autoridade do clero (masculino) foi uma daquelas instituições desafiadas. Além disso, o Segundo Grande Despertamento também influenciou o surgimento do feminismo. Esse movimento de avivamento do século XIX enfatizou a experiência espiritual e a conversão pessoais, mas um dos seus principais líderes também rejeitou muitas doutrinas cristãs centrais. O avivalista Charles Finney negou que a justiça de Cristo é o único fundamento da nossa justificação e que a morte de Cristo na cruz foi a expiação por nossos pecados.[4] Finney era conhecido por liderar cruzadas emocionais e longas, às quais milhares compareciam. (Você deve se lembrar do capítulo 2 que a pioneira feminista Elizabeth Cody Stanton

4 Phillip R. Johnson, "A Wolf in Sheep's Clothing: How Charles Finney's Theology Ravaged the Evangelical Movement", 1998, arquivado em http://www.spurgeon.org/~phil/articles/finney.htm.

compareceu a vários de seus avivamentos e então rejeitou o cristianismo ortodoxo.)

Esses encontros de avivamento atraíam mais convertidos e simpatizantes mulheres que homens. Uma razão pode ter sido que Finney permitia que as mulheres orassem em voz alta em ajuntamentos mistos, uma prática incomum naquele tempo. Embora nada haja na Escritura que proíba as mulheres de orar em voz alta na igreja, infelizmente isso logo levou a uma aceitação não bíblica da ordenação de mulheres. Visto que as mulheres têm sido grandemente excluídas historicamente de participarem na vida da igreja, quando a porta se abriu para proclamarem o evangelho e compartilharem na colheita espiritual, é compreensível que elas associassem esse tipo de ministério com o pastorado. No entanto, baseado no padrão do Novo Testamento onde *todos* os membros são chamados a várias formas de ministério, esse tipo de frutificação espiritual não é limitado aos líderes. Ainda assim, a frutificação espiritual eventualmente se tornou uma das razões dadas para a permissão de mulheres pregando para audiências mistas ou se tornando pastoras ordenadas.

Para justificar suas ideias, as feministas da primeira onda usaram dois principais métodos de interpretar a Escritura. Primeiro, as primeiras escritoras feministas contradisseram o argumento daqueles que limitavam o papel de liderança das mulheres citando passagens que falavam da igualdade de homens e mulheres em Cristo. (Mas, como notamos antes, igualdade e papel não são conceitos equivalentes.) Segundo, elas celebraram as mulheres na Escritura que poderiam servir como modelos de liderança feminina, tais como Débora, Rute e Ester. Por volta do final do século XIX, as feministas começaram a rotular certos textos bíblicos como degradantes para as mulheres e desafiaram sua autenticidade. Vimos isso no capítulo 2, com Elizabeth Cady Stanton e *a Bíblia da Mulher*, que era realmente mais um comentário de passagens selecionadas consideradas importantes para as mulheres.[5]

O problema é que quando você começa a seletivamente acreditar e a aplicar apenas certas partes das Escrituras — ou desacreditá-las e ignorá-las como irrelevantes —, é muito fácil continuar fazendo isso com outras passagens até que você tenha esvaziado a doutrina cristã. A primeira mulher ordenada numa denominação tradicional — Antoinette Brown Blackwell — é um bom exemplo. Ela foi ordenada por um líder metodista wesleyano em 1853 e terminou sua carreira como pastora de uma igreja unitarista. O pai dela tinha se convertido sob o ensino de Finney, mas Blackwell não acreditava no que Finney dizia sobre o inferno. "Eu fiquei muito impressionada com sua doutrina gráfica de uma punição eterna", ela escreveu. "Eu quase acreditei nisso, mas mesmo naquele dia não tinha fé real nessa ideia".[6] A

---

5 Margaret Köstenberger, Jesus and the Feminists: Who Do They Say That He Is? (Wheaton: Crossway, 2008), 15.

6 Beverly Zink-Sawyer, From Preachers to Suffragists (Louisville: Westminster John Knox Press, 2003), 30.

confusão teológica criou ainda mais confusão teológica.

Mary Kassian, autora de *The Feminist Mistake* [O Erro Feminista], diz que quando o feminismo se desenvolveu e as desigualdades na participação das mulheres foram destacadas, a igreja perdeu uma oportunidade de corretamente reestruturar os padrões da igreja. Ao invés de buscar retomar os padrões do Novo Testamento e desfazer a distinção artificial entre clero e leigos, ela diz que a igreja escolheu manter sua estrutura de então e abrir o caminho do ministério ordenado para as mulheres da mesma forma que para os homens:

> Infelizmente, feministas cristãs começaram a buscar a inclusão de mulheres nas hierarquias de liderança sem uma análise clara se as próprias hierarquias estavam estruturadas e funcionando de acordo com o padrão bíblico. Elas meramente julgaram que a igreja era sexista e implementaram um curso de ação em resposta. As feministas cristãs, ao lado de suas contrapartes seculares, começaram a exigir "direitos iguais". Elas decidiram buscar a androgenia na igreja ao procurar a ordenação e a eliminação de papéis estruturados no casamento.[7]

O século XIX testemunhou um enorme número de desafios à teologia cristã histórica. Está além do escopo des-

7 Mary A. Kassian, The Feminist Mistake: The Radical Impact of Feminism on Church and Culture (Wheaton: Crossway, 2005), 31-32.

te livro desembaraçar e descrevê-los aqui. Mas, em geral, à medida que o liberalismo começou a tomar segmentos da igreja, o feminismo teve uma porta aberta. A teologia liberal, de acordo com um autor, é "a ideia de uma perspectiva cristã baseada na razão e na experiência, não na autoridade externa, que redefine o significado do cristianismo à luz do conhecimento e dos valores éticos modernos".[8] Ou, em termos mais simples, a teologia liberal nega a autoridade da Bíblia, a obra expiatória de Jesus Cristo e muitas outras doutrinas centrais do cristianismo, ao mesmo tempo que abraça filosofias populares de seu tempo. O surgimento do liberalismo eventualmente levou à divisão, no século XX, do cristianismo estadunidense em igrejas liberais e igrejas evangélicas conservadoras e fundamentalistas.

Espiritualidade Centrada na Mulher

Com o liberalismo tendo criado uma forma de cristianismo sem muitas de suas doutrinas centrais, a porta estava escancarada para uma espiritualidade alternativa emergir, o que descartou qualquer pretensão de cristianismo. Por volta de meados do século XX, quando o feminismo de segunda onda começou, líderes feministas começaram a negar qualquer crença no cristianismo, no monoteísmo ou na religião tradicional. Por volta dos anos 1970, era comum

8 Gary Dorrien, "American Liberal Theology: Crisis, Irony, Decline, Renewal, Ambiguity", CrossCurrents, junho, 2005.

que feministas seculares abraçassem espiritualidades alternativas, tais como a wicca (feitiçaria). Como Mary Kassian escreve: "O chamado 'Deus masculino definido por homens' da religião judaico-cristã era inaceitável para uma análise da realidade centrada na mulher e para a busca feminina por espiritualidade. Portanto, mulheres feministas decidiram descartá-lo".[9] No lugar de Deus, muitas feministas adotaram uma mistura caseira de adoração a deusas e feitiçaria, planejada para promover energia espiritual para o movimento. "O feminismo sempre foi, em essência, um movimento religioso, e agora foi abertamente reconhecido como tal", Kassian nota.[10]

Não demorou muito para que essa mesma visão pagã de mundo se infiltrasse em círculos cristãos também. Eu me lembro bem da conferência "*Reimaginando Deus*" que aconteceu em Mineápolis em 1993. Eu era uma recém-convertida e li com interesse as notícias na imprensa. Mais de dois mil líderes de vinte e sete nações e quinze denominações tradicionais compareceram, incluindo líderes ordenados, para "ouvir o deus interior", louvar a deusa Sofia numa comunhão de prosperidade e abundância, e discutir a ideia de que a expiação de Jesus era "o maior abuso de um filho de todos". O argumento deles era que a morte de Jesus Cristo não era uma obra de salvação, mas que ela encorajava violência social e particularmente violência contra as mulheres.

---

9 Kassian, The Feminist Mistake, 180.

10 Ibid., 183.

Eventualmente, os evangélicos começaram a seguir o mesmo caminho. Wayne Grudem argumenta que as feministas evangélicas estão agora apresentando alguns dos mesmos argumentos que as feministas liberais típicas uma vez apresentaram. "Num número surpreendente de escritos evangélicos feministas, as autoras têm publicado declarações que ora negam a completa veracidade da Escritura, ora negam a total autoridade da Escritura enquanto Palavra de Deus para nós hoje", Grudem escreve.[11]

Essas não são tendências lineares que eu acabei de descrever, mas sim uma rede mais intrincada que tem em sua raiz um evangelho modificado. Assim que um aspecto da Bíblia é adulterado, então não demora muito para que doutrinas centrais se desfaçam e o evangelho seja transformado numa confusão. Hoje muitos líderes de igreja sentem a pressão para se conformarem às tendências culturais atuais, não apoiando a liderança masculina na igreja. Oro para que o testemunho da história encoraje tanto esses pastores como seus membros a reconsiderar essa bola de neve de adulteração da Bíblia.

Apenas Uma Coisa É Necessária

Jesus disse que apenas uma coisa é necessária.

Creio que quando nos esquecemos de suas palavras,

11 Wayne Grudem, Evangelical Feminism: A New Path to Liberalism? (Wheaton: Crossway, 2006), 33.

facilmente perdemos nossa orientação sobre os papéis de gênero. Nós oscilamos entre limitar as mulheres de maneira não bíblica a certas esferas ou tendemos para o outro lado de dizer que não há distinção entre homens e mulheres. Sem a "única coisa", nós nos enaltecemos demais, fazendo de tudo para conseguirmos *status* e reconhecimento terrenos passageiros.

Aquilo a que estou me referindo é o relato bíblico quando Jesus e seus discípulos vão em busca de descanso e renovação para o lar de duas irmãs aparentemente solteiras, vivendo com seu irmão. Uma irmã, Marta, leva a sério sua responsabilidade de prover hospitalidade a esse importante grupo de visitantes. Mas ela fica irritada que sua irmã, Maria, está sentada com os homens aos pés de Jesus para ouvi-lo ensinar. Então ela começa a resmungar sobre sua irmã — finalmente proferindo julgamento pecaminoso contra Maria e Jesus: "Senhor, não Te importas de que minha irmã tenha deixado que eu fique a servir sozinha? Ordena-lhe, pois, que venha ajudar-me" (Lc 10.40).

Sem diminuir sua hospitalidade ou a importância da domesticidade, Jesus gentilmente repreende Marta. Ele diz: "Marta! Marta! Andas inquieta e te preocupas com muitas coisas. Entretanto, pouco é necessário ou mesmo uma só coisa; Maria, pois, escolheu a boa parte, e esta não lhe será tirada" (vv. 41-42). Em outras palavras, adorar ao Senhor e ouvi-lo falar sempre supera quaisquer outros papéis e esforços. É bom oferecer hospitalidade, mas é *muito melhor* fazer isso com um coração de adoração do que com um coração de preocupação. Quando comparamos e contrastamos nosso serviço e nossos papéis com os dos outros, tiramos nossos olhos de Jesus e começamos a julgá-lo ("não Te importas") ao invés de adorá-lo.

Ao permitir que uma mulher se sentasse aos seus pés para ouvi-lo ensinar, Jesus estava quebrando algumas das normas e práticas da cultura judaica. Mas aquelas eram leis feitas por homens que relegavam as mulheres a certas partes do templo ou as mantinham fora do ministério ativo. Jesus não manteve essas proibições não bíblicas, mas ele manteve o claro ensino da Escritura sobre papéis no casamento e na liderança espiritual. Ele ensinou às mulheres, ele recebeu sustento físico e financeiro de mulheres (veja Joana, por exemplo), e ele se dirigiu a mulheres que eram rejeitadas por outros ou ignoradas por homens judeus (veja a mulher samaritana à beira do poço). Como o teólogo John MacArthur diz, isso estava em grande contraste com outros homens do tempo de Jesus:

> No meio das culturas grega, romana e judaica, que viam as mulheres quase no mesmo nível das propriedades, Jesus mostrou amor e respeito pelas mulheres.
>
> Embora os rabinos judeus não ensinassem às mulheres, Jesus não somente incluiu mulheres em suas audiências, como também usou ilustra-

ções e imagens em seu ensinamento [que] seriam familiares a elas (Mt 13.33; 22.1-2; 24.41; Lc 15.8-10). Ele também especificamente aplicou seus ensinamentos às mulheres (Mt 10.34ss). Enquanto o Talmude judaico dizia que era melhor queimar a Torá do que ensiná-la a uma mulher, Jesus ensinou às mulheres livremente. Para a mulher samaritana à beira do poço (Jo 4), ele revelou que era o Messias. Com ela, ele também discutiu temas importantes, como a vida eterna e a natureza da verdadeira adoração. Jesus nunca assumiu a posição de que as mulheres, por sua própria natureza, não podiam entender a verdade espiritual ou teológica. Ele também ensinou a Maria e, quando admoestado por Marta, apontou para a prioridade de se aprender a verdade espiritual, acima das responsabilidades "femininas", como servir os convidados na sua própria casa (Lc 10.38-42).

Embora os homens nos dias de Jesus normalmente não permitissem que as mulheres contassem o troco em suas mãos por medo de contato físico, Jesus tocou as mulheres para curá-las e permitiu que elas o tocassem (Lc 13.10ss; Mc 5.25ss). Jesus até mesmo permitiu que um pequeno grupo de mulheres viajasse com ele e seus discípulos (Lc 8.1-3) — "um acontecimento sem precedentes na história daquele tempo", disse um comentarista bíblico.

> Depois de sua ressurreição, Jesus apareceu primeiro para Maria Madalena e a enviou para anunciar sua ressurreição aos discípulos (Jo 20.1-18). Jesus fez isso apesar do fato de as mulheres não terem a permissão de serem testemunhas nas cortes judaicas, porque se acreditava que elas eram todas mentirosas.[12]

Jesus corrigiu esses falsos padrões de comportamento entre os religiosos de seu tempo e então nos apontou para a única coisa que é realmente necessária para homens e mulheres — adorar-lhe. Quando perdemos vista disso, mesmo as coisas boas que fazemos para servir-lhe se tornam tentações para comparações pecaminosas e raiva autojustificadora — assim como foi com Marta. Isso é especialmente verdadeiro quando consideramos os papéis dentro da igreja. Embora Jesus tenha feito muito para corrigir o *status* das mulheres em seu tempo, *a única coisa que ele não fez foi selecionar uma mulher para uma posição de liderança*. Jesus afirmou a igualdade de homens e mulheres como também apoiou o plano bíblico de papéis complementares.

O apóstolo Paulo seguiu o exemplo de seu Senhor ao colaborar com mulheres em muitos aspectos da proclamação do evangelho — desde a evangelização de Lídia em Filipos (At 16.14-15) e a fundação da primeira igreja europeia em sua casa, até a confiança à Febe para a entrega

12 John MacArthur, "The Biblical Position on Women's Roles", publicado em forma de livreto pela Grace Community Church of Sun Valley, CA, e reproduzido com autorização no Bible Bulletin Board of Columbus, NJ, http://www.biblebb.com/files/MAC/womensroles.htm.

de sua carta aos Romanos (Rm 16.1). Mas ele não apontou mulheres para os papéis de pastores ou presbíteros, escrevendo sob a inspiração do Espírito Santo que uma mulher não deve ensinar nem ter autoridade sobre um homem (1Tm 2.11-12).

Se isso provoca ressentimento em nossos corações, eu acredito que é porque perdemos vista do evangelho. Merecemos punição por nossos pecados (um pensamento muito impopular em nossa cultura pós-moderna), mas se adoramos a Jesus, é porque, ao invés disso, recebemos perdão e misericórdia— *e isso por toda a eternidade*! Por acaso realmente importa de que forma o nosso Senhor nos pede para servir-lhe por apenas alguns poucos anos nesta terra quando iremos igualmente nos deleitar nele pela eternidade?! Mesmo aqueles homens que são chamados para serem pastores servirão naquela posição apenas por uma porção de suas vidas. Todas as boas coisas que podemos fazer aqui na terra são superadas por aquela uma coisa que é verdadeiramente boa — adorar a Jesus agora e por toda a eternidade! Recebemos muito mais do que merecemos, graças à misericórdia da cruz. Não discutamos sobre a pequena parte que desempenhamos no avanço do reino de Cristo e das boas novas da salvação.

Fé em Ação

Concluindo, eu gostaria de levar você de volta àqueles inebriantes momentos do século XIX, quando as mulheres estavam sendo incluídas na vida da igreja e a reforma social era uma questão urgente. À medida que a primeira onda do feminismo estava ganhando impulso, houve pequenos grupos de cristãos que olharam para a injustiça, a inequidade e a pobreza e decidiram tratar daqueles problemas diretamente, *com o evangelho*. Houve cristãos que foram para fora como parte da primeira onda de missionários norte-americanos às outras nações — enviados pela incipiente organização *American Board of Comissioners for Foreign Missions* (*ABCFM*) [Comissão Americana para Missões Internacionais].

Meus ancestrais estavam entre eles. À idade de vinte e dois anos, Amos Abbott e Anstice Wilson se casaram em Wilton, New Hampshire. Ele se formou no *Andover Theological Seminary* e tinha a atribuição de ensinar numa escola de missões em Amednugger, Índia. Onze dias depois de seu casamento, eles navegaram para a Índia. Sua jornada de Boston a Bombai em 1934 exigiu cerca de quatro meses de viagem no oceano em meio a águas turbulentas. Uma guerra civil estava em andamento quando os Abbotts chegaram à Índia, mas eles perseveraram.

Pelos vinte anos que se seguiram, os Abbotts ministraram na Índia e criaram sete filhos. Anstice Abbott deu início a uma escola para seus filhos e para os filhos de outros missionários. Eventualmente, a família retornou aos Estados Unidos a fim de prover a seus filhos uma boa educação e permitir que Amos obtivesse um diploma em medicina. Enquanto eles estavam de volta ao lar nos Estados Unidos, uma de suas filhas, Augusta, conheceu um dos estudantes que seu pai estava educando no dialeto indiano marata — Samuel Dean. Depois de um breve período de corte, Samuel pediu que Augusta se juntasse a ele na Índia para continuar o trabalho da família. Assim como sua mãe, Augusta se casou, e o casal se lançou ao mar em questão de dias. Naquele tempo, as famílias diziam um adeus final umas às outras, não sabendo se ou quando veriam-se novamente. Então os pais dela disseram adeus à Augusta e enviaram sua filha de volta para a Índia.

Samuel provou ser um pregador e plantador de igrejas eficaz. Além de conduzir cultos de pregação regulares e organizar novas igrejas perto de sua própria casa, Samuel frequentemente viajava para lugares remotos da Índia, onde as pessoas nunca tinham ouvido falar sobre o nome de Cristo — e Augusta frequentemente ia com ele. Às vezes, eles acampavam por dias, com cobras e a peste bubônica como um perigo constante. Eventualmente esse trabalho duro esgotou Samuel, e a família retornou aos Estados Unidos em 1867 para que Samuel recuperasse sua saúde. Ele acabou se tornando um plantador de igrejas em Nebraska pelos doze anos seguintes até morrer.

Em 1889, Augusta se tornou viúva num mundo em constante mudança. Muitas controvérsias estavam abalando a nação e a igreja, mas Augusta decidiu voltar para a Índia. Ela queria trabalhar com sua irmã, Annie, que conduzia um lar para jovens viúvas hindus. Visto que as meninas se casavam muito cedo na Índia, muitas das viúvas eram praticamente crianças. Como as viúvas eram consideradas vergonhosas na cultura indiana, aquelas jovens eram rejeitadas pela sociedade e por suas próprias famílias. O lar que Annie gerenciava protegia essas viúvas, dando a elas educação básica e profissionalizando-as em algum negócio lucrativo. As viúvas mais velhas que obtinham proficiência suficiente na leitura eram conhecidas como as "mulheres da Bíblia" — um ponto de controvérsia na cultura hindu.

A influência dos Dean e Abbott foi sentida nessa área da Índia. Quando Augusta retornou uma segunda vez à Índia, ela foi saudada, pouco tempo depois, por um homem indiano que tinha procurado por ela, ao ouvir que a viúva do grande pregador Samuel Dean estava na região. Ele estava esperando para contar-lhe quão frutífera a pregação de Samuel tinha sido, pois agora havia várias igrejas na região que surgiram de seu trabalho. E ele queria dar os pêsames à viúva do grande Samuel Dean.

Augusta passou quase cinco anos trabalhando por lá com as "mulheres da Bíblia" antes de voltar para casa. Numa época em que a viagem transoceânica era um trabalho duro, ela fez a viagem para a Índia duas vezes para enfrentar a intimidação hindu e ensinar importantes habilidades para as viúvas abandonadas.

Augusta foi uma mulher espiritualmente muito frutífera. Todos os seus filhos se tornaram cristãos, e ela deixou um rico legado espiritual para eles. Ela era uma auxiliadora destemida para o seu esposo, trabalhando com ele para fundar igrejas em duas nações. Ela conduziu sua própria casa, educou muitas crianças (incluindo as dela), e ainda serviu mulheres de outras culturas que eram injustamente descartadas dentro de sua própria sociedade. As cartas de Augusta indicam uma mulher brilhante, obstinada e franca. Ela poderia ter lutado por muitas coisas para si mesma, mas se submeteu humildemente ao dom de seu esposo e o ajudou a ser bem-sucedido sempre que possível.

Eu frequentemente penso sobre ela, vó de minha vó e irmã em Cristo. Ela poderia ter sido influenciada pelo feminismo de primeira onda, mas ela escolheu outro caminho. Ela viu desigualdade e injustiça na Índia, e escolheu tratar daquela necessidade através do evangelho. Ela poderia ter desfrutado sua aposentadoria em relativa tranquilidade nos Estados Unidos, mas ela escolheu entregar sua vida àqueles que desesperadamente precisavam de ajuda. E quando ela voltou à Índia, ela recebeu as boas-novas do fruto da sua colaboração com seu esposo. Juntos, eles realizaram muitas coisas — e, pelo que ouvi, juntos eles permaneceram fiéis ao glorioso evangelho.

Um Chamado à Feminilidade Radical

Augusta viveu há mais de cem anos, mas ela foi um exemplo das mulheres fortes que John Piper celebra, mulheres que "combinam uma beleza doce, carinhosa, gentil, amorosa, submissa, feminina, com esta *enorme* bigorna em suas costas e a teologia em seu cérebro". É necessário ser uma mulher formidável para viajar duas vezes sob circunstâncias difíceis para uma nação hostil à sua mensagem espiritual. É necessário ser uma mulher forte para abnegadamente nutrir quatro crianças até a idade adulta. É necessário ser uma mulher espiritualmente madura para seguir seu esposo no chamado dele e apoiá-lo no dom dele, viajando para o outro lado do mundo para ajudá-lo a realizar os seus planos. É necessário ser uma mulher ousada para viver contrariamente à sua cultura, escolhendo a glória de Cristo acima de qualquer honra pessoal.

É minha alegria honrar a memória de Augusta. Ela foi verdadeiramente uma mulher radical, uma mulher cuja expressão feminina de fé prevaleceu ao teste do tempo num mundo feminista. Ela honrou a instituição do casamento, ela se deleitou em dar à luz e educar a próxima geração para Cristo, ela foi fiel aos seus votos matrimoniais, e ela se sentou aos pés de Jesus a fim de receber dele aquilo de que precisava para dar a muitos outros que nunca tinham ouvido falar em seu nome.

Que Deus conceda a cada uma de nós a graça para fazer o mesmo — e que esse seja o nosso legado espiritual para as mulheres que seguirem os nossos passos!

Apêndice

MATERIAIS SOBRE ABUSO

A questão do abuso — seja ele físico, verbal ou sexual — é digna de um livro separado só para ela. Não me sinto qualificada para tratar desse tópico em profundidade, mas quero lhe indicar dois materiais importantes que foram copiados com autorização. O primeiro é uma declaração sobre abuso feita pelo *Council on Biblical Manhood and Womanhood* (CBMW).[1] Essa declaração afasta qualquer ideia de que aqueles que defendem a perspectiva complementarista dos papéis masculino e feminino de alguma forma permitem o abuso. O segundo material é um artigo breve de Ken Sande, presidente do ministério *Peacemaker*. Esse ministé-

1 N. da T.: em tradução livre, Conselho sobre Masculinidade e Feminilidade Bíblicas.

rio provê excelentes materiais para resolução de conflitos e aconselhamento tanto para indivíduos quanto para a igreja local. Nesse artigo, Sande trata de uma realidade dolorosa em algumas igrejas e oferece uma resposta bíblica.

Declaração sobre Abuso feita pelo *CBMW*

Quando o *CBMW* foi fundado em 1987, seus líderes escreveram na Declaração de Danvers: "fomos movidos em nosso propósito pelos seguintes desenvolvimentos contemporâneos [que] observamos com profunda preocupação". Entre os itens listados, estava "a explosão de abuso físico e emocional na família". Naquele tempo, os líderes do *CBMW* também se comprometeram a trabalhar como um Conselho:

- para trazer cura a pessoas e relacionamentos feridos por um entendimento inadequado da vontade de Deus concernente à masculinidade e à feminilidade,
- para ajudar tanto homens como mulheres a perceberem seu completo potencial ministerial através de uma prática e de um entendimento verdadeiros de seus papéis dados por Deus,
- e promover a divulgação do evangelho entre todos os povos, estimulando uma santidade bíblica nos relacionamentos, a qual atrairá um mundo despedaçado.

Além disso, a Declaração de Danvers afirmou que:

- na família, os esposos devem abandonar a liderança severa e egoísta e crescer em amor e cuidado por suas esposas.

O *CBMW* prossegue lamentando sobre o crescimento alarmante do abuso em suas muitas formas e reconhece a necessidade de uma declaração mais completa, mais forte de sua convicção de que a Bíblia fala clara e diretamente contra o abuso, e que ela fala com igual clareza sobre responsabilidades diferentes para homens e mulheres no casamento.

Portanto, o *CBMW* emitiu uma declaração ampliada sobre o abuso como parte de um esforço contínuo de demonstrar que os ensinamentos bíblicos sobre a liderança masculina no casamento não autorizam a dominação de um homem nem o abuso contra a sua esposa.

Esperamos que essa declaração encoraje os cristãos a se oporem ao abuso onde quer que ele apareça.

Adotado pelo Council on Biblical Manhood and Womanhood em seu encontro em Lisle, Illinois, Estados Unidos, em novembro de 1994.

Declaração sobre Abuso

- Entendemos que o abuso significa o uso cruel de poder ou autoridade para prejudicar outra pessoa emocional, física ou sexualmente.
- Somos contra todas as formas de abuso físico, sexual e/ou verbal.
- Cremos que o ensinamento bíblico acerca dos relacionamentos entre homens e mulheres não apoia, mas condena o abuso (Pv 12.18; Ef 5.25-29; Cl 3.18; 1Tm 3.3; Tt 1.7-8; 1Pe 3.7; 5.3).
- Cremos que o abuso é pecado. É destrutivo e mau. O abuso é uma marca do diabo e está em oposição direta ao propósito de Deus. O abuso não pode ser tolerado na comunidade cristã.
- Cremos que a comunidade cristã é responsável pelo bem-estar de seus membros. Ela tem a responsabilidade de amorosamente confrontar os abusadores e proteger os abusados.
- Cremos que tanto os abusadores quanto os abusados precisam de cura emocional e espiritual.
- Cremos que Deus estende a cura àqueles que sinceramente buscam a ele.
- Confiamos no poder do amor curador de Deus para restaurar relacionamentos partidos pelo abuso, mas reconhecemos que arrependimento,

perdão, unidade e reconciliação são um processo. Tanto os abusadores quanto os abusados precisam de contínuos aconselhamento, apoio e prestação de contas.

- Em casos onde os abusadores não se arrependem e/ou estão indispostos a tomar passos importantes rumo à mudança, cremos que a comunidade cristã deve responder com disciplina firme em relação ao abusador, e defesa, apoio e proteção do abusado.
- Cremos que, pelo poder do Espírito de Deus, a comunidade cristã pode ser um instrumento do amor e da cura de Deus para aqueles envolvidos em relacionamentos abusivos e um exemplo de união num mundo divido e fraturado.

Uma Forma Melhor de Lidar com o Abuso

Por Ken Sande, presidente do Ministério *Peacemaker*

O abuso sexual nas igrejas não precisa terminar com vidas partidas, processos judiciais agonizantes e congregações divididas. Quando as pessoas seguem o caminho e as palavras de Deus, esses incidentes terríveis podem resultar em cura, justiça e igrejas mais saudáveis.

Quando as vítimas do abuso se manifestam, descobri que a maior parte delas está procurando quatro respostas razoáveis. Primeiro, elas procuram por entendimento, compaixão e apoio emocional. Segundo, elas querem que a igreja admita que o abuso ocorreu e reconheça que foi algo errado. Terceiro, elas querem que as pessoas tomem passos para proteger outros de um dano similar. E quarto, elas esperam compensação pelo custo do aconselhamento necessário.

Como manchetes nacionais revelam, muitas igrejas têm imprudentemente ignorado essas necessidades legítimas. Ao invés disso, como muitas outras instituições, elas têm cegamente seguido a estratégia padrão de seus advogados e reguladores de seguro para evitar responsabilização legal. Elas tentam abafar a ofensa e negar a responsabilidade. Muito frequentemente, elas se distanciam das vítimas e de suas famílias, deixando-as com um sentimento de traição e abandono.

Muitas vítimas frustradas eventualmente conversam com um advogado que lhes diz que elas poderiam ganhar uma milionária indenização por danos. Logo, todos estão presos num processo litigioso que reabre as feridas e geram ainda mais dor e raiva. Seja qual for o veredito, ambos os lados perdem, visto que apenas dinheiro nunca pode curar as feridas do abuso.

Há uma forma melhor.

Deus é um redentor e solucionador de problemas. Ele planejou uma estratégia pacificadora poderosa para lidar com ofensas entre pessoas, incluindo o abuso sexual. Quando as igrejas a seguem, como mostrarei adiante, o ciclo do abuso é quebrado e a restauração se inicia.

Compaixão. Se há um lugar em que as vítimas de abuso deveriam encontrar compreensão, compaixão e apoio, esse lugar é entre o povo que Deus ordenou que respondesse ao sofrimento com ternura e amor altruísta: "Antes, sede uns para com os outros benignos, compassivos [...]; Nada façais por partidarismo ou vanglória [...]; Não tenha cada um em vista o que é propriamente seu, senão também cada qual o que é dos outros" (Ef 4.32; Fp 2.3-4). Ao invés de se afastar das vítimas, as igrejas deveriam se aproximar delas, ouvir suas histórias, chorar com elas, orar por elas e carregar os seus fardos. Responder com amor e compaixão é uma das melhores formas de mostrar que a igreja abomina o abuso e está comprometida em servir aqueles que estão sofrendo.

Confissão. Advogados instintivamente instruem seus clientes a "não fazer confissões". Centenas de igrejas têm seguido esse conselho míope nos anos recentes, prolongando a agonia das vítimas de abuso, enfurecendo júris e provocando indenizações multimilionárias por danos. Em contraste, todos se beneficiam quando as pessoas confiam na promessa de Deus de que "o que encobre as suas transgressões jamais prosperará; mas o que as confessa e deixa alcançará misericórdia" (Pv 28.13). Quando o abuso acontece, a igreja deveria expressar tristeza e reconhecer sua contribuição pelo ocorrido. Ela também deveria aconselhar o abusador a confessar seu pecado, a assumir a responsabilidade por suas ações e a procurar aconselhamento. Esses passos podem prevenir uma batalha judicial e acelerar a cura para a vítima e para o ofensor igualmente. (Visto que uma confissão espontânea poderia permitir que o segurador cancelasse a cobertura, os líderes da igreja deveriam consultar seu segurador, advogado e um conciliador cristão para planejar suas palavras cuidadosamente.)

Compensação pelo aconselhamento. A Bíblia coloca uma forte ênfase sobre requerer que o malfeitor repare qualquer dano que ele causou a outra pessoa. "[...] ele terá que indenizar o homem ferido pelo tempo que este perdeu e responsabilizar-se por sua completa recuperação" (Êx 21.19, NVI). Portanto, igrejas deveriam estar dispostas a fazer o que quer que possam para trazer integridade às vítimas de abuso. Tão logo o abuso seja revelado, a igreja deveria imediatamente vir ao resgate da vítima e de sua família, apresentando o poder redentor de Jesus e oferecendo prover ou pagar por qualquer aconselhamento necessário.

Mudança. Quando um abuso acontece, declarações de arrependimento não são suficientes. Arrependimento genuíno é demonstrado ao se fazer mudanças para proteger outros de um dano similar. "Produzi, pois, frutos dignos de arrependimento [...]; Socorrei o fraco e o necessitado; tirai-os das mãos dos ímpios" (Lc 3.8; Sl 82.4). Isso exige remover imediatamente o abusador de sua posição, envolver as autoridades legais necessárias ou requeridas por lei, e implementar procedimentos de blindagem e supervisão para impedir outras pessoas abusivas de estarem em posições de aconselhamento ou cuidado de crianças. Tais ações não somente protegem outros do dano, como também aliviam as vítimas de abuso, que estão profundamente preocupadas para que outros não sejam tratados como elas foram.

Conciliação. Pode ser difícil para uma igreja implementar esses passos se a família da vítima já está ameaçando uma ação legal ou se um segurador se recusa a apoiar contatos pessoais. Essas situações ainda podem ser resolvidas sem batalha legal, no entanto, submetendo a questão à mediação ou conciliação bíblicas. "Portanto, se vocês têm questões relativas às coisas desta vida, designem para juízes os que são da igreja, mesmo que sejam os menos importantes" (1Co 6.4, NVI). A conciliação cristã por terceiros neutros pode providenciar um foro para lidar tanto com as questões espirituais quanto com aquelas legais relacionadas ao abuso. Esse processo executável legalmente oferece confidencialidade apropriada e promove confissão e restituição, que ajudam a realizar justiça e reconciliação.

Esses cinco passos não são teóricos. Tenho visto muitas igrejas seguirem esse processo, normalmente com grande êxito. Num caso, um pastor descobriu que um homem tinha abusado de várias crianças na igreja, incluindo a filha do pastor. Em meio a sua própria angústia pessoal, o pastor orou para responder à situação de uma forma que refletisse o amor de Jesus. Depois de se consultar com um conciliador cristão e com o segurador da igreja, o pastor e seus presbíteros se levantaram para ministrar a todos que tinham sido machucados por esse pecado terrível.

Eles persuadiram o abusador a confessar seu pecado às famílias das crianças e a se entregar à polícia. Ele voluntariamente aceitou sua sentença de prisão, e até mesmo estava grato de que seu comportamento destrutivo tinha sido finalmente refreado.

Os líderes passaram muitas horas com as famílias, lamentando e orando com elas, e se certificando de que elas recebiam o apoio e o aconselhamento necessários. Além disso, os líderes melhoraram suas políticas de blindagem e supervisão para se guardar contra incidentes semelhantes no futuro.

Eles também alcançaram a esposa e os filhos do abusador, os quais estavam tão envergonhados que planejaram deixar a igreja. Mas os líderes entendiam o que significava ser um pastor. Eles ministraram a essa família partida, reafirmando-a sobre o amor de Deus, e a mantiveram no aprisco.

Ao invés de serem arrastados por um processo judicial excruciante, as vítimas e suas famílias, o abusador e sua família, e a congregação inteira experimentaram o poder redentor de Deus. Esse processo notável terminou meses depois durante um culto de Natal. Enquanto a igreja se preparava para cantar "Noite Feliz", duas jovens meninas foram à frente para acender velas. Uma delas havia sido abusada. A outra era a filha do abusador. Quando elas terminaram sua tarefa e sorriram uma para a outra, a congregação viu a evidência tangível do amor e da graça de Deus.

O abuso na igreja não tem que terminar em catástrofe. Quando uma igreja segue seu Senhor, mesmo essa grande tragédia pode resultar em cura e restauração.

Reconhecimentos e Agradecimentos

À Lesley Mullery e Nicole Whitacre, da *Sovereign Grace Church* de Fairfax, que foram as primeiras a me pedir para desenvolver uma mensagem sobre feminismo e feminilidade bíblica — e gentilmente aguardaram durante todo o processo de revisão.

Ao Time do Primeiro Rascunho — amigos e membros da família que fielmente leram meus rascunhos iniciais e me ofereceram suas considerações —, Mickey e Jane Connolly, Saralyn Temple, Ashleigh Slater, Diane Martinelli, Heidi Michaelian, Jan Lynn, Isaac Hydoski, Erin Sutherland, Katherine Reynolds, Bem Wright, Sarah Lewis, Joanna Beault, Alice Barber, Ken Barbic e Kim Wagner. A honra especial vai para os meus pais, James e Rosalind McCulley, que sempre foram os membros mais rápidos do time de revisão e os mais encorajadores.

À Megan Mattingly e Bethany Gill pela assistência na pesquisa.

Aos meus chefes do *Sovereign Grace Ministries*, Pat Ennis e Bo Lotinsky, que graciosamente acomodaram meu inconstante horário de trabalho para que eu completasse esse projeto.

A C. J. e Carolyn Mahaney, que fielmente me impeliram por mais de um ano para que eu desenvolvesse este livro e o tornasse uma prioridade.

À Nancy Leigh DeMoss, que me entrevistou sobre esse tema para seu programa de rádio e depois me deu o prazo da sua própria conferência para que eu o completasse. Obrigada pela apresentação à *Moody*!

À Jenniffer Lyell, da *Moody Publishers*, a mais simpática responsável pela edição que uma garota poderia querer. Que você consiga o *Jimmy Choos* dos seus sonhos! Obrigada por seu apoio sem fim e seu entusiasmo por este livro.

Finalmente, a todos aqueles que me permitiram usar suas histórias neste livro — suas vidas que glorificam a Deus literalmente têm muito a dizer. Em nome daqueles que lerão este livro e se beneficiarão de seus exemplos, obrigada por sua humildade.

O Ministério Fiel visa apoiar a igreja de Deus de fala portuguesa, fornecendo conteúdo bíblico, como literatura, conferências, cursos teológicos e recursos digitais.

Por meio do ministério Apoie um Pastor (MAP), a Fiel auxilia na capacitação de pastores e líderes com recursos, treinamento e acompanhamento que possibilitam o aprofundamento teológico e o desenvolvimento ministerial prático.

Acesse e encontre em nosso site nossas ações ministeriais, centenas de recursos gratuitos como vídeos de pregações e conferências, e-books, audiolivros e artigos.

Visite nosso website

www.ministeriofiel.com.br

Esta obra foi composta em Chaparral Pro Regular 11, e impressa
na Promove Artes Gráficas sobre o papel Pólen Natural 70g/m²,
para Editora Fiel, em Julho de 2024.